［著］

リーシャ｜神瞳

世界の闇

Know the darkness and truth of the world!

と真実を知る!

支配者の意図を暴き、救いある未来を手に入れろ!

目次

貴重な記録　Day1（2023年10月14日）

貴重な記録　Day2（2023年10月27日）

カバーデザイン　森　瑞（4Tune Box）
編集協力　宮田速記
本文仮名書体　文麗仮名（キャップス）

本書は、２０２３年10月14日（「世界の闇と真実を知る！　敏腕翻訳者2名によるセミナー」）と10月27日（「サイエンティズム（科学万能主義）との訣別」）の2日間にわたって繰り広げられた、リーシャ氏と神　瞳氏の対談において暴露された、我々の知らない「世界の裏側」に関する貴重な記録である。

貴重な記録
Day 1
(2023年10月14日)

人間の権力への闘争は記憶と忘却との闘い

リーシャ　リーシャと申します。よろしくお願いいたします。週末なのにわざわざお越しくださり、ありがとうございます。

（スライド1）

私のプロフィールをざっと挙げると、カナダのブリティッシュコロンビア州在住で、今は翻訳業に時間を割いています。

ナチュラルヘルスに興味を持ったのは、航空会社で客室乗務員をしているときに健康管理のために自然療法に興味を持ったことがキッカケです。中医学を勉強して鍼灸師の資格を取り、その後、操体法をかなり深く勉強し、波動療法や食事療法にも携わっていました。

数年前にインパワー・ムーヴメント（InPower Movement）のメンバーになり、1回目のワールドワイド・ウェイブ（Worldwide Wave）に参加中（2023年9月～11月に実施）です。これに関しては、後で神さんとの対談の中でちょっと触れたいと思いますし、10月27日にまた詳しくお話しさせていただきます。

この9月に、アンディ・カウフマン医師が、今後の生き方を考えるために、「ホンモノの生き方」をともにする仲間たちということでTrue Living Fellowshipというコミュニティをつくり、私は創設メンバーに加わりました。

皆さんご存じの方も多いと思うのですが、私はトム・カウワン医師のNew Biology Curriculumを10月11日に修了しました。

（スライド2）

トム・カウワン医師が書いた『ヒューマンハート・コズミックハート（Human Heart, Cosmic Heart）』という本を私が翻訳させていただきまして、（2023年）5月にヒカルランドさんから出版されました。心臓に関する本ではありますが、堅苦しくなく、とてもおもしろいので、もしまだご覧になっていない方がいらっしゃったら、今日ここでお求めいただけます。

（スライド3）

今は「X」ですが、私は全然慣れなくて、まだ「ツイッター」と呼んでいますが、「purplepearl」というアカウント名で投稿しています。つい最近、私が上げた投稿はインパワーの話です。

今日の私の講演テーマとは違うのですが、これについて少しお話ししますと、2021年は、皆さんもご存じだと思いますが、パンデミックの最中は、カナダもひどかったんで

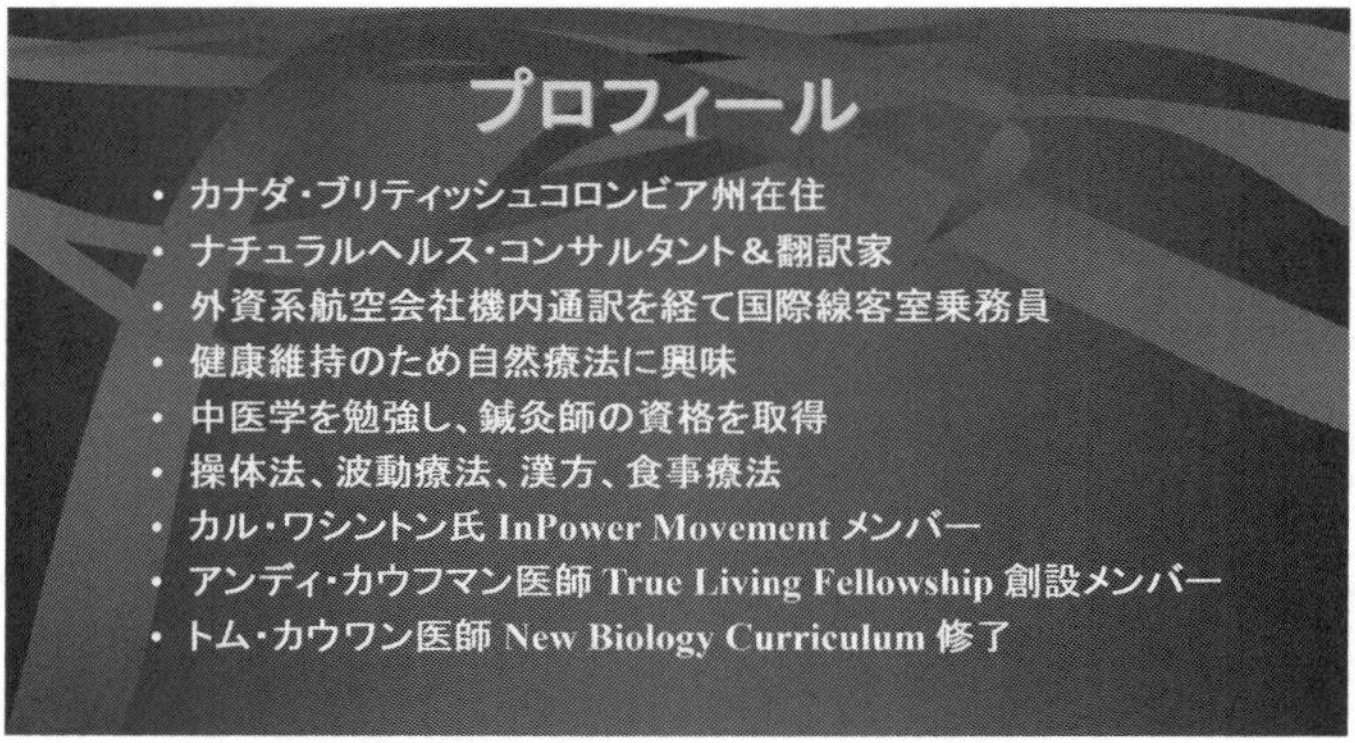
プロフィール
• カナダ・ブリティッシュコロンビア州在住
• ナチュラルヘルス・コンサルタント＆翻訳家
• 外資系航空会社機内通訳を経て国際線客室乗務員
• 健康維持のため自然療法に興味
• 中医学を勉強し、鍼灸師の資格を取得
• 操体法、波動療法、漢方、食事療法
• カル・ワシントン氏 InPower Movement メンバー
• アンディ・カウフマン医師 True Living Fellowship 創設メンバー
• トム・カウワン医師 New Biology Curriculum 修了

スライド1

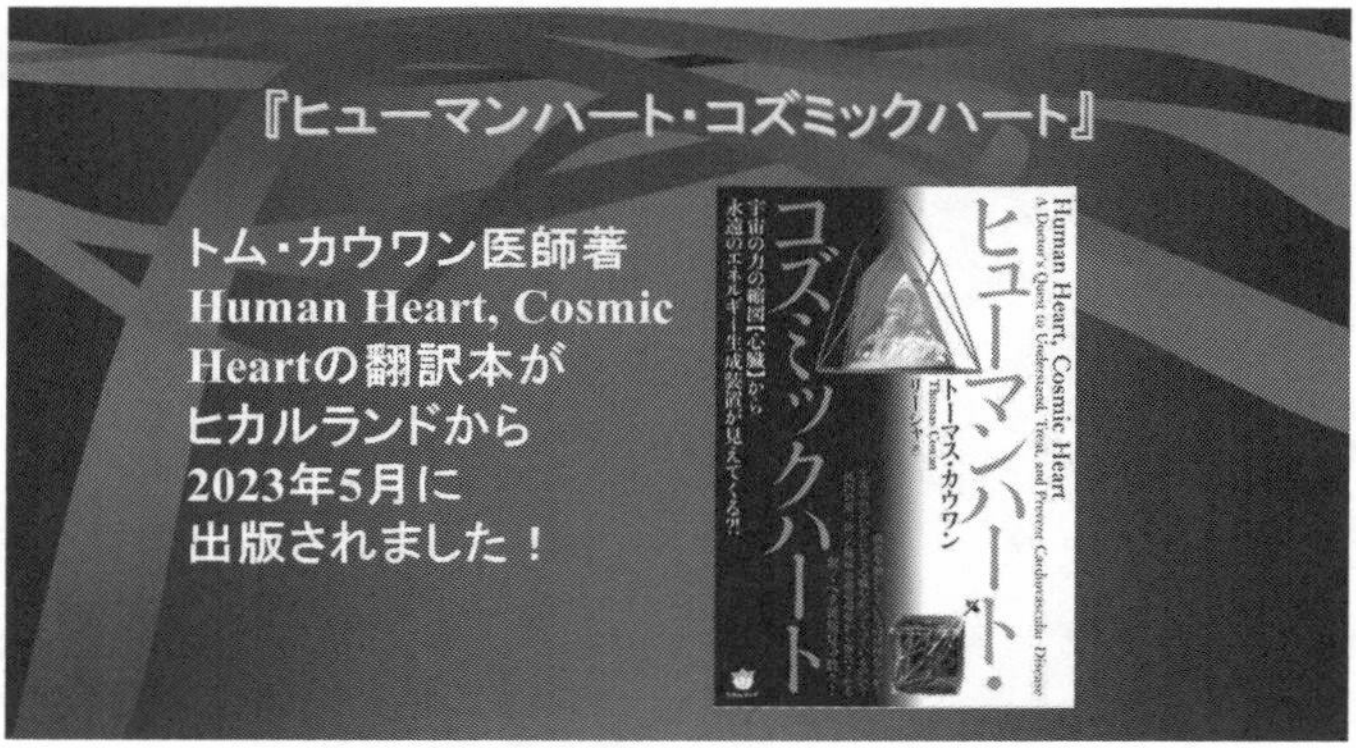
『ヒューマンハート・コズミックハート』
トム・カウワン医師著
Human Heart, Cosmic Heartの翻訳本が
ヒカルランドから
2023年5月に
出版されました！
ヒューマンハート・コズミックハート
Human Heart, Cosmic Heart
A Doctor's Quest to Understand, Treat, and Prevent Cardiovascular Disease
トーマス・カウワン
宇宙の力の縮図［心臓］から
永遠のエネルギー生成装置が見えてくる!?

スライド2

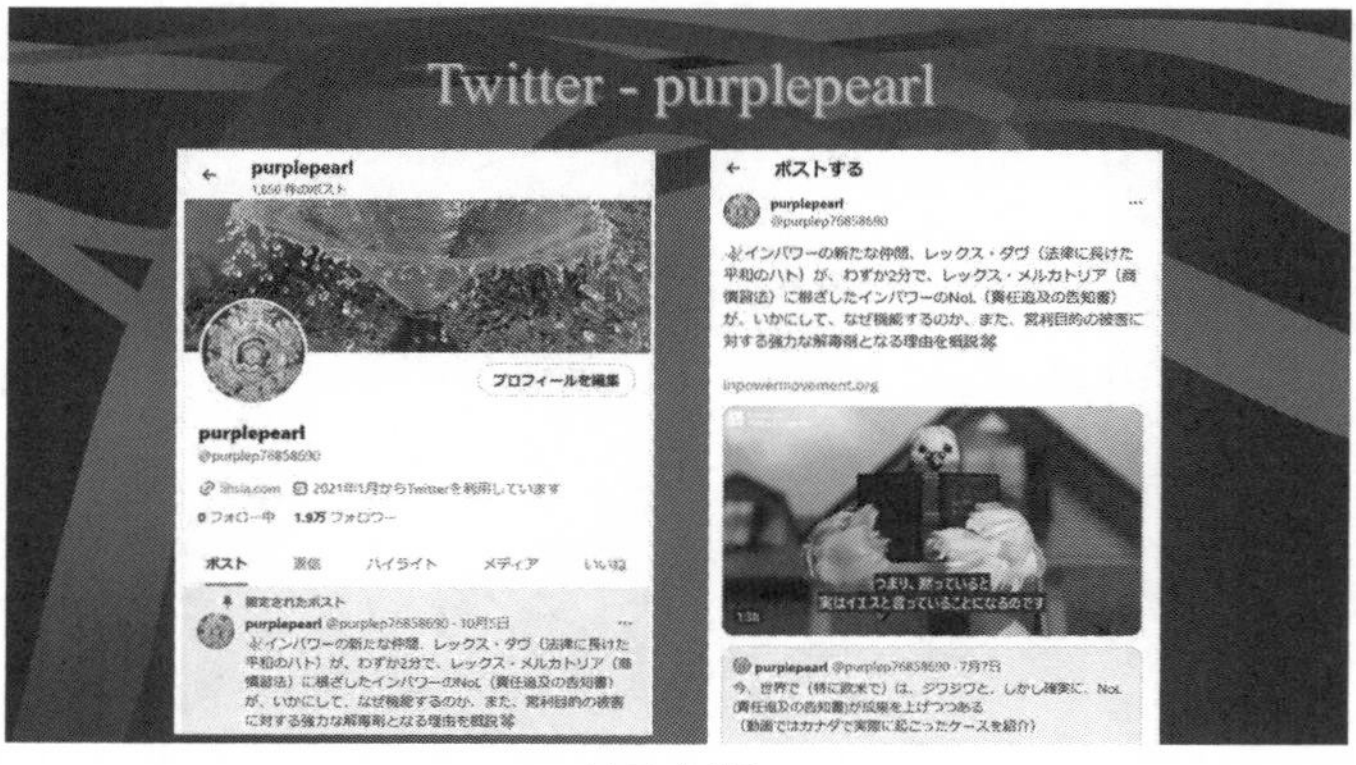
Twitter - purplepearl
purplepearl
プロフィールを編集
purplepearl
@purplep76858690
0 フォロー中 1.9万 フォロワー
ポスト
ハイライト
メディア
ポストする
purplepearl
@purplep76858690
inpowermovement.org
つまり、黙っていると
実はイエスと言っていることになるのです

スライド3

す。オーストラリア、ビクトリア州のメルボルンはほんとにひどい状況でした。州首相のことをプレミアと言いますが、ダニエル・アンドリュース首相が２０２３年9月辞任したんですね。それには理由がありまして、ＮｏＬ（＝Notice of Liability）「責任追及の告知書」と私は訳していますけれども、それを受け取った直後に辞任しています。それに関しては後で神さんとお話ししたいと思います。

（スライド４）

今日の本題に入る前に、今年の新春早々に、ちょっと暗い内容ですが、私はこれをツイッター（現・X）に上げました。

国民清算の第一段階は、記録を抹消することだ
書物、文化、歴史を破壊するのだ
次に何者かに、新たな本を書かせ、新たな文化を造らせ、新たな歴史を発明させる
やがてその国は、自分が何者であり、何者であったかを忘れていく
人間の権力への闘争は、記憶と忘却との闘いである

これはミラン・クンデラという、チェコ生まれのフランスの作家が書いたものです。私が今年これをツイッター（現・X）に上げたときはまだご健在だったのですが、7月に94

歳でお亡くなりになりました。すごく見通していますよね。

（スライド5）

こういうことを踏まえて、今日は、「世界に隠された真実」というテーマで、1時間という限られた時間の中でお話ししたいと思います。

細胞仮説のトリック

（スライド6）

今日来ていただいた方は、「グレート・リセット」という言葉はもちろん聞いていますよね。グローバル・リセットが今回初めて聞く言葉だと思っている人は手を挙げてください。

誰もいないですね。茶番に氣づいている人でも、グレート・リセットは今回が初めてと思っている人は結構いるかもしれません。

（スライド7）

ざっくりとですが、1850年から1920年までの70年間に、非常に多くの〝新しい説〟（アイデア）が「発見」されたと言われています。

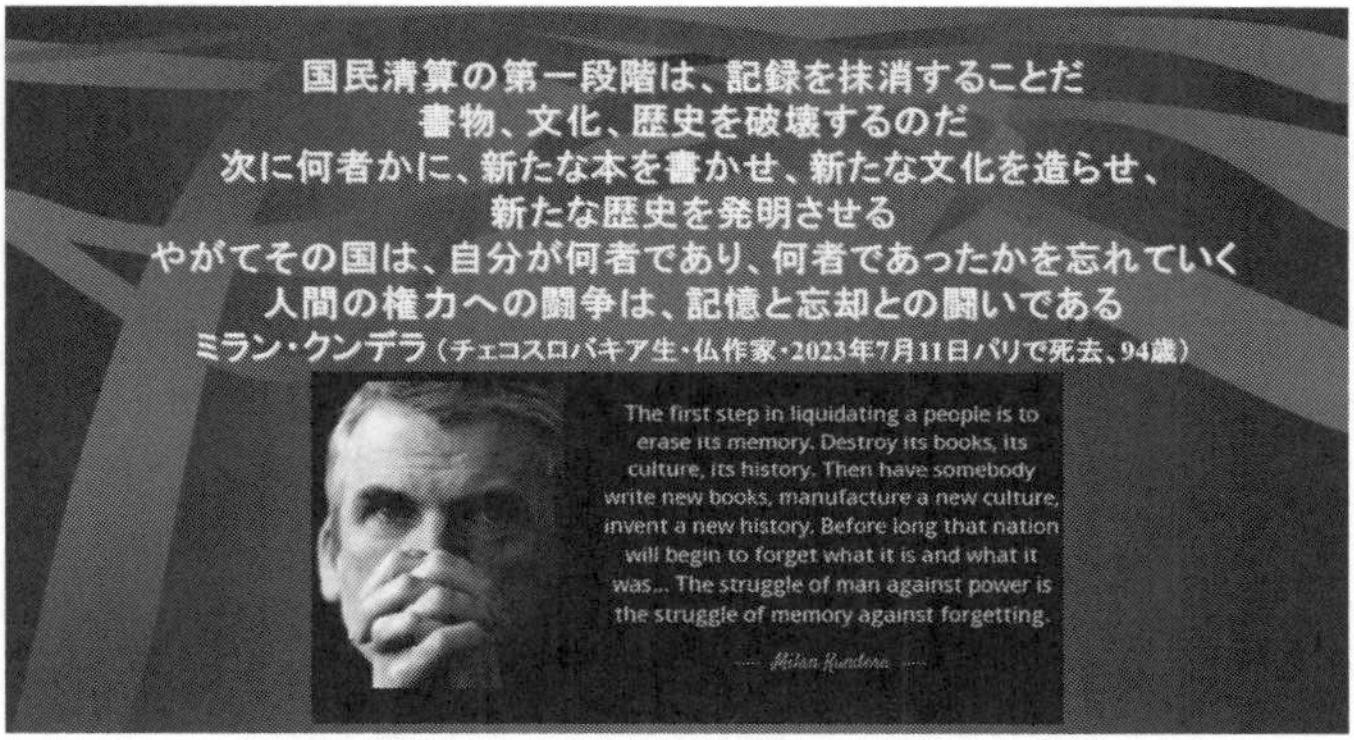

スライド4

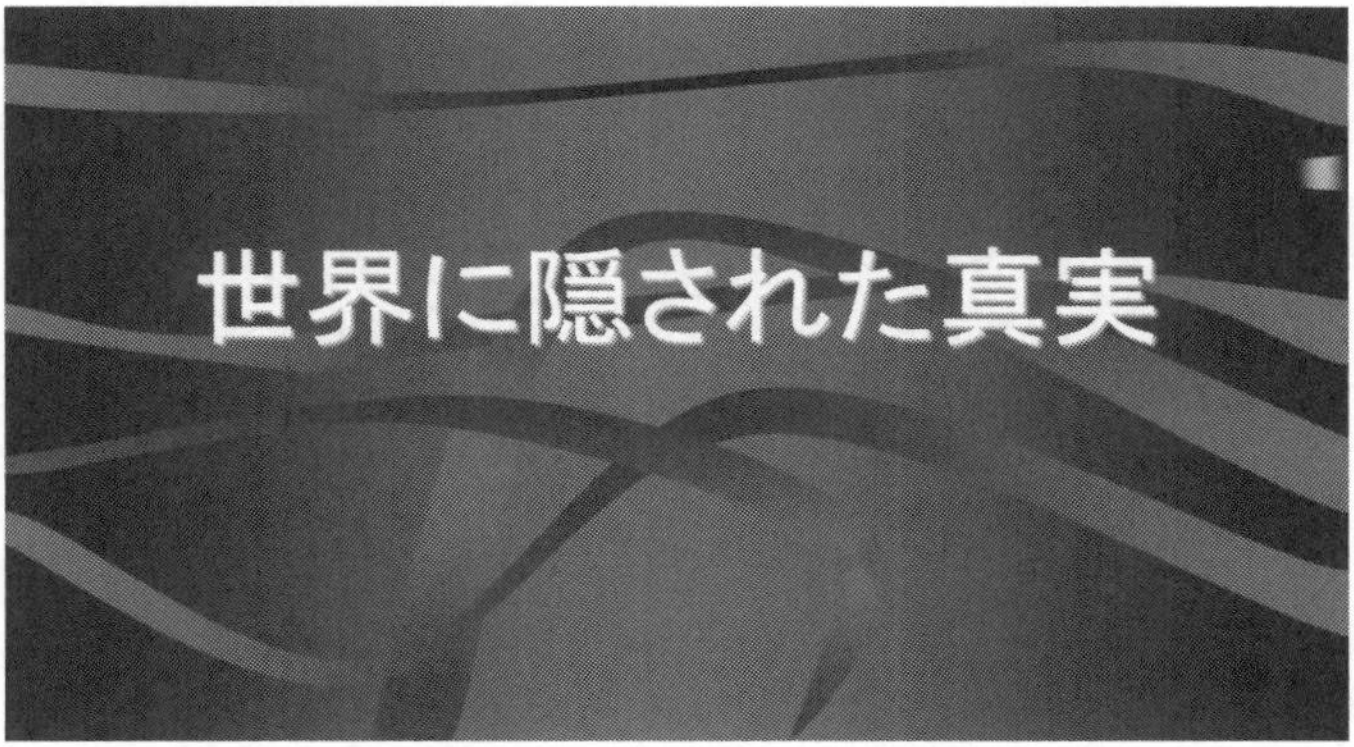

スライド5

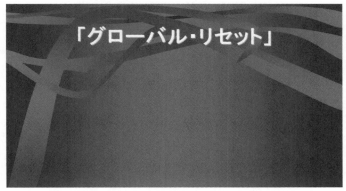

スライド6

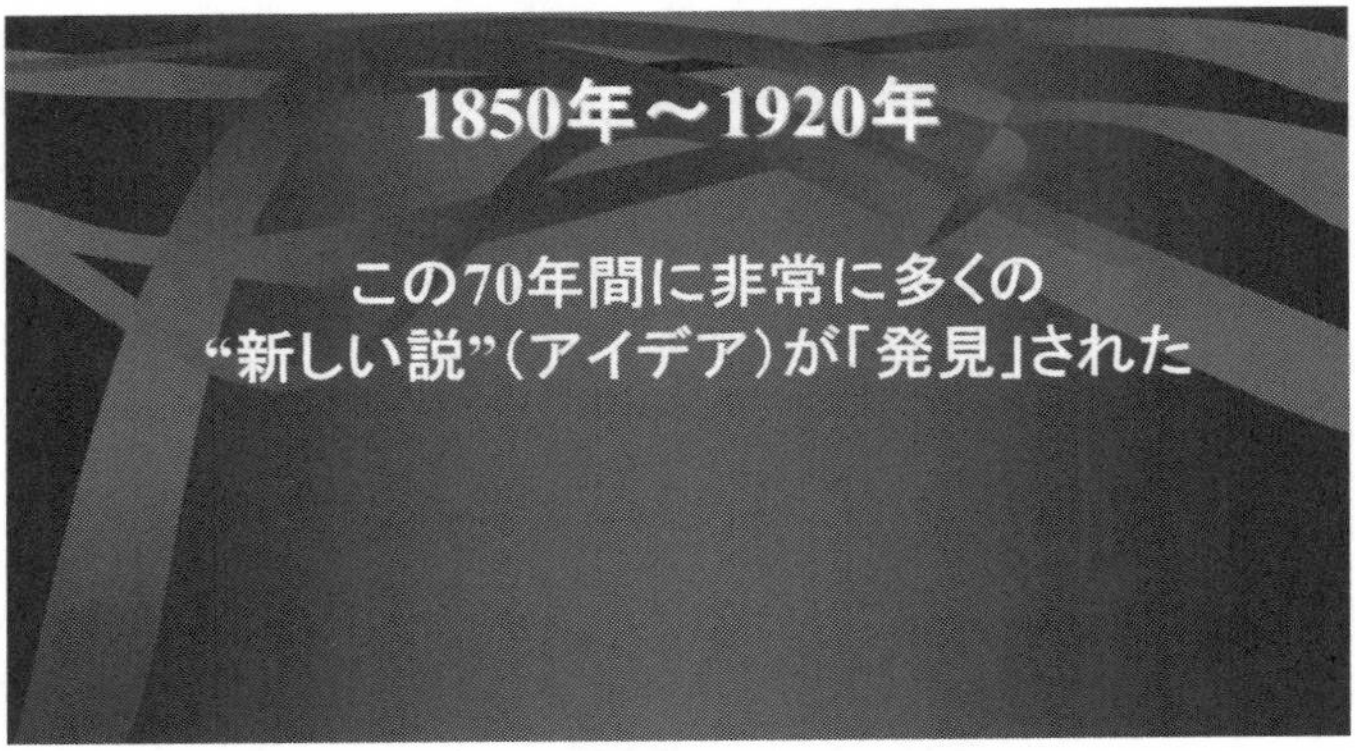

スライド7

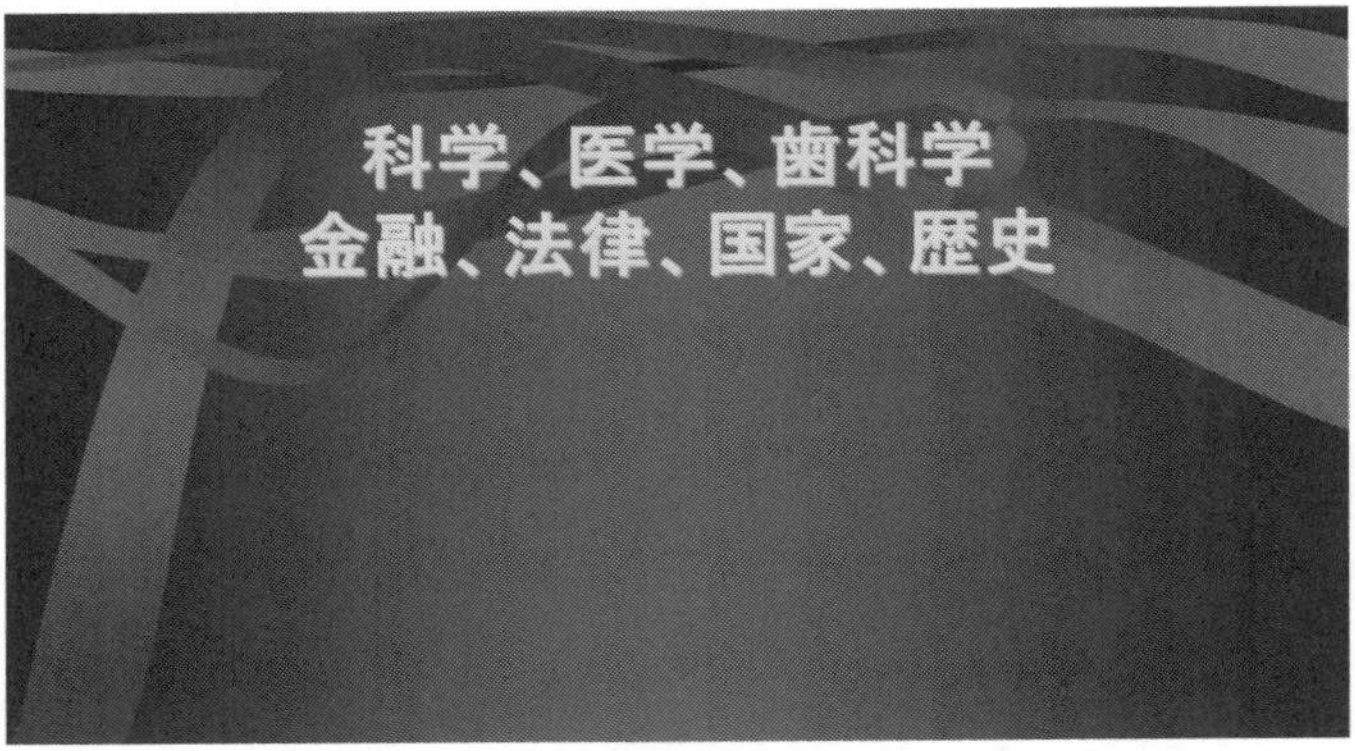

スライド8

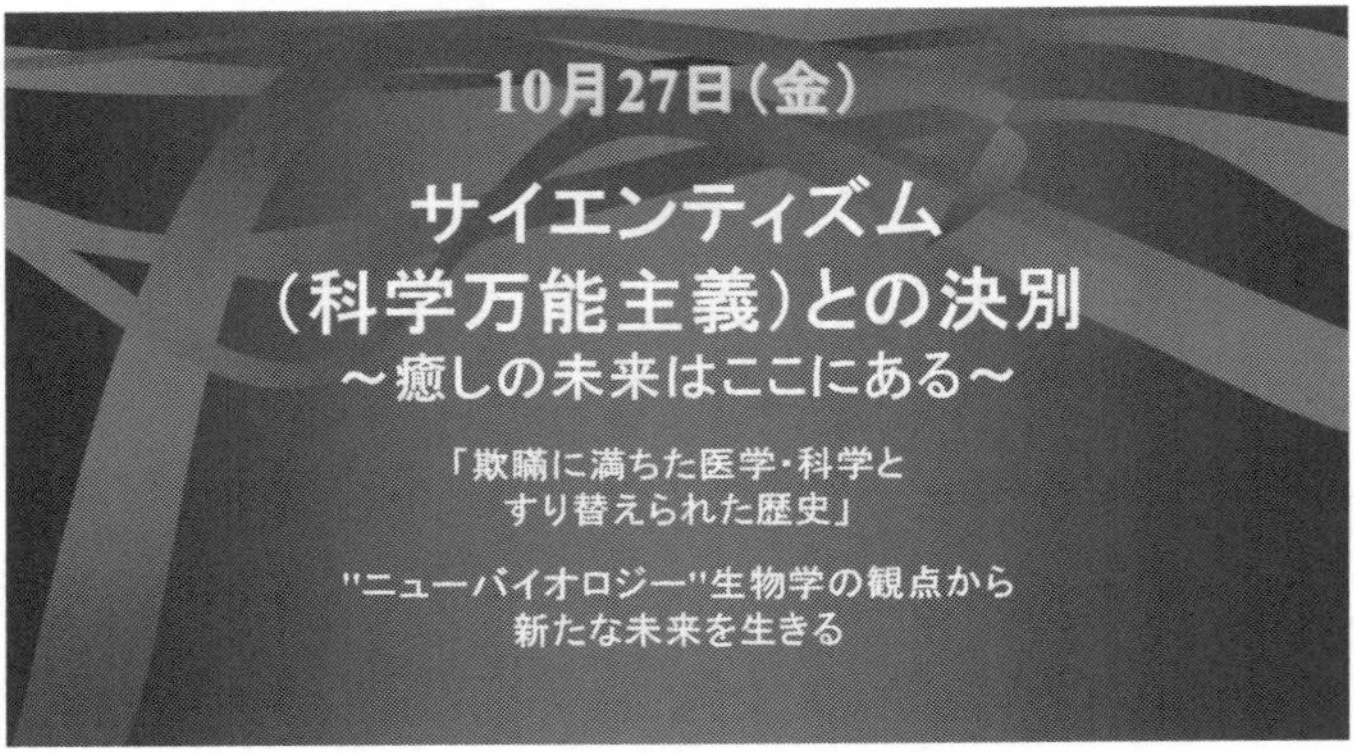

スライド9

（スライド8・9）

分野は、科学、医学、歯科学、金融、法律、国家（政府）、歴史と、多岐にわたっています。これを全部話すことはできないので、10月27日（金）にこのテーマについてかなりつっこんでお話しさせていただきます。もしよろしければお越しください。

（スライド10）

今日は、医学と科学についてお話しします。

（スライド11）

1850年から1920年までは、科学と生物学の生命に対する考え方の大転換期と位置づけることができます。

（スライド12）

1850年ごろに発見されたものはもっとありますが、今日は、ルドルフ・ウィルヒョーの「細胞仮説」というテーマでお話ししたいと思います。

（スライド13）

ルドルフ・ウィルヒョーという人をご存じの方は結構いらっしゃると思います。この人は、ルイ・パスツールに比べると知名度は低いかもしれませんが、今日我々がいろいろなことを考えるベースになっている「細胞がある」ということの言い出しっぺで、結構重要

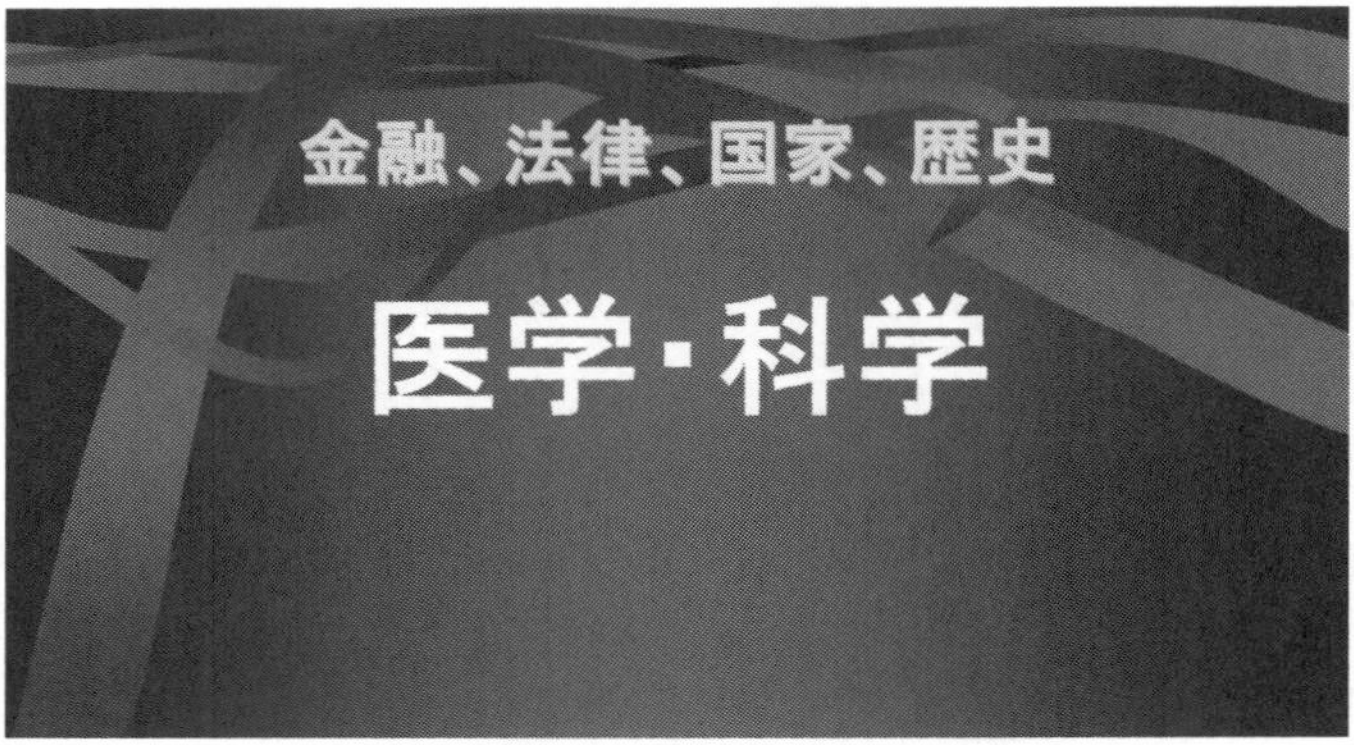
金融、法律、国家、歴史
医学・科学

スライド10

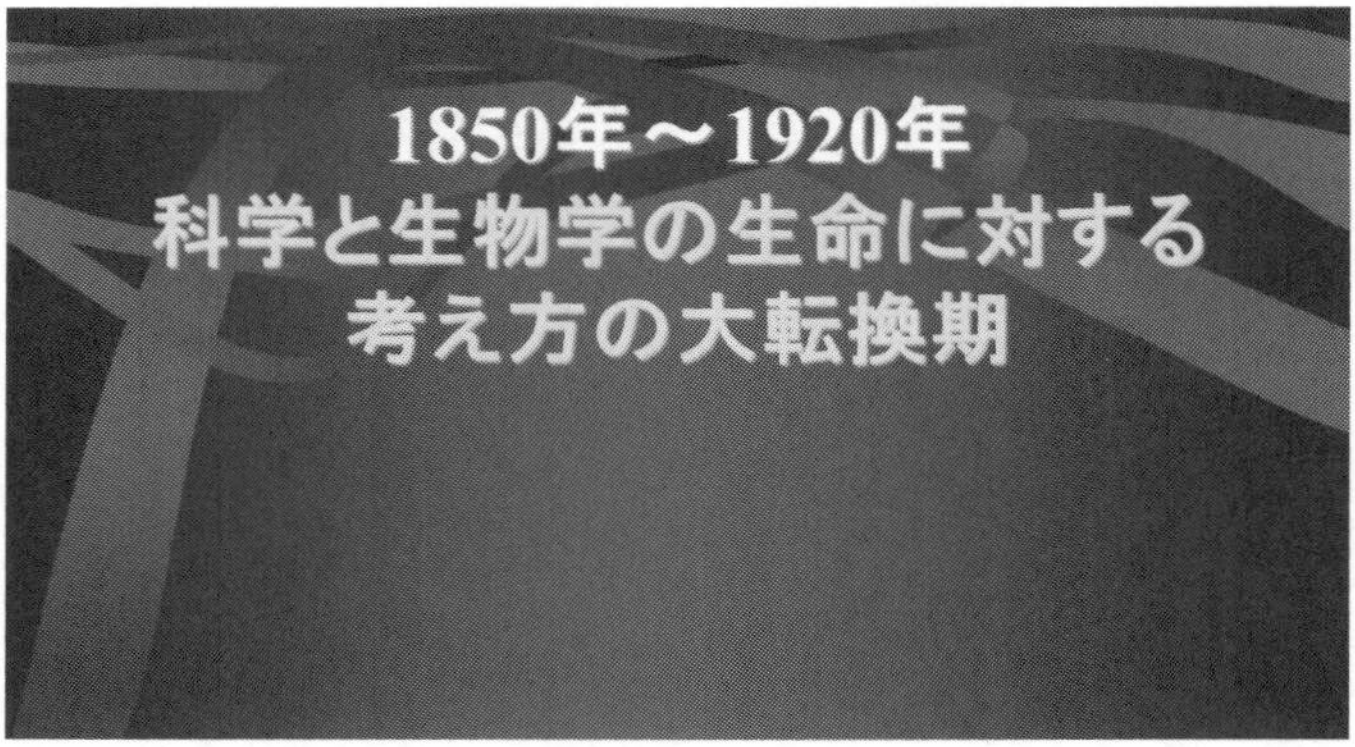
1850年～1920年
科学と生物学の生命に対する
考え方の大転換期

スライド11

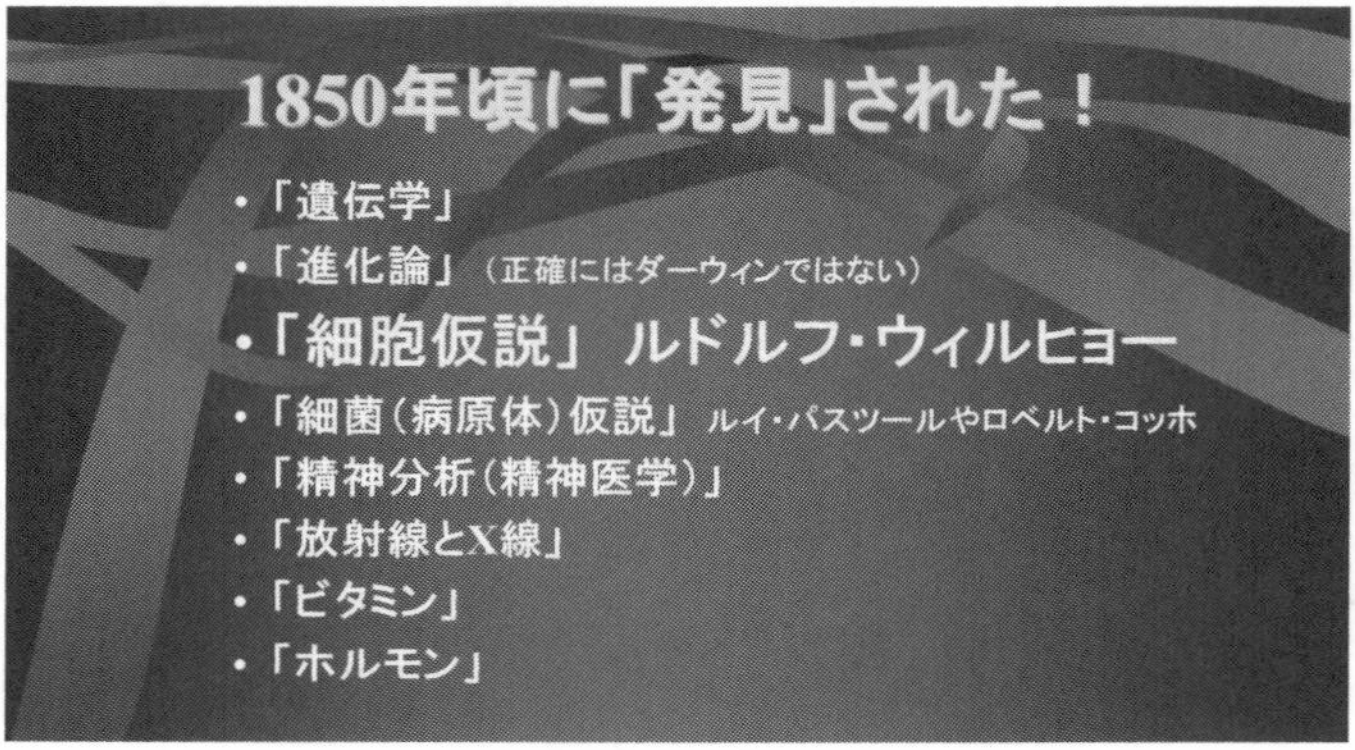
1850年頃に「発見」された！
・「遺伝学」
・「進化論」（正確にはダーウィンではない）
・「細胞仮説」 ルドルフ・ウィルヒョー
・「細菌（病原体）仮説」 ルイ・パスツールやロベルト・コッホ
・「精神分析（精神医学）」
・「放射線とX線」
・「ビタミン」
・「ホルモン」

スライド12

なので、説明させていただきます。

彼はドイツ人で、医師、学者、政治家です。彼はもともと牧師志望でしたが、カネ遣いの荒いお父さんはとにかく息子に稼いでもらいたくて、牧師ではなく医者になれということで、父方の叔父のコネでプロイセンの軍医になった。ただ、そのころの軍医は人氣がない職業でした。なぜかというと、政府から助成金があまり出ないし、注目も尊敬もされない。誰も注目してくれないからこそ、逆にいろんな研究が自由にできて、彼はヴルツブルグ大学の教授として「細胞仮説」を思いつくのです。

（スライド14）

彼が研究中に顕微鏡でタマネギの仕切りを見たとき、「細胞」というアイデアがふっと浮かび、ひょっとしたらこれは生命に全て関係しているんじゃないかと思いついた。タマネギの細胞壁を見て、そこから人間の細胞を想像するのも飛躍し過ぎだと思いますが。

彼が思いついた「細胞仮説」が全面的に世に出たのは、実はフリーメイソンがかかわっているらしいという話を、ステファン・ランカのビデオで聞いたことがあります。フリーメイソンが掲げる「物質の原子論」というアイデアが彼の「細胞仮説」に合致するため、合体させて世に出したという経緯があるようです。

（スライド15）

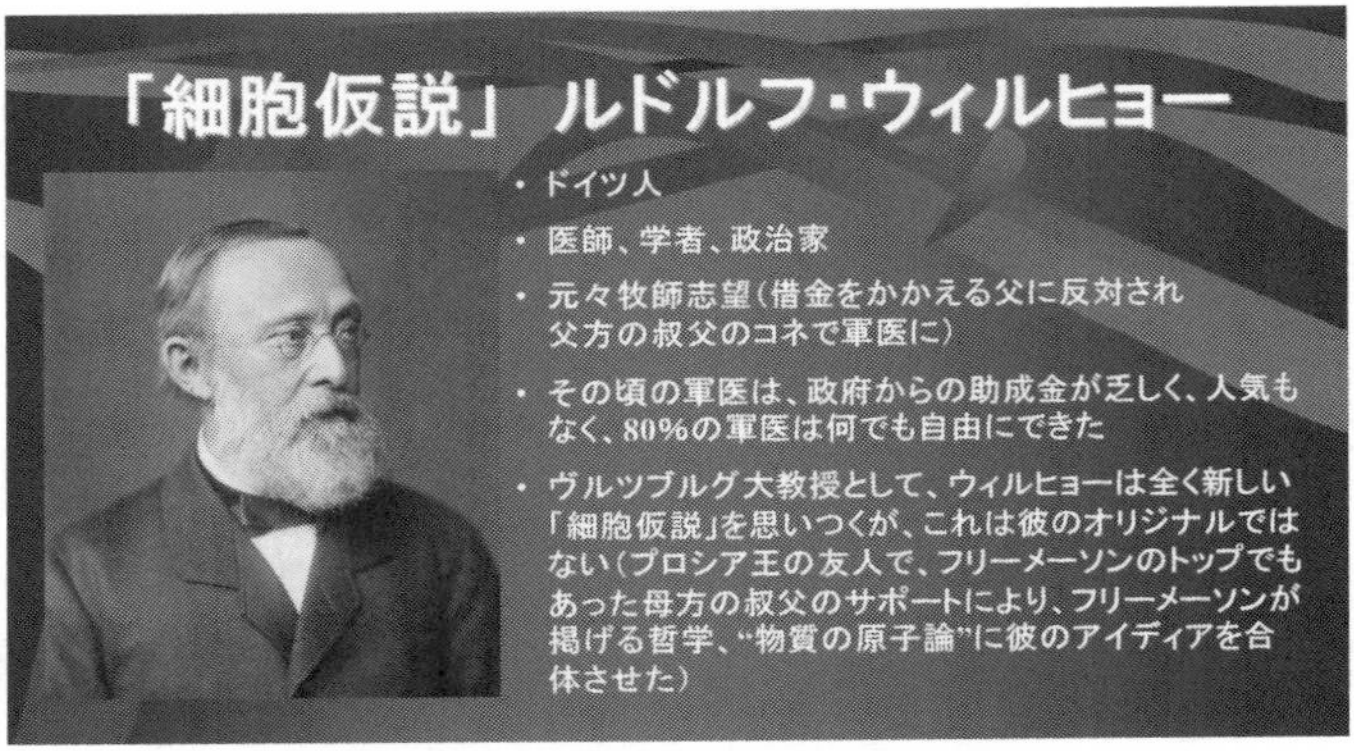
「細胞仮説」 ルドルフ・ウィルヒョー
・ドイツ人
・医師、学者、政治家
・元々牧師志望(借金をかかえる父に反対され父方の叔父のコネで軍医に)
・その頃の軍医は、政府からの助成金が乏しく、人気もなく、80%の軍医は何でも自由にできた
・ヴルツブルグ大教授として、ウィルヒョーは全く新しい「細胞仮説」を思いつくが、これは彼のオリジナルではない(プロシア王の友人で、フリーメーソンのトップでもあった母方の叔父のサポートにより、フリーメーソンが掲げる哲学、"物質の原子論"に彼のアイディアを合体させた)

スライド13

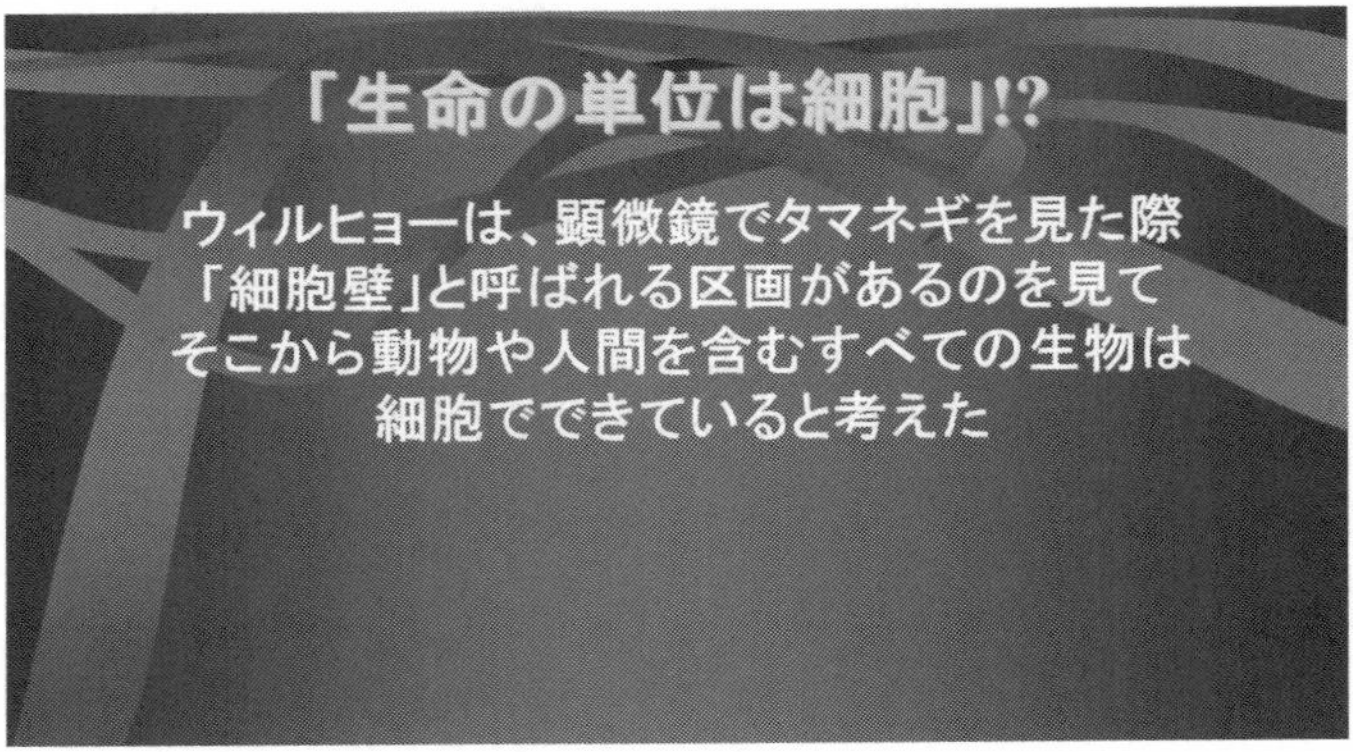
「生命の単位は細胞」!?
ウィルヒョーは、顕微鏡でタマネギを見た際
「細胞壁」と呼ばれる区画があるのを見て
そこから動物や人間を含むすべての生物は
細胞でできていると考えた

スライド14

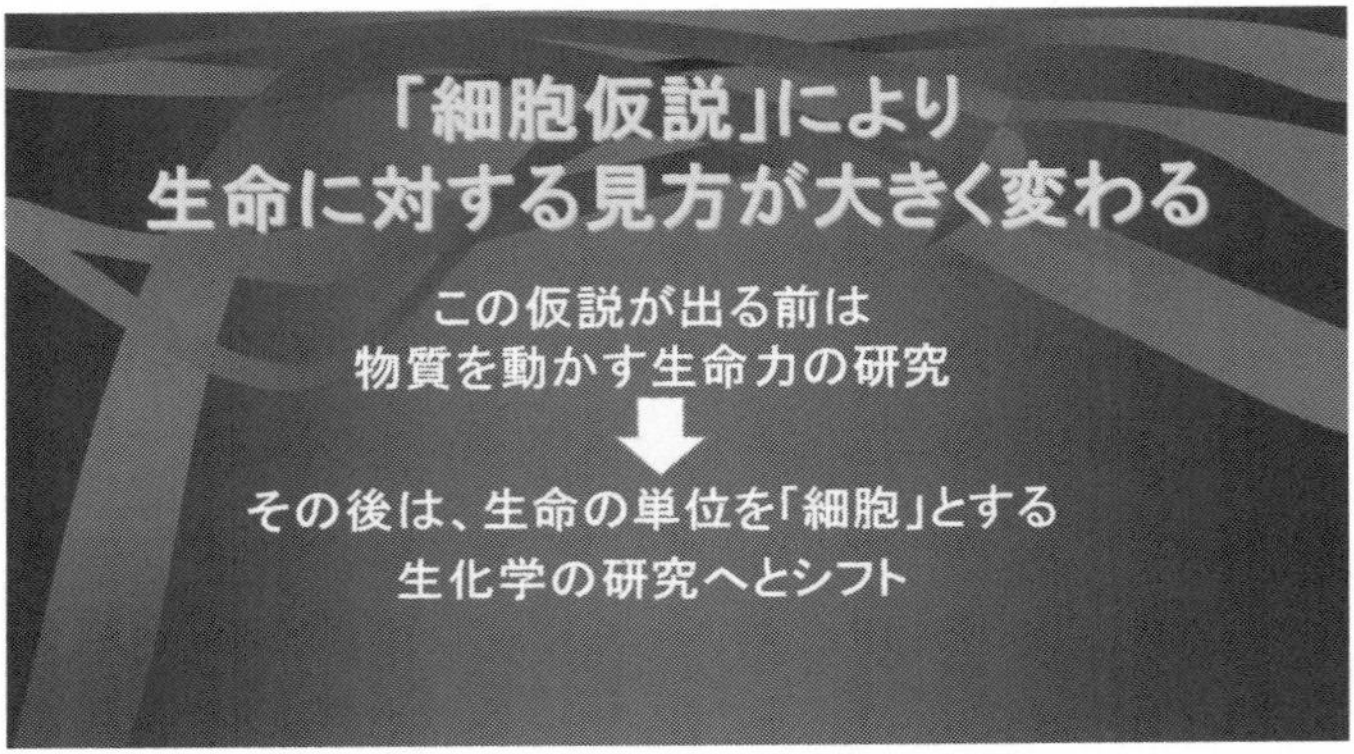
「細胞仮説」により
生命に対する見方が大きく変わる
この仮説が出る前は
物質を動かす生命力の研究
その後は、生命の単位を「細胞」とする
生化学の研究へとシフト

スライド15

「細胞仮説」が出たことで、生命に対する見方が大きく変わりました。この仮説が出る前の１８５０年ぐらいまでは、生命力（バイタルフォース）、エネルギーといった研究が多かったのに、その後からは細胞をベースにしたケミカルの世界、要するに生化学の研究へとシフトしていきました。

（スライド16）

果たして生命の単位は細胞なのか。私たちはこの70年間に出てきた新しいアイデアを信用していいのか。

一方で、それ以前の、細胞ではないという考え方、体はケミカルの集合体ではないという考え方も、本当なのかどうか。そういうところを検証していかないと、本当の意味で私たちは一体何者なのかがわからない。科学とはそういうものだと思うので、これから実際に掘り下げて見てみたいと思います。

（スライド17）

この問題に対して、２人の科学者が疑問を呈し、細胞が生命の最小単位ではないということを実際に証明しました。

１人はギルバート・リン博士で、中国出身の生理学者です。奨学金を得て米国に渡り、２０１９年にカリフォルニアで亡くなりました。彼は、ナトリウム・カリウムポンプとい

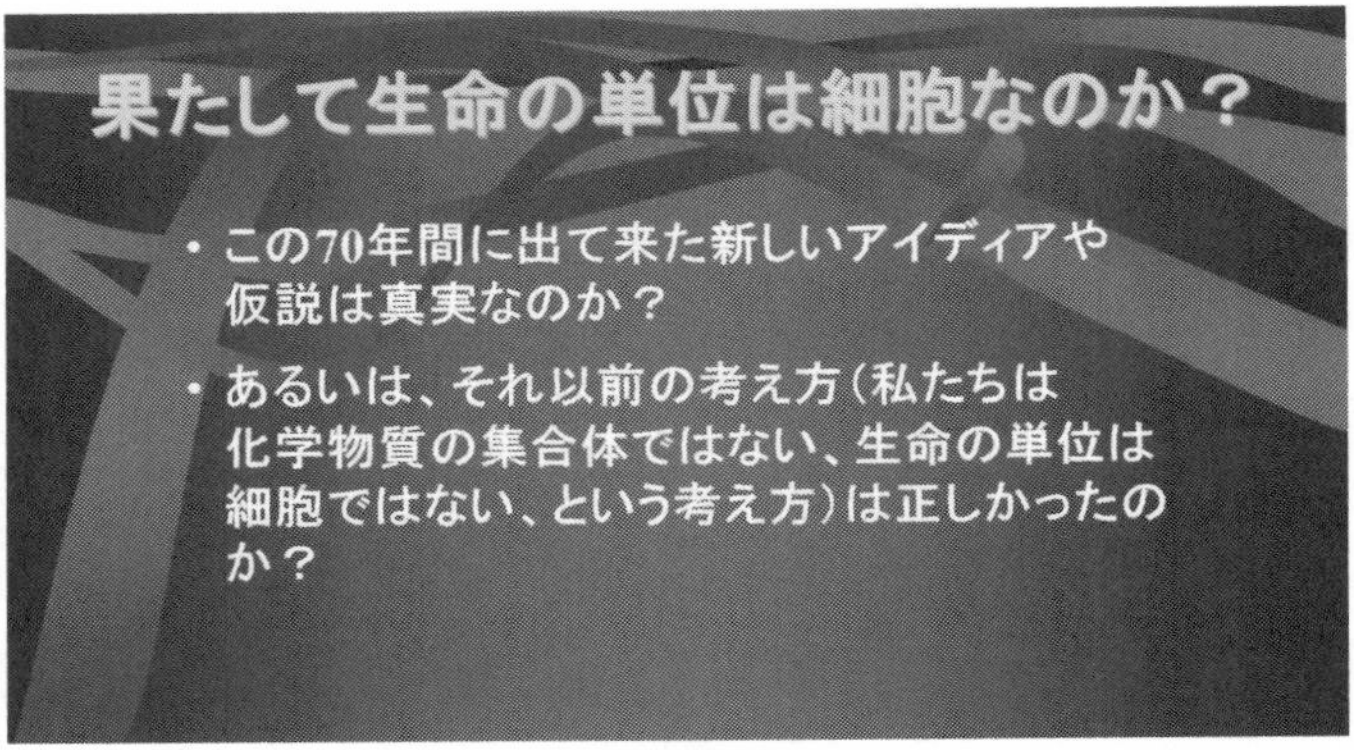
果たして生命の単位は細胞なのか？
・この70年間に出て来た新しいアイディアや仮説は真実なのか？
・あるいは、それ以前の考え方（私たちは化学物質の集合体ではない、生命の単位は細胞ではない、という考え方）は正しかったのか？

スライド16

ギルバート・リン博士
生理学者（中国→米国1919 ～ 2019）
ナトリウム・カリウムポンプ
（Sodium-Potassium Pump）

スライド17

ハロルド・ヒルマン博士
医学、生理学、生化学
（英国 1930 ～2016）
Harold Hillman
ON THE LIVING CELL

スライド18

う説は間違いで、そんなポンプはないことを証明したり、非常に重要な研究をたくさんしています。本当はノーベル生理学・医学賞を取るべき存在なんですけれども、結局妨害されたんですね。

（スライド18）

今日は、ハロルド・ヒルマン博士にフォーカスしてお話しさせていただきます。ギルバート・リン博士も天才ですが、ハロルド・ヒルマン博士は英国の天才で、医学だけでなく、生理学、生化学の博士号も取っています。

（スライド19）

彼は、死んだ細胞を見ている現代科学を否定し、生きた細胞を見ようとしました。

（スライド20）

彼が光学顕微鏡で見たものは本当にシンプルで、「細胞」と言われているものは基本的に4つだけです。

・薄い細胞膜

・その周りにある構造水

私たちは体液を単純に水と言っているけど、実際は第4の相と言われるジェル状の、ちょっと粘っこい水で、健康体にはそれがしっかりとある。そのジェルが崩れると体の具合

スライド19

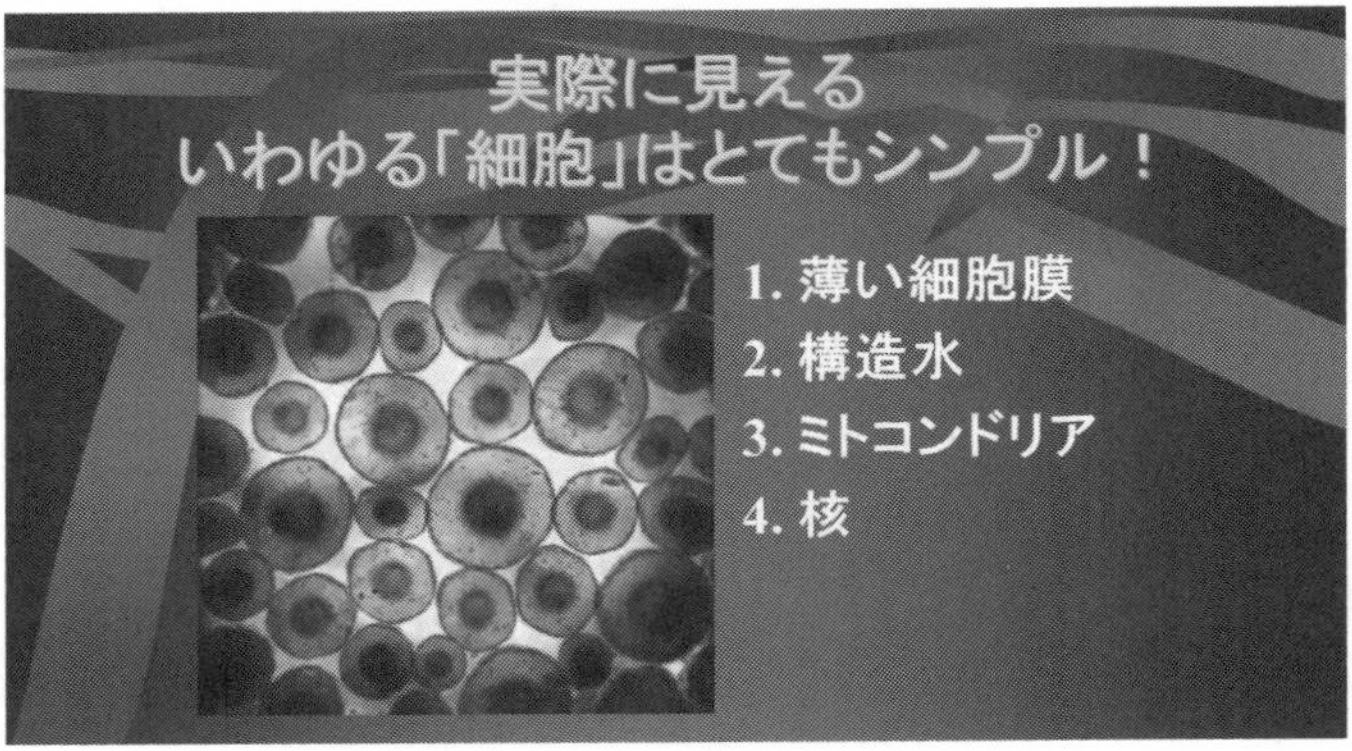

スライド20

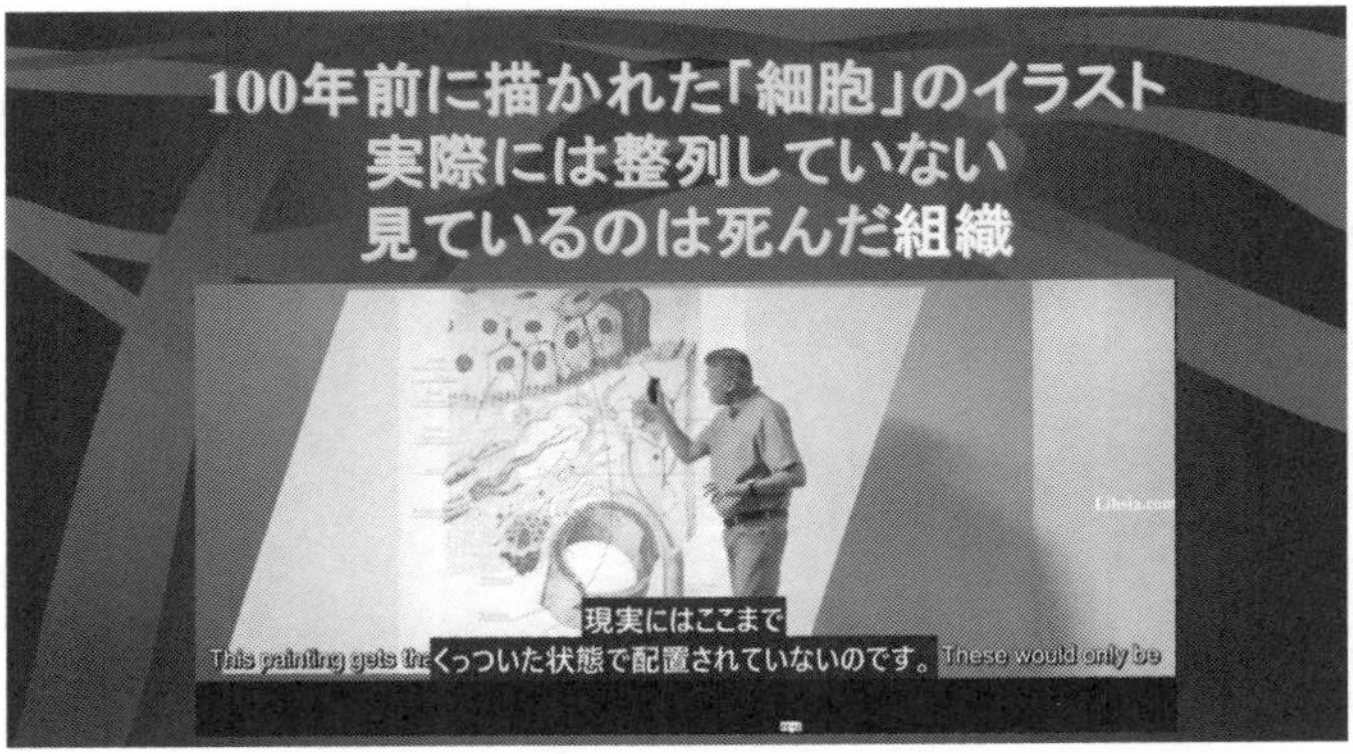

スライド21

いが悪くなる。

・ミトコンドリア（小さいのがプチプチといっぱいある）

・核（真ん中にある）

こんなにシンプルです。

これは有名なのでご存じの方も多いと思うのですけれども、ご存じない方のために説明しますと、ドイツのステファン・ランカ博士は、２０１６年にはしかのウイルスが存在しないことを証明して裁判で勝った人物で、トム・カウワンからも一目置かれています。

（スライド21）

細胞がきれいに整列しているこのイラストは、１００年前に描かれたものです。ところが細胞は実際には整列などしていません。整列しているように見えるのは、顕微鏡で研究するときに、現代科学で、死んだ組織のサンプルを見ているだけだからだとランカも言っています。

（スライド22）

ヒルマンが生きた組織を観察すると、「細胞」と言われているものには１８８タイプあり、そのうちの44タイプには仕切りがないことがわかりました。例えば目の中の細胞には仕切りがない。仕切りがあったら、格子状になっていて見るのに不便です。よく考えたら確かにそうです。

仕切りがない44タイプはシンシチウム（合胞体）と呼ばれていて、それは基本的には薄い膜とジェル状の水だけです。

残りの１４４タイプは、一応「細胞」と言われてはいますが、それも証明されていない。なぜかというと、死んだ組織のみを使用して、対照実験を一切行っていないからです。

矛盾だらけの現代生物学

（スライド23）

現代生物学は矛盾だらけです。幾つか例を挙げてみます。

１つ目は、私たちは「細胞からなり、細胞は分裂して1つの細胞が2つになり、２つが４つになる」と聞かされてきました。

人間の「細胞」はそれぞれ染色体を持っていて、体細胞なら23対、合計46本です。動物、植物で染色体の数は違います。

ところがヒルマンによる生きた細胞の観察から、光学顕微鏡で見ると、染色体は、生殖細胞（精子や卵子）では見られるが、体幹の細胞には見られないことがわかっています。

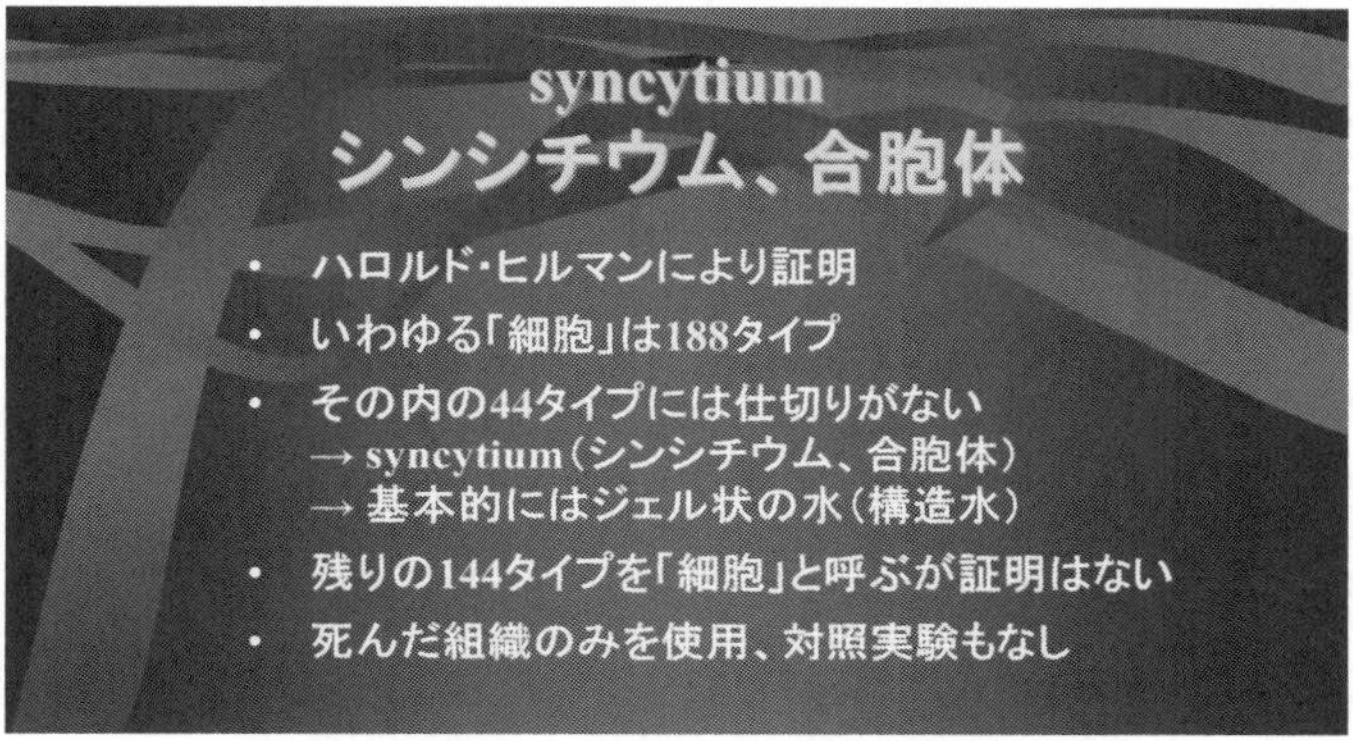
syncytium
シンシチウム、合胞体
・ハロルド・ヒルマンにより証明
・いわゆる「細胞」は188タイプ
・その内の44タイプには仕切りがない
→ syncytium（シンシチウム、合胞体）
→ 基本的にはジェル状の水（構造水）
・残りの144タイプを「細胞」と呼ぶが証明はない
・死んだ組織のみを使用、対照実験もなし

スライド22

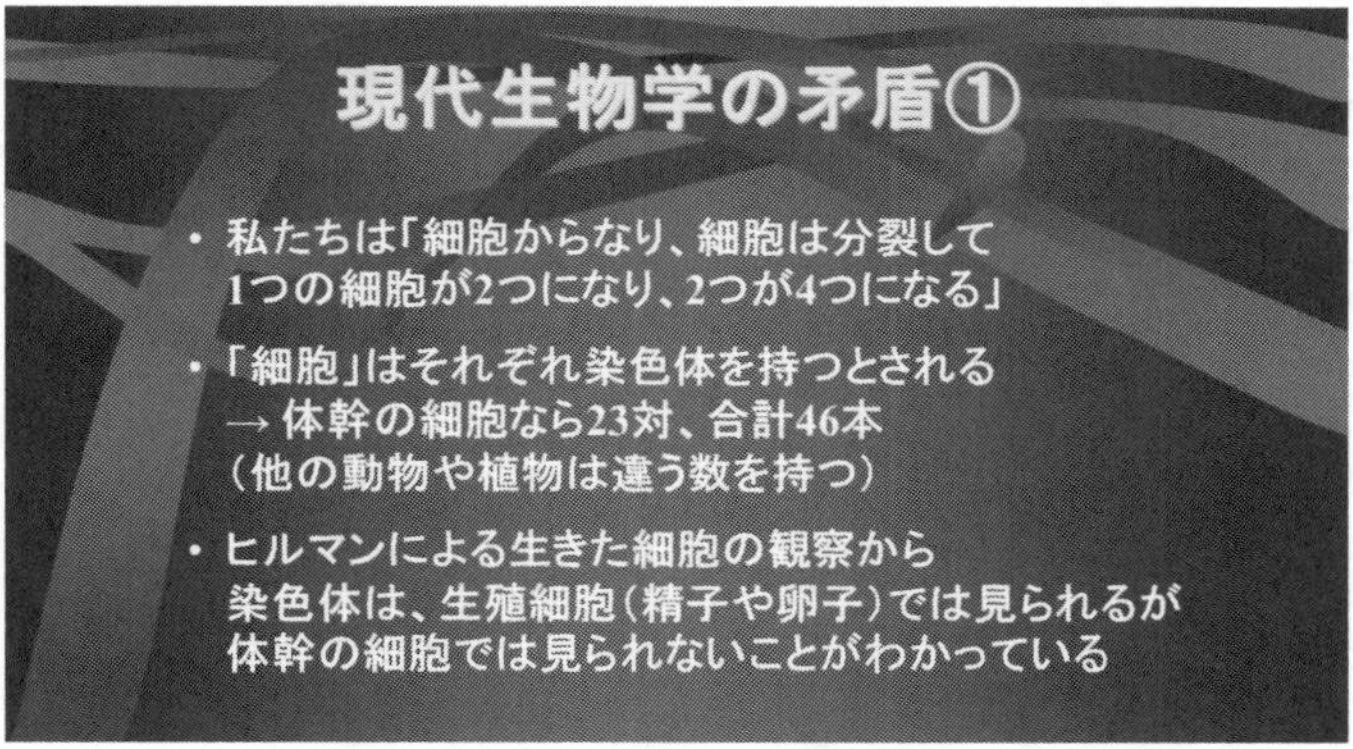
現代生物学の矛盾①
・私たちは「細胞からなり、細胞は分裂して
1つの細胞が2つになり、2つが4つになる」
・「細胞」はそれぞれ染色体を持つとされる
→ 体幹の細胞なら23対、合計46本
（他の動物や植物は違う数を持つ）
・ヒルマンによる生きた細胞の観察から
染色体は、生殖細胞（精子や卵子）では見られるが
体幹の細胞では見られないことがわかっている

スライド23

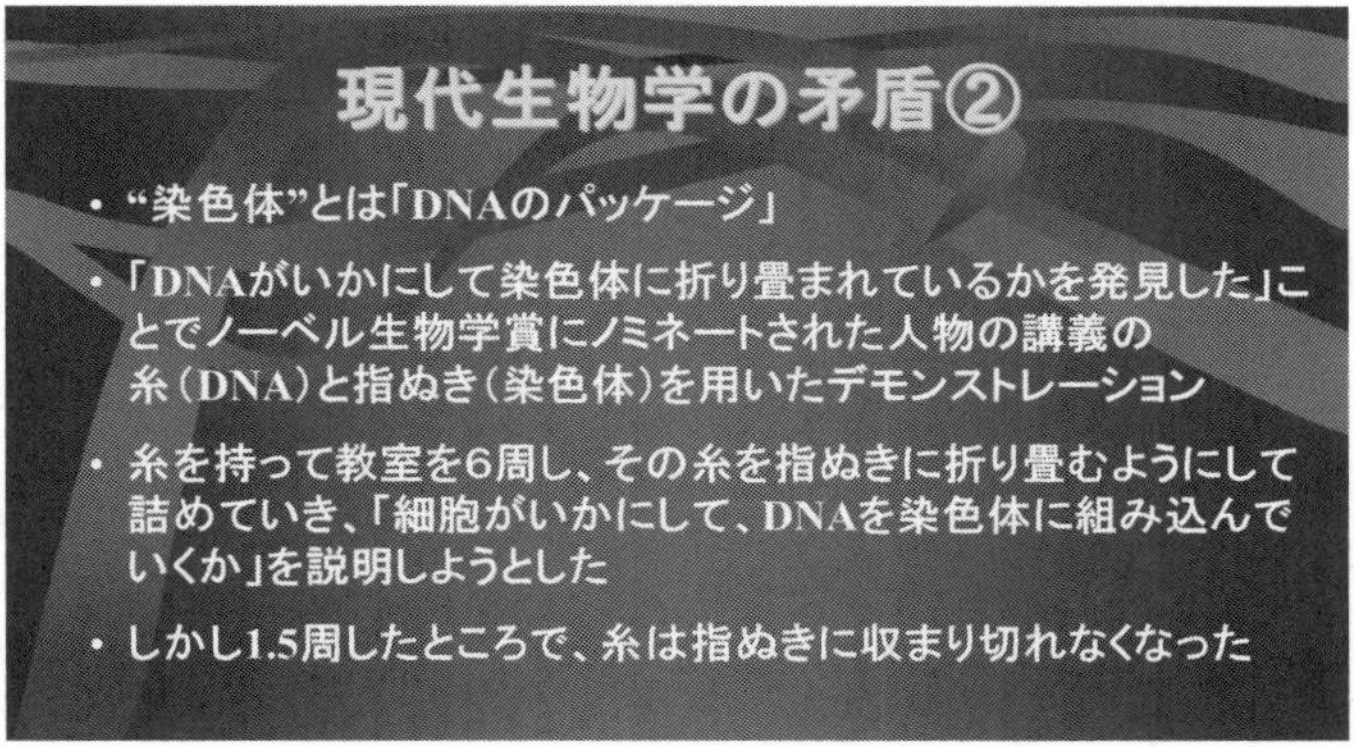
現代生物学の矛盾②
・“染色体”とは「DNAのパッケージ」
・「DNAがいかにして染色体に折り畳まれているかを発見した」ことでノーベル生物学賞にノミネートされた人物の講義の
糸（DNA）と指ぬき（染色体）を用いたデモンストレーション
・糸を持って教室を6周し、その糸を指ぬきに折り畳むようにして
詰めていき、「細胞がいかにして、DNAを染色体に組み込んでいくか」を説明しようとした
・しかし1.5周したところで、糸は指ぬきに収まり切れなくなった

スライド24

（スライド24）

矛盾の2つ目は、染色体はDNAのパッケージと言われていることです。カウワンは大学在学中に、DNAがいかにして染色体に折り畳まれているのかを発見したことでノーベル賞にノミネートされた人物の講義に出ました。その人はショーマンで、デモンストレーションするためにDNAに見立てた糸と指ぬきを持ってきて、糸の端を持って糸を伸ばしながら教室を6周し、次に逆回りしながら糸を指ぬきの中に入れていった。結局、逆に1・5周したところで指ぬきがいっぱいになってそれ以上入らなくなった。すると彼は、「こんなことが可能だなんてすばらしいではないか！」と言った。大学生たちが立ち上がってワーッと拍手した。だが、カウワンは1人だけ座ったまま、「たった今、できないと証明したじゃないか」と思っていたというエピソードがあります。茶番ですよね。

（スライド25・26）

現代生物学の矛盾の3つ目は、体細胞分裂を一言で言うと、「染色体の数が変わらない細胞分裂」である。

細胞分裂は染色体を分離することで成り立つ。

疑問は、癌細胞では染色体の数的異常が起こる場合が多いと言われていることです。ヒ

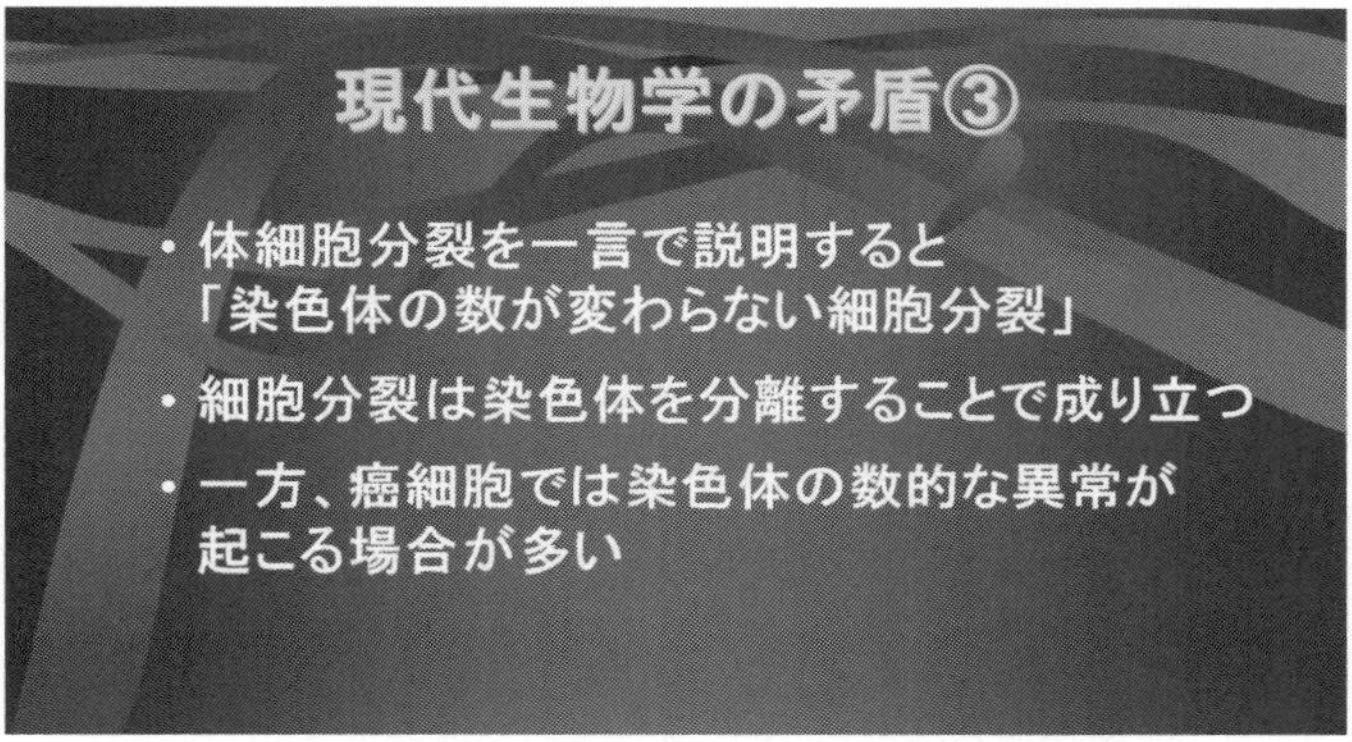
現代生物学の矛盾③
・体細胞分裂を一言で説明すると
「染色体の数が変わらない細胞分裂」
・細胞分裂は染色体を分離することで成り立つ
・一方、癌細胞では染色体の数的な異常が
起こる場合が多い

スライド25

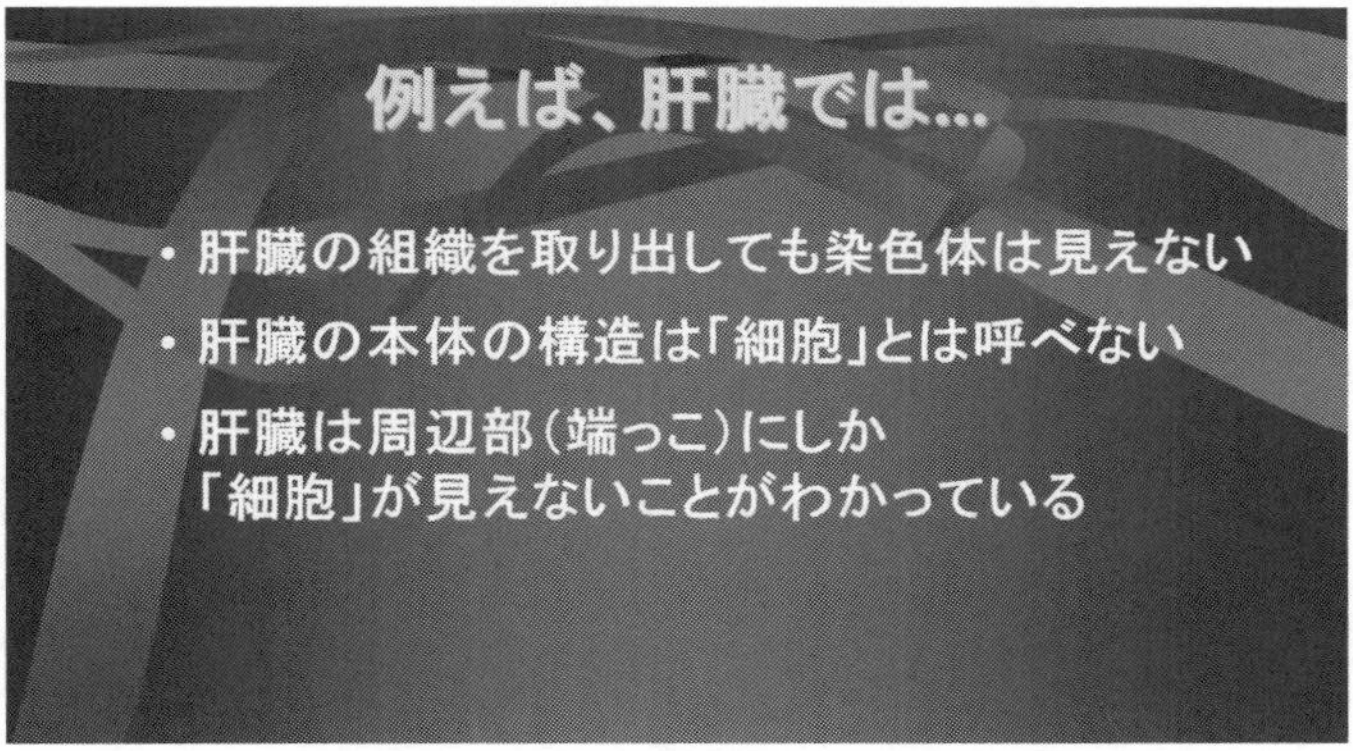
例えば、肝臓では…
・肝臓の組織を取り出しても染色体は見えない
・肝臓の本体の構造は「細胞」とは呼べない
・肝臓は周辺部（端っこ）にしか
「細胞」が見えないことがわかっている

スライド26

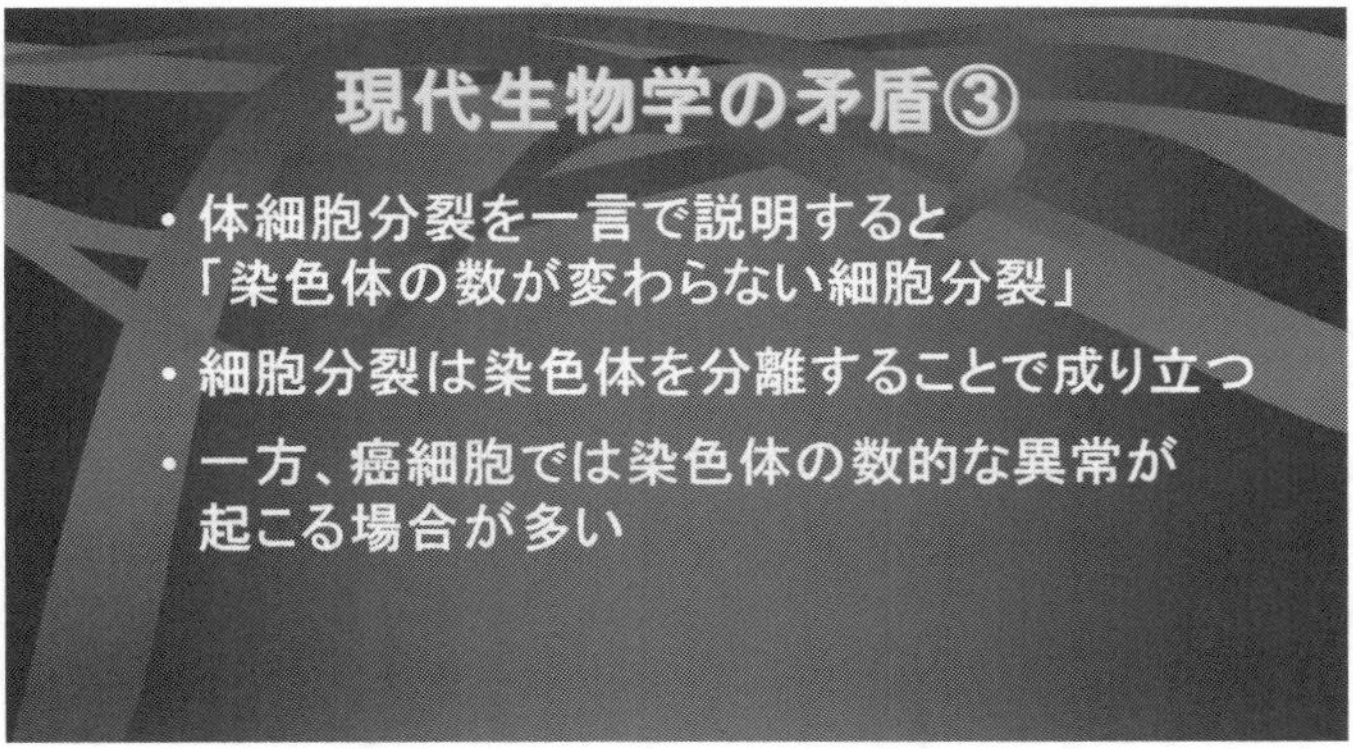
現代生物学の矛盾③
・体細胞分裂を一言で説明すると
「染色体の数が変わらない細胞分裂」
・細胞分裂は染色体を分離することで成り立つ
・一方、癌細胞では染色体の数的な異常が
起こる場合が多い

スライド27

ルマン博士の研究では、例えば肝臓で言うと、肝臓の組織を取り出しても染色体は見えない。さっきの目の話じゃないですが、肝臓自体はシンシチウムだから、ツルッとしたジェル状の組織です。

しかし、端っこに「細胞」と言われている仕切りのようなものが見える。それはわかっている。

（スライド27）

現代生物学の矛盾の③に戻りますと、癌細胞では染色体の数的な異常が起こる場合が多い。

（スライド28）

それを踏まえた上で、そもそも癌とは何か。

私たちが「癌」と理解しているのは、
・急速に成長する細胞の集まり
・成長速度は正常な細胞よりもはるかに速い
・癌細胞では染色体の数的な異常が起こる場合が多い（＝異数体）
（スライド29）

癌細胞というのは、例えば異数体１００本とか、75、76本とか、途切れていたり、全てが融合していたりして、正常なペアで存在していないとされています。体細胞分裂は染色体の数が変わらないことが前提なので、癌細胞は分裂できないことになります。よく考えてみると、これでは矛盾が生じます。

（スライド30）

腫瘍学は矛盾だらけです。癌細胞を殺すとか、癌細胞が血中を回ってどこかに行く（転移する）のを食い止めるために治療するということが前提になっていますけど、建前全てが誤りだと私は思っています。

（スライド31）

さっきのスライド20の光学顕微鏡で見たシンプルな細胞は、実はジェル状の水で、健康なときはジェル状の水がしっかりと結晶あるいはクリスタルの状態で存在します。細胞が死んでいくとき、新陳代謝といってもいいですが、古くなった部分や、体にとって有害あるいは不要なものを外に追いやるときに細胞という形状をつくるんじゃないか、例えば肝臓で言うと、それが周辺部に見られるんじゃないかと考えることができます。

（スライド32）

細胞とは古くなった組織の残骸です。例えば肝臓に毒がたまると、どんどん細胞をつくっていって硬くなる。ゴミ箱にどんどんゴミを詰めていく作業のようなものです。このゴ

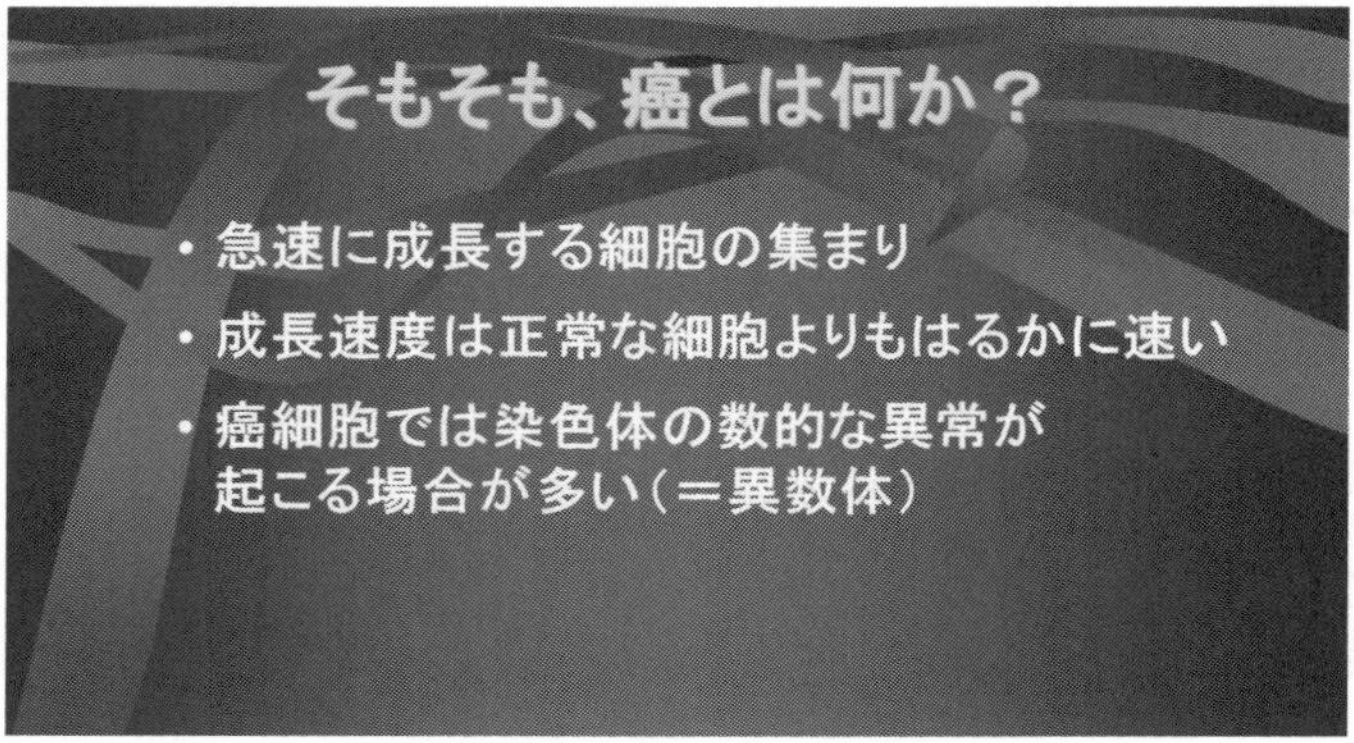
そもそも、癌とは何か？
・急速に成長する細胞の集まり
・成長速度は正常な細胞よりもはるかに速い
・癌細胞では染色体の数的な異常が
起こる場合が多い（＝異数体）

スライド28

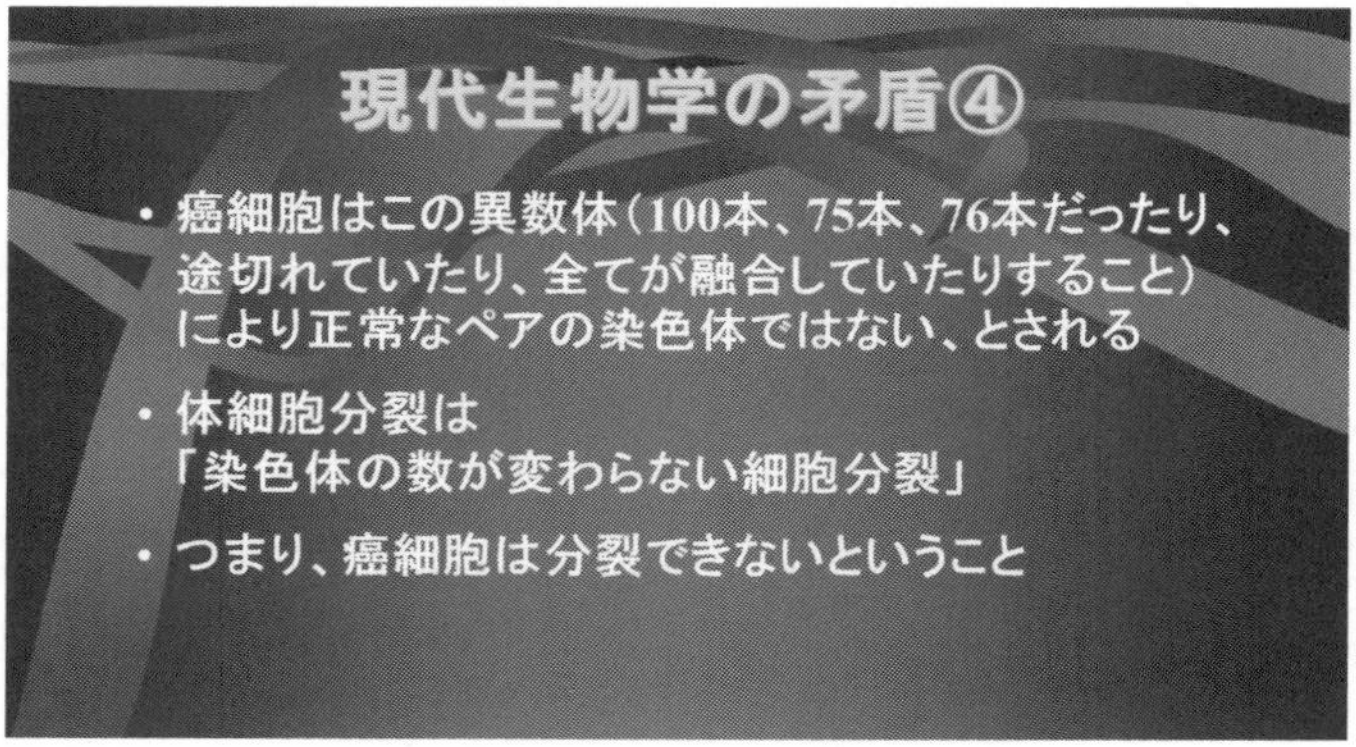
現代生物学の矛盾④
・癌細胞はこの異数体（100本、75本、76本だったり、
途切れていたり、全てが融合していたりすること）
により正常なペアの染色体ではない、とされる
・体細胞分裂は
「染色体の数が変わらない細胞分裂」
・つまり、癌細胞は分裂できないということ

スライド29

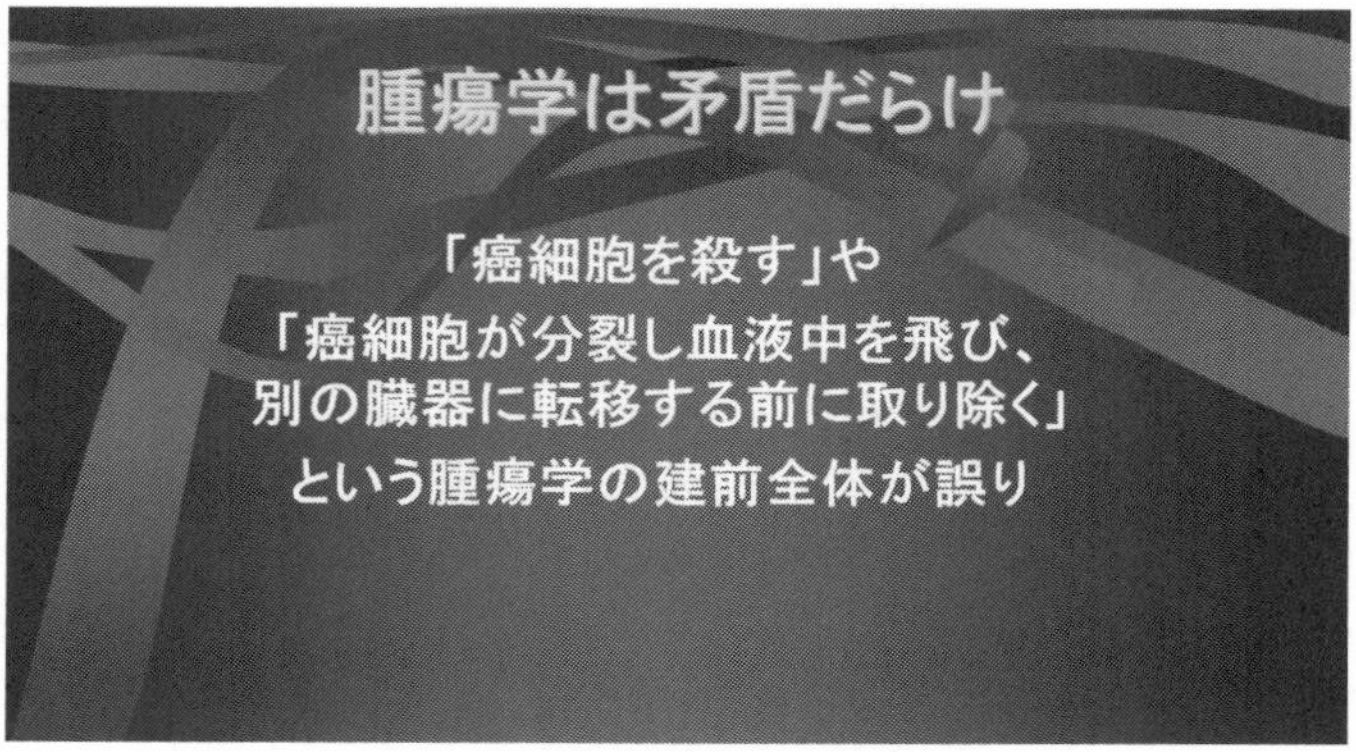
腫瘍学は矛盾だらけ
「癌細胞を殺す」や
「癌細胞が分裂し血液中を飛び、
別の臓器に転移する前に取り除く」
という腫瘍学の建前全体が誤り

スライド30

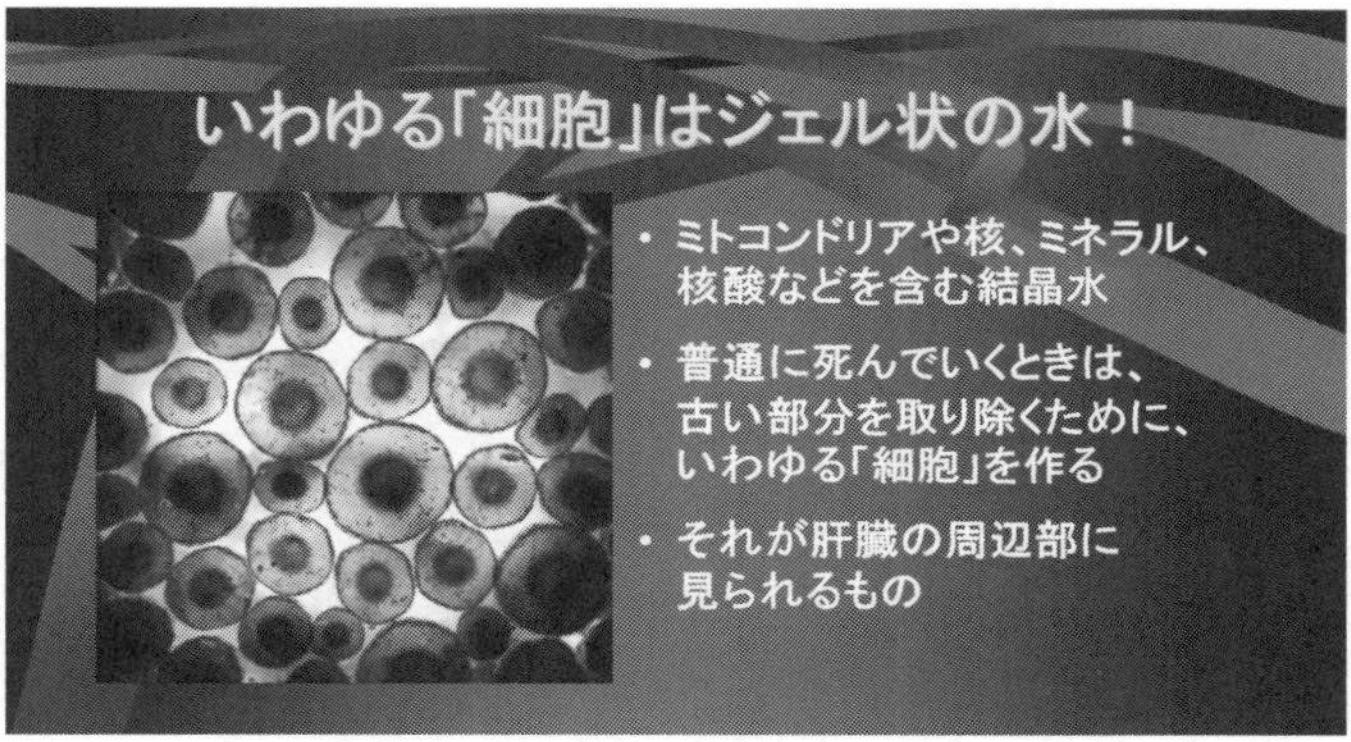
いわゆる「細胞」はジェル状の水！
・ミトコンドリアや核、ミネラル、核酸などを含む結晶水
・普通に死んでいくときは、古い部分を取り除くために、いわゆる「細胞」を作る
・それが肝臓の周辺部に見られるもの

スライド31

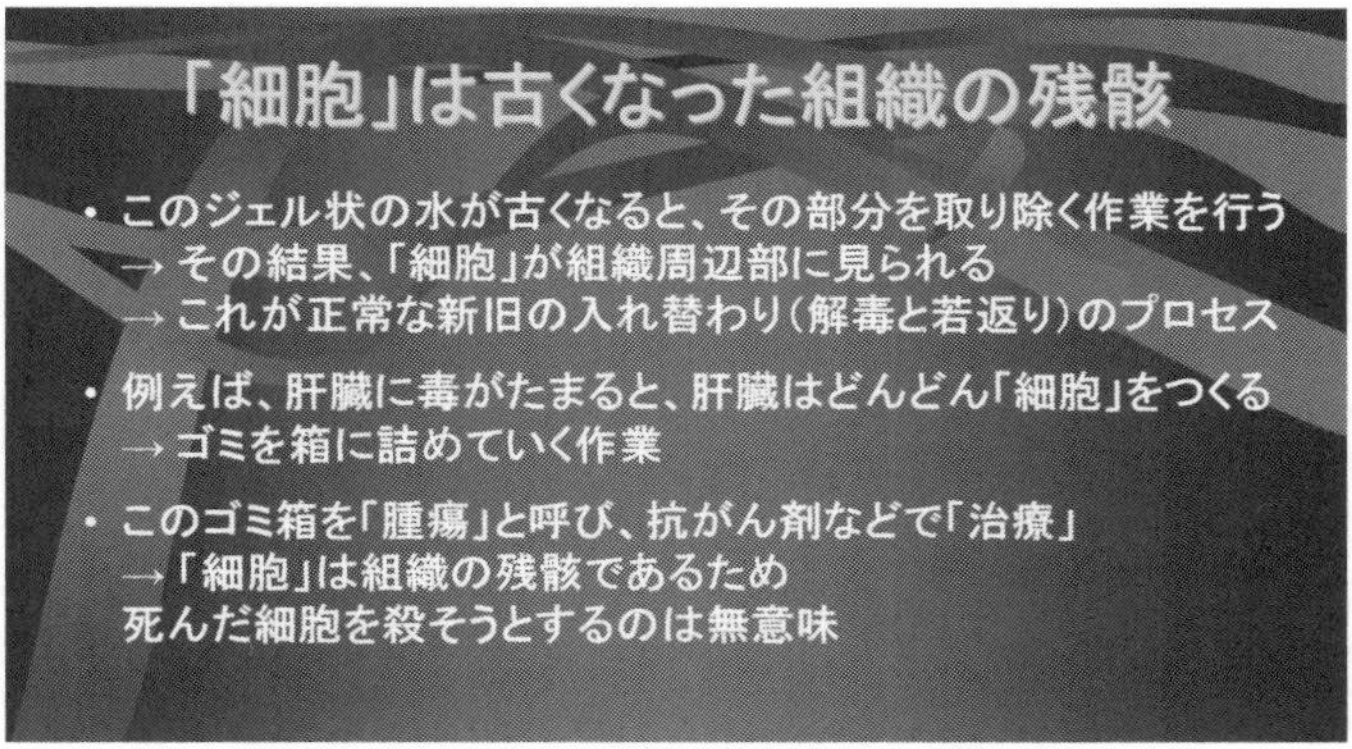
「細胞」は古くなった組織の残骸
・このジェル状の水が古くなると、その部分を取り除く作業を行う
→その結果、「細胞」が組織周辺部に見られる
→これが正常な新旧の入れ替わり（解毒と若返り）のプロセス
・例えば、肝臓に毒がたまると、肝臓はどんどん「細胞」をつくる
→ゴミを箱に詰めていく作業
・このゴミ箱を「腫瘍」と呼び、抗がん剤などで「治療」
→「細胞」は組織の残骸であるため
死んだ細胞を殺そうとするのは無意味

スライド32

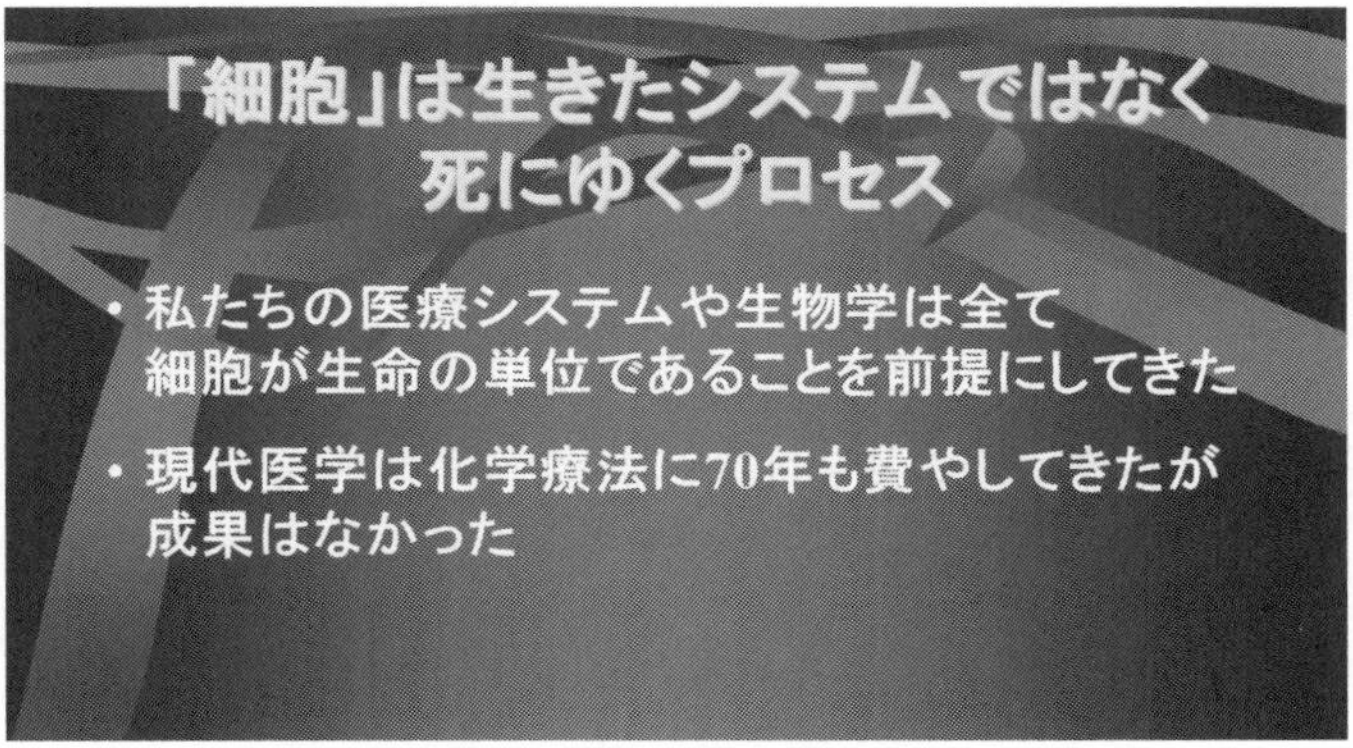
「細胞」は生きたシステムではなく
死にゆくプロセス
・私たちの医療システムや生物学は全て細胞が生命の単位であることを前提にしてきた
・現代医学は化学療法に70年も費やしてきたが成果はなかった

スライド33

ミ箱を現代医学では「腫瘍」と呼んで、抗癌剤などで「治療」していく。細胞は組織の残骸で、既に死んだ細胞を殺そうとするのは無意味だと考えることができますね。

（スライド33）

同じことですが、細胞は生きたシステムではなく、死にゆくプロセスです。私たちの医療システムや生物学は全て細胞が生命の単位であることを前提にしてきました。現代医学は化学療法に70年という年月だけではなく膨大なカネを費やしてきましたが、効果はあったでしょうか？

DNA＝二重螺旋は捏造

（スライド34）

DNAに関しても同じです。DNAは、私たちが聞かされてきたようなものではなくて、実は常に変化している。もしDNAというものが存在するとしても、肝臓という場所には肝臓のDNAがあって、腎臓には腎臓のDNAがあって、脳には脳のDNAがある。

DNAというと、私たちはすぐに遺伝とか遺伝子とか、遺伝性物質と結びつけます。「DNAはあなたのブループリントです」というとき、脳の中のものが「あなた」なのか、肝臓が「あなた」なのか、あるいは腎臓が「あなた」なのか。ブループリントとは一体どのことを言っているのかはわからないですよね。

本当はＤＮＡに関してもわからないことがいっぱいあるんです。私たちが教えられてきたことが全て真実かといったら、実はそうではないかもしれない。

（スライド35）

この画像は、Ｘ－ｒａｙ（Ｘ線）を62時間連続照射してつくられたものです。62時間もＸ線を浴びたらどうなるか。組織がカピカピに乾いて脱水し切ったような感じです。生きた組織ではなく、死んだ組織を私たちの生命と結びつけるのは非常に危険で、問題があります。ＤＮＡ＝二重螺旋というのは完全に捏造《ねつぞう》ですね。

世の中はＤＮＡが二重螺旋《らせん》であることを当然だと思っているけど、これは完全に概念ですね。

（スライド36）

ロザリンド・フランクリンという物理化学者の女性は38歳の若さで亡くなりました。Ｘ線を浴び過ぎたのかもしれません。彼女は１９５３年に右側の写真を発表しました。

（スライド37）

ＤＮＡと遺伝子の話で、ちょっとエグい実験があります。Ａタイプのミミズの頭をカッ

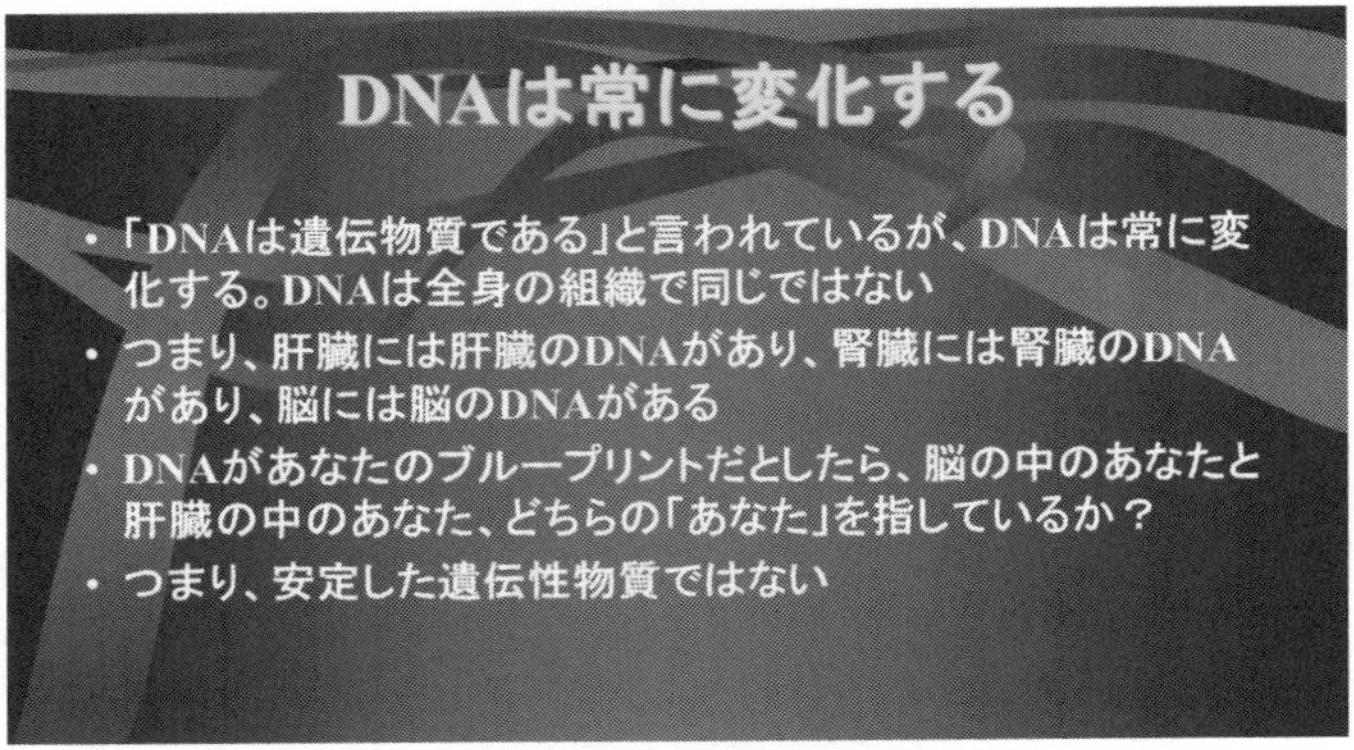
DNAは常に変化する
・「DNAは遺伝物質である」と言われているが、DNAは常に変化する。DNAは全身の組織で同じではない
・つまり、肝臓には肝臓のDNAがあり、腎臓には腎臓のDNAがあり、脳には脳のDNAがある
・DNAがあなたのブループリントだとしたら、脳の中のあなたと肝臓の中のあなた、どちらの「あなた」を指しているか？
・つまり、安定した遺伝性物質ではない

スライド34

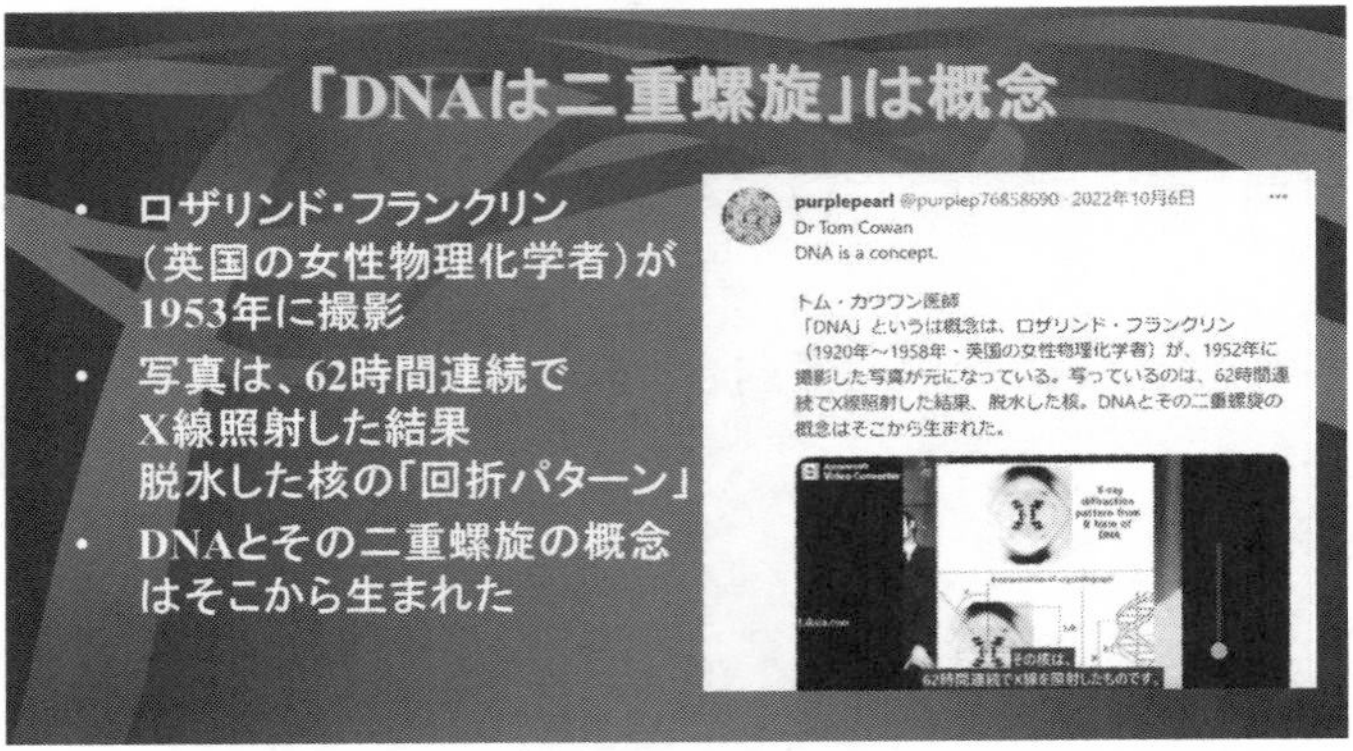
「DNAは二重螺旋」は概念
・ロザリンド・フランクリン（英国の女性物理化学者）が1953年に撮影
・写真は、62時間連続でX線照射した結果脱水した核の「回折パターン」
・DNAとその二重螺旋の概念はそこから生まれた
purplepearl @purplep76858690 · 2022年10月6日
Dr Tom Cowan
DNA is a concept.
トム・カウワン医師
「DNA」というは概念は、ロザリンド・フランクリン（1920年～1958年・英国の女性物理化学者）が、1952年に撮影した写真が元になっている。写っているのは、62時間連続でX線照射した結果、脱水した核。DNAとその二重螺旋の概念はそこから生まれた。
その核は、
62時間連続でX線を照射したものです。

スライド35

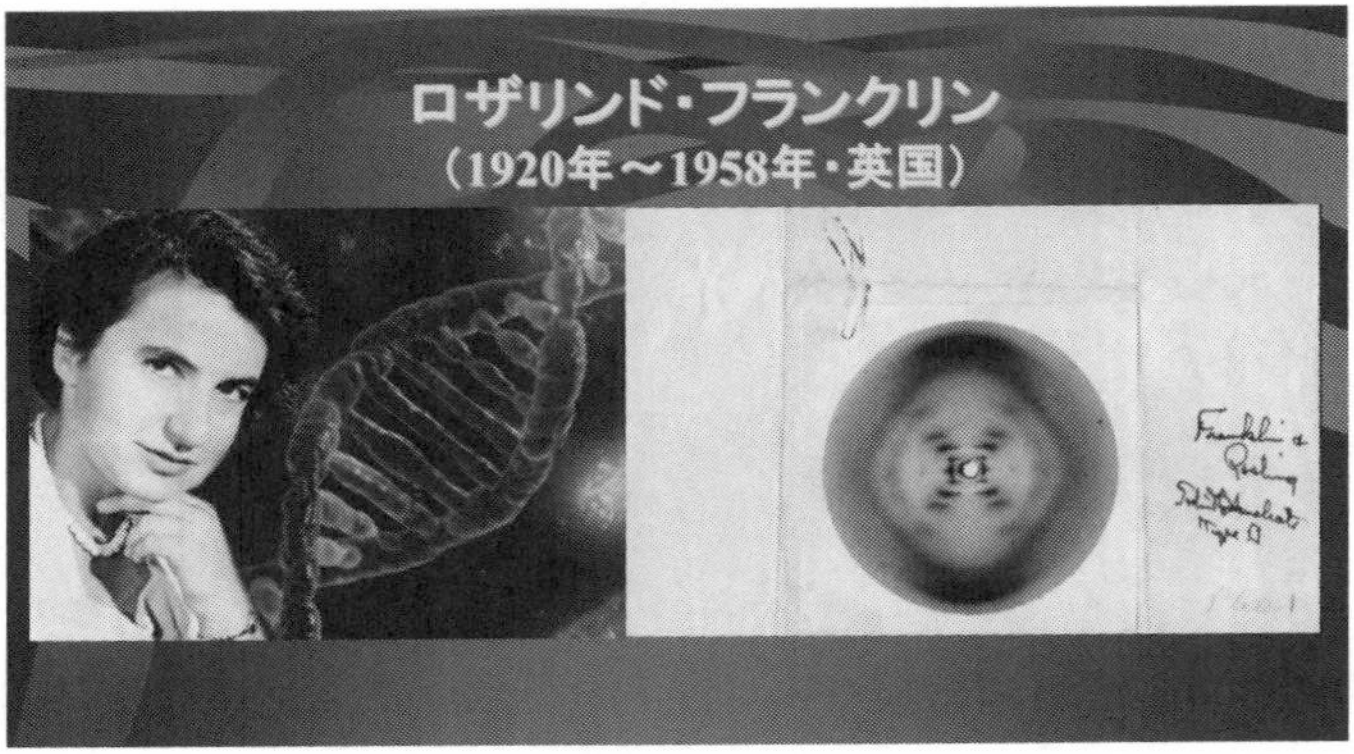
ロザリンド・フランクリン
（1920年～1958年・英国）

スライド36

トして、異なる種類のＢタイプのミミズが浴びた電磁場に置くと、ＡタイプのミミズがＢタイプの頭をつけて成長する。この実験の現象を、イギリス人のルパート・シェルドレイクという科学者は「形態形成場」と呼んでいます。電磁場あるいはエーテル場とも言います。お聞きになったことがある方もいらっしゃるかもしれません。実はそこに情報があって、ＤＮＡや細胞にあるのではない。細胞は単なる破片のパッケージにすぎない。

代替医療と呼ばれているアーユルヴェーダや、私が勉強した中医学などの考え方では、エーテル場なんて、みんな知っているんですね。

（スライド38）

つまり、現代医療、現代科学は、疑似科学です。１８５０年代以降に登場したウィルヒョーの「細胞仮説」とか、近代的な調査や実験方法が、私たちが見ているものを根底から変えてしまった。「どんな方法でも見えるものは変わらない」というのは非常に危ない思い込みだということです。

スパイクタンパク質は存在しない

（スライド39）

興味深いミミズの実験

- 頭を切り落としたミミズを、異なる種類のミミズが受けた電磁場にさらすと、そのミミズは、その電磁場の影響を受けて（異なるミミズの）頭を成長させる
- ルパート・シェルドレイクはこの現象を電磁場＝エーテル場を意味する「形態形成場」と呼ぶ
- 実はそこにこそ情報があり、DNAにも細胞にもない
- 細胞は破片のパッケージにすぎない
- 代替医療と呼ばれる、例えば中医学やアーユルヴェーダは、皆このことを知っている

スライド37

疑似科学

1850年代以降に登場した
「細胞仮説」や近代的な調査・実験方法が
私たちが見ているものを根底から変えてしまった
「どんな方法でも見えるものは変わらない」は
危険な思い込み

スライド38

スパイクタンパク質（S.プロテイン）とは何か？

スパイクタンパク質は、
飢餓状態にあり、毒性を持ち、
腐敗し、死にかけた
哺乳類細胞の培養液に
含まれる、恣意的に選択された
遺伝子配列から作られる
組み換えタンパク質

スライド39

次に、スパイクタンパク質の話をします。

「スパイクタンパク質」で検索すると画像がいっぱい出てきます。全部ＣＧとかイラスト、ひどいのは毛糸玉に何かを刺したようなもので、ホンモノなんて全然ない。

スパイクタンパク質と言われているものはどんなものかというと、飢餓状態で、毒性を持ち、腐敗し、死にかけた哺乳類《ほにゆうるい》細胞の培養液に含まれる、恣意的に選択された遺伝子配列から作られる組み換えタンパク質、合成タンパク質です。

（スライド40）

スパイクタンパク質は販売されています。「FOR SALE Spike Protein」。本当にふざけています。

（スライド41）

幾つかのサイトで買えるようですね。私は科学者じゃないので単位がわからないんですが、例えば１つ＝85ＵＳドルで売られている。こんな簡単に入手できるのなら、いかようにもできる。

（スライド42）

スパイクタンパク質の最初の論文が１９７０年に出ています（論文のリンク：https://www.sciencedirect.com/science/article/abs/pii/0042682270903375）。当時、そういう名前

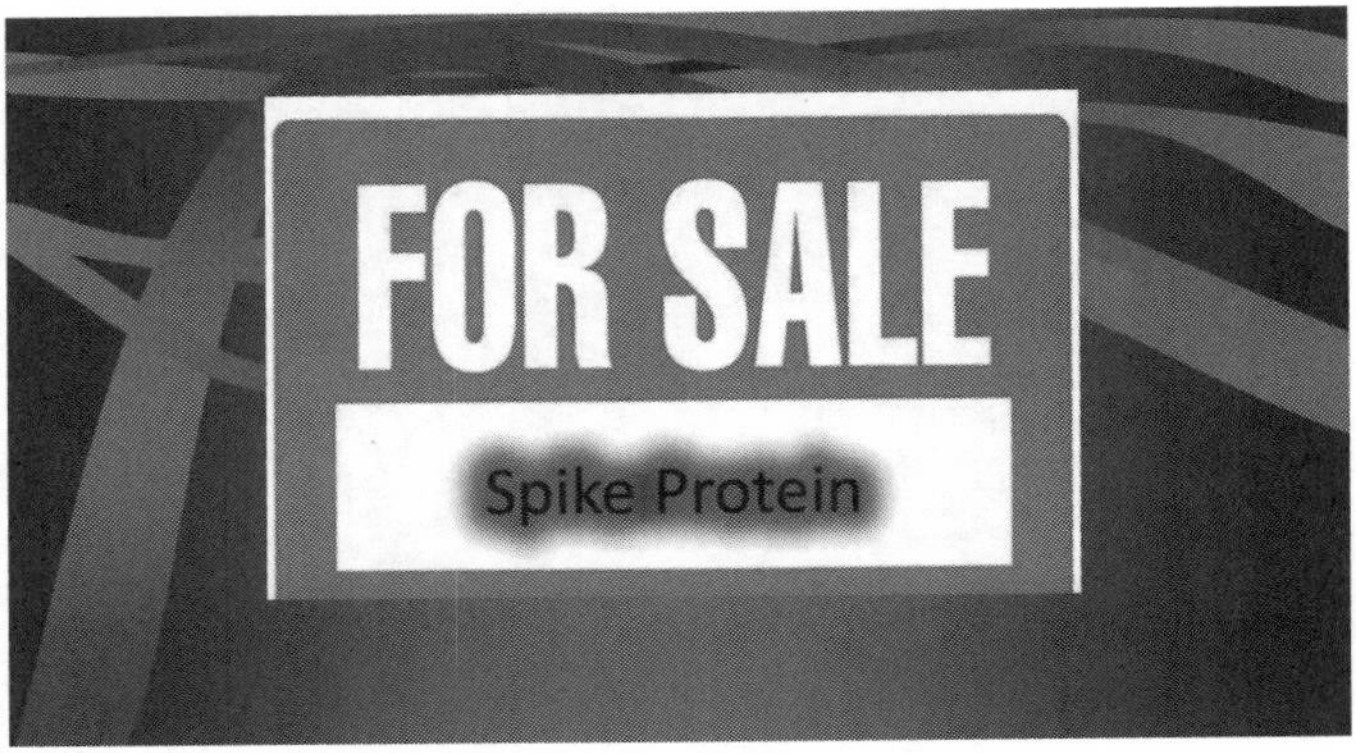

スライド40

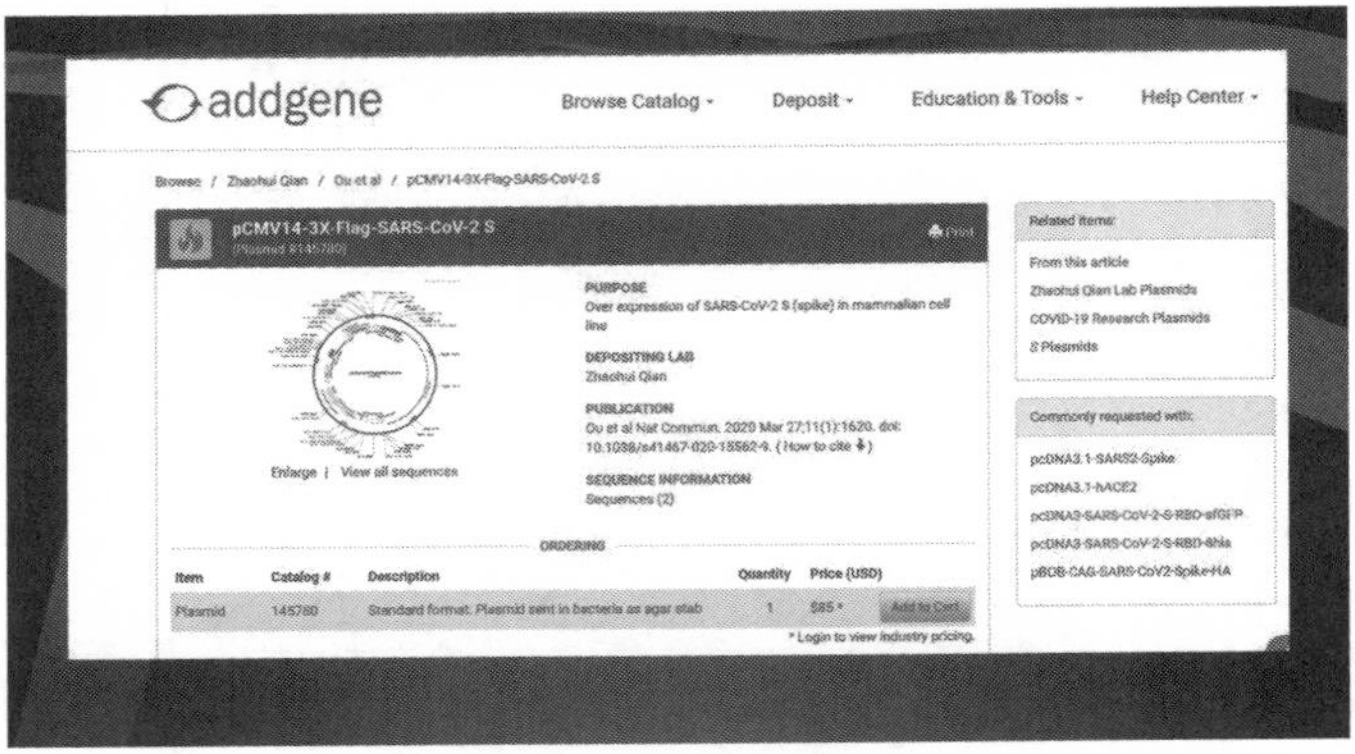

スライド41

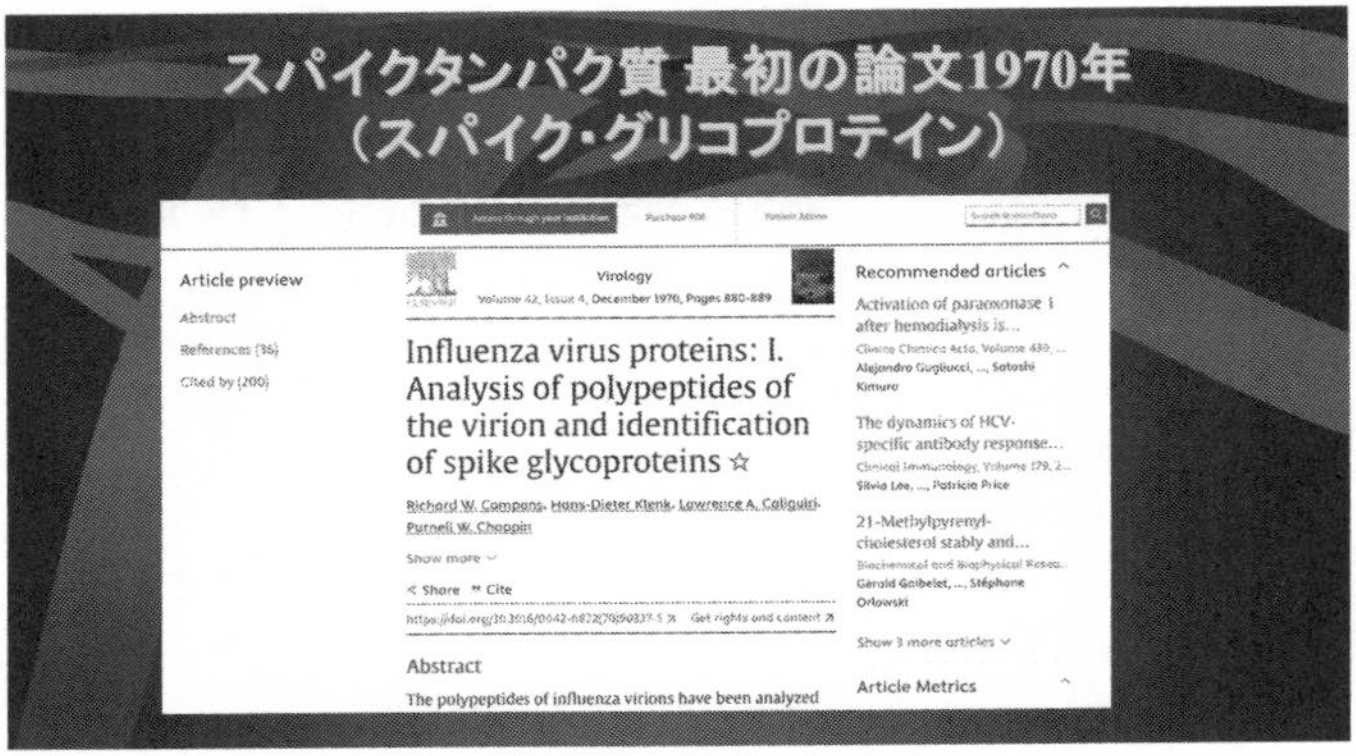

スライド42

がないので、「スパイク・グリコプロテイン」という名前で呼んでいたようです。１９７２年に似たような論文があって（https://www.sciencedirect.com/science/article/pii/0042682272900621）、こちらは、スライドには含まれていませんが、どちらも非常にずさんな研究です。

（スライド43）

この１９７０年代の２つの論文は最初から問題です。なぜかというと、感染源から精製したウイルスではなく、細胞培養したものをサンプルとして使っているからです。びっくりする方もいらっしゃるかもしれませんけれども、私の投稿を見てくださっている方は、そもそも感染症というものがないことはご存じだと思います。要するに、誰かから何かを「うつされる」とか、「うつる」というのはないんです。それも全部、怖がらせるための作り話です。

ウイルスも同定、あるいは確認されていない。サンプルに使う物質が感染源に由来していないことが問題です。

そして、飢餓状態になっているサンプルに有毒な抗生物質を入れて、それを培養する。一応この論文によると精製する努力はしているんですが、純度の証拠は全く示されていない。いい加減もいいところです。

（スライド44）

これらの論文は証明されていなくて、単なる主張に過ぎません。簡単に言うと、スパイクタンパク質がつくられているという研究は、これまで見た中に一切ない。全て反科学的な非論理的なもので、スパイクタンパク質は存在しないのに、それをベースにしてどんどんおかしな話になっていっている。

要するにスパイクタンパク質と言われているものはただの毒素なんです。そもそもタンパク質が悪さをするというのはおかしな話です。何て言ったらいいのかわからないけど、タンパク質って、平和な感じがしませんか（笑）。

炎症を起こしている特定の組織に、括弧つきで、「（スパイク）タンパク質があることを証明した」という主張をしているだけです。主張しっ放しでは何ともならないんです。

これは後でお話しするＮｏＬ（責任追及の告知書）でも同じことが言えます。誰かの主張に対して、意見を闘わせていろいろ議論しない限り、もしその主張に誰も文句を言わなかったら、それがリアリティ（真実）になってしまいます。

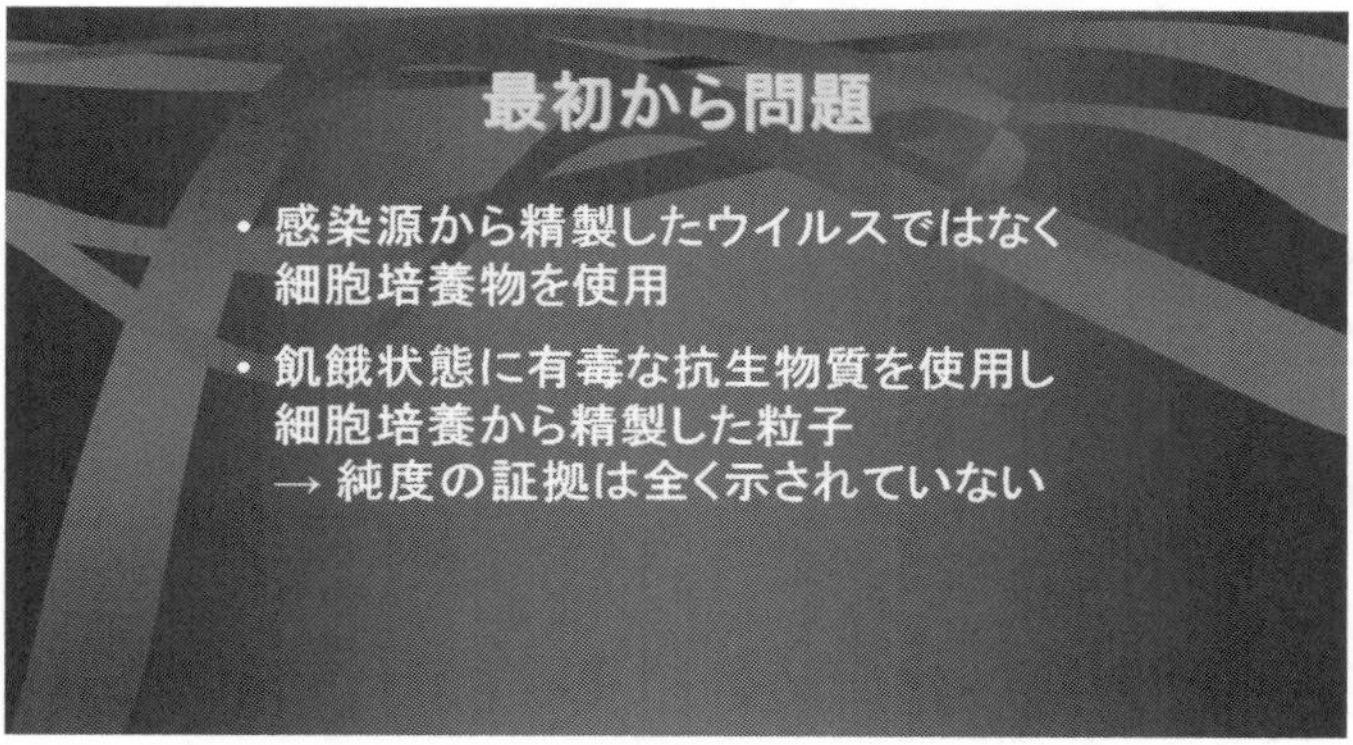
最初から問題
・感染源から精製したウイルスではなく
細胞培養物を使用
・飢餓状態に有毒な抗生物質を使用し
細胞培養から精製した粒子
→ 純度の証拠は全く示されていない

スライド43

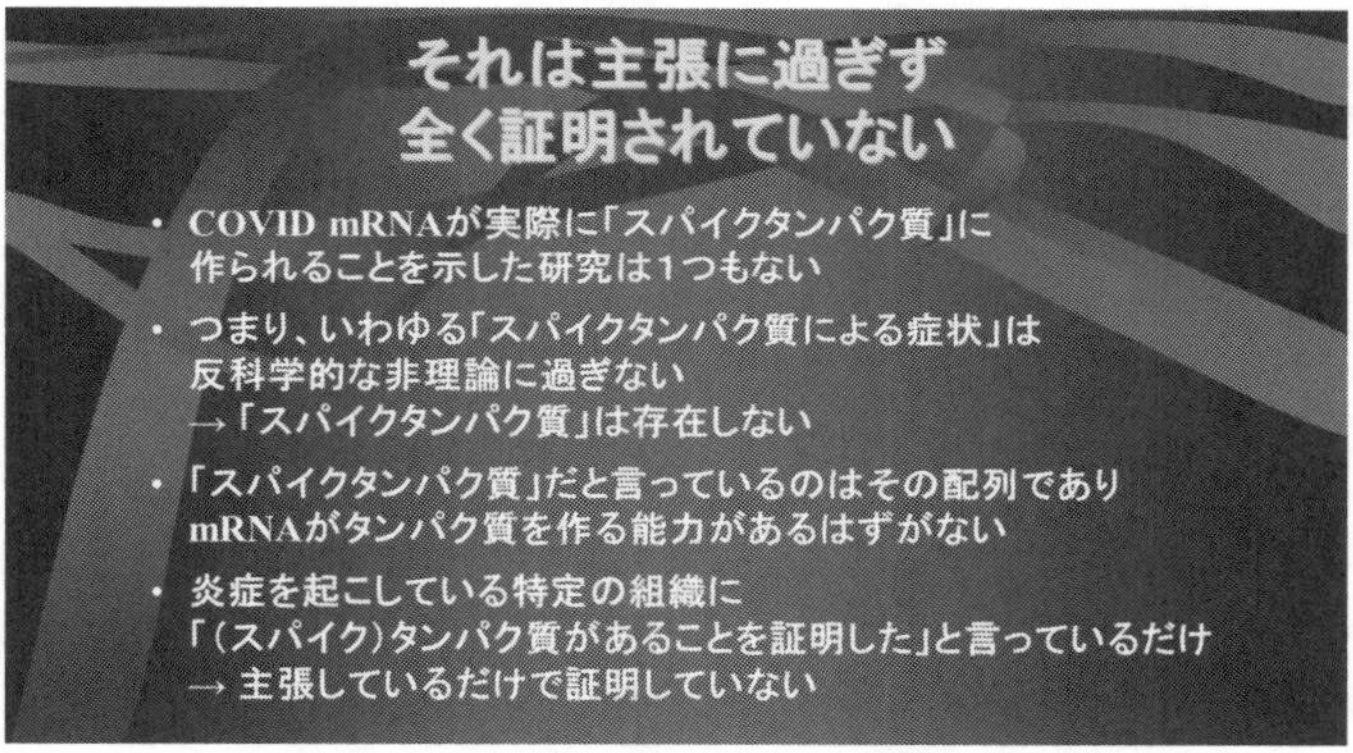
それは主張に過ぎず
全く証明されていない
・COVID mRNAが実際に「スパイクタンパク質」に
作られることを示した研究は1つもない
・つまり、いわゆる「スパイクタンパク質による症状」は
反科学的な非理論に過ぎない
→「スパイクタンパク質」は存在しない
・「スパイクタンパク質」だと言っているのはその配列であり
mRNAがタンパク質を作る能力があるはずがない
・炎症を起こしている特定の組織に
「（スパイク）タンパク質があることを証明した」と言っているだけ
→ 主張しているだけで証明していない

スライド44

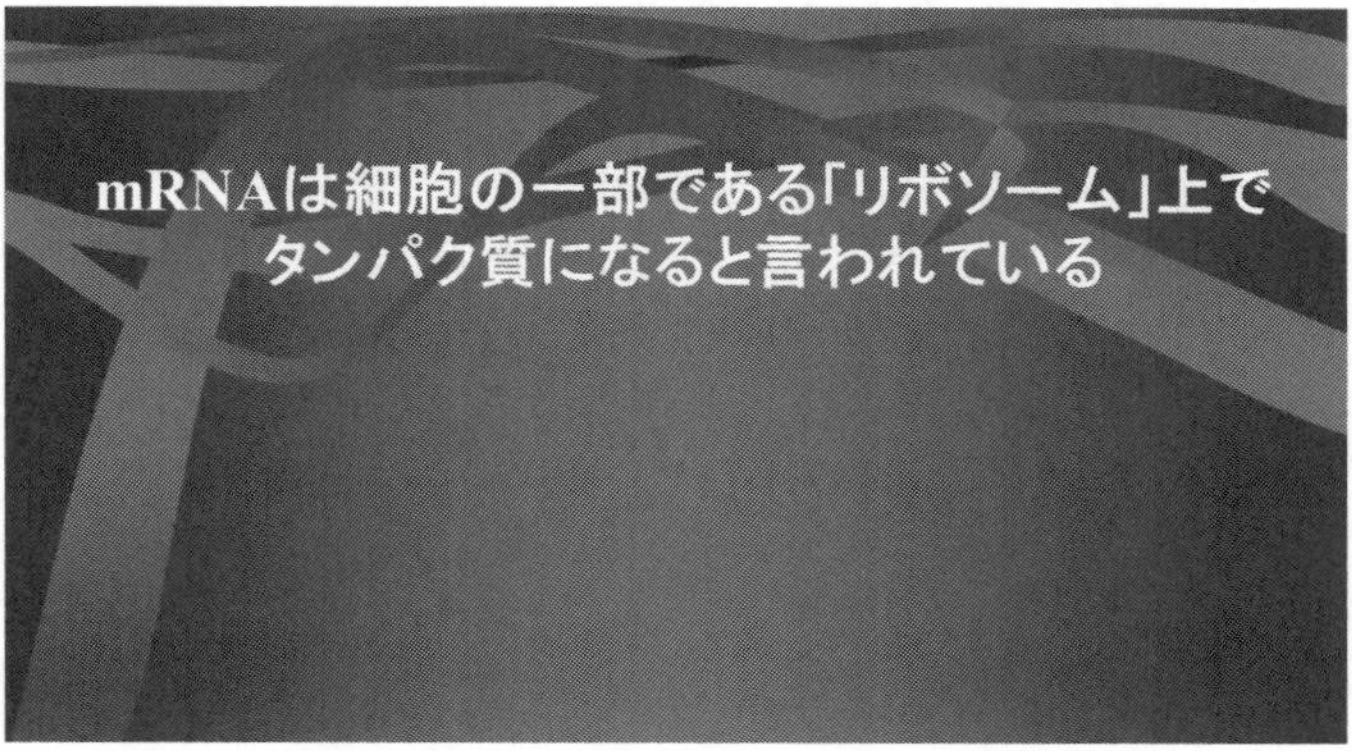
mRNAは細胞の一部である「リボソーム」上で
タンパク質になると言われている

スライド45

リボソームは教科書のように丸くない

（スライド45）

ベースをどんどん掘り下げていって、大元がおかしな状況だったら、その後ろについてくるものは全部ウソということです。ウソの上にウソが乗っているだけなので、本当はオリジナルを見ていかないといけないんです。

COVID－19のmRNAワクチンは、細胞の一部であるリボソームの上でタンパク質になると言われています。

（スライド46）

細胞の構造は学校で習いますよね。私はあまり真面目にやらなくてよかったなと思うんですが、学校で習うリボソームは完璧な真ん丸の球体です。そんなことがあり得ますか。

（スライド47）

例えば真ん丸のオレンジをミキサーにかけて、乾燥させ、冷凍し、染料を入れるなどのたくさんの工程を経てサンプルをつくり、スライドガラスに載せて観察します。そのようにしたら、実際に真ん丸な状態で出てくるわけがない。

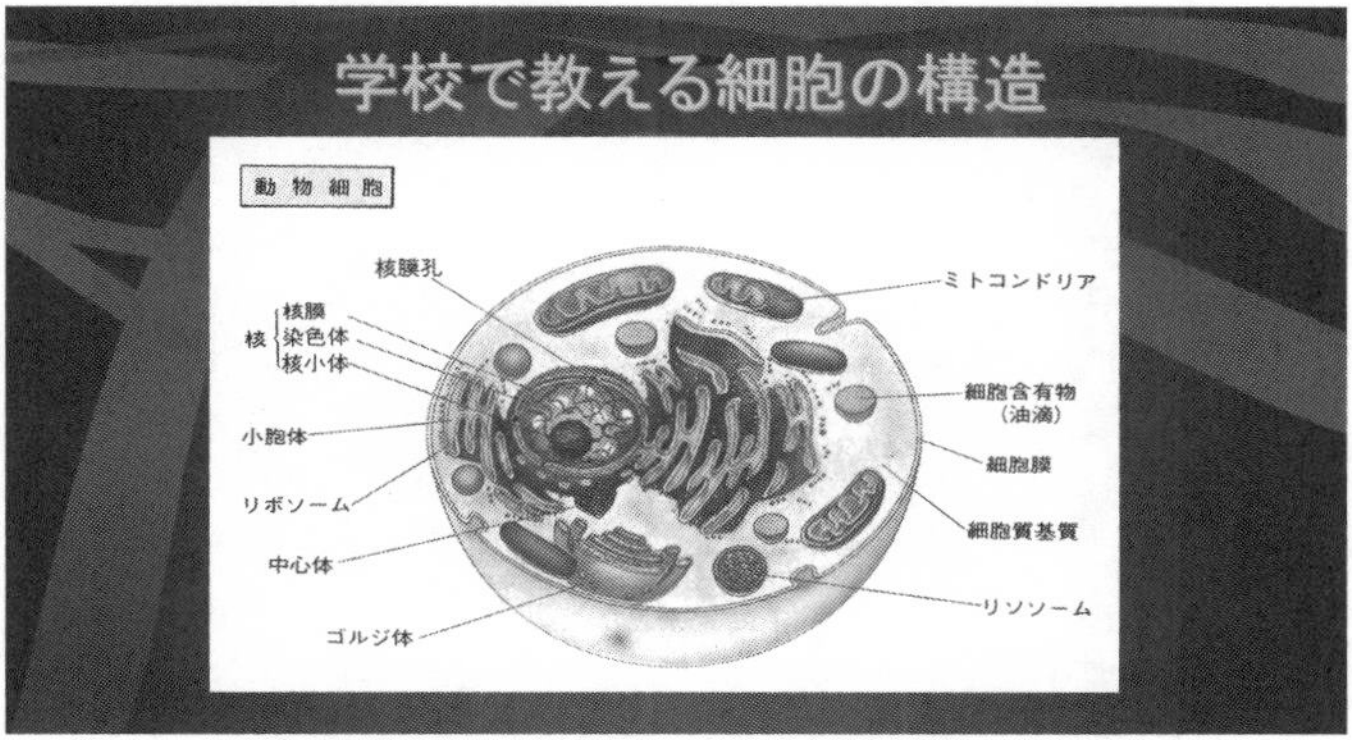
学校で教える細胞の構造
動物細胞
核膜孔
核
核膜
染色体
核小体
小胞体
リボソーム
中心体
ゴルジ体
ミトコンドリア
細胞含有物（油滴）
細胞膜
細胞質基質
リソソーム

スライド46

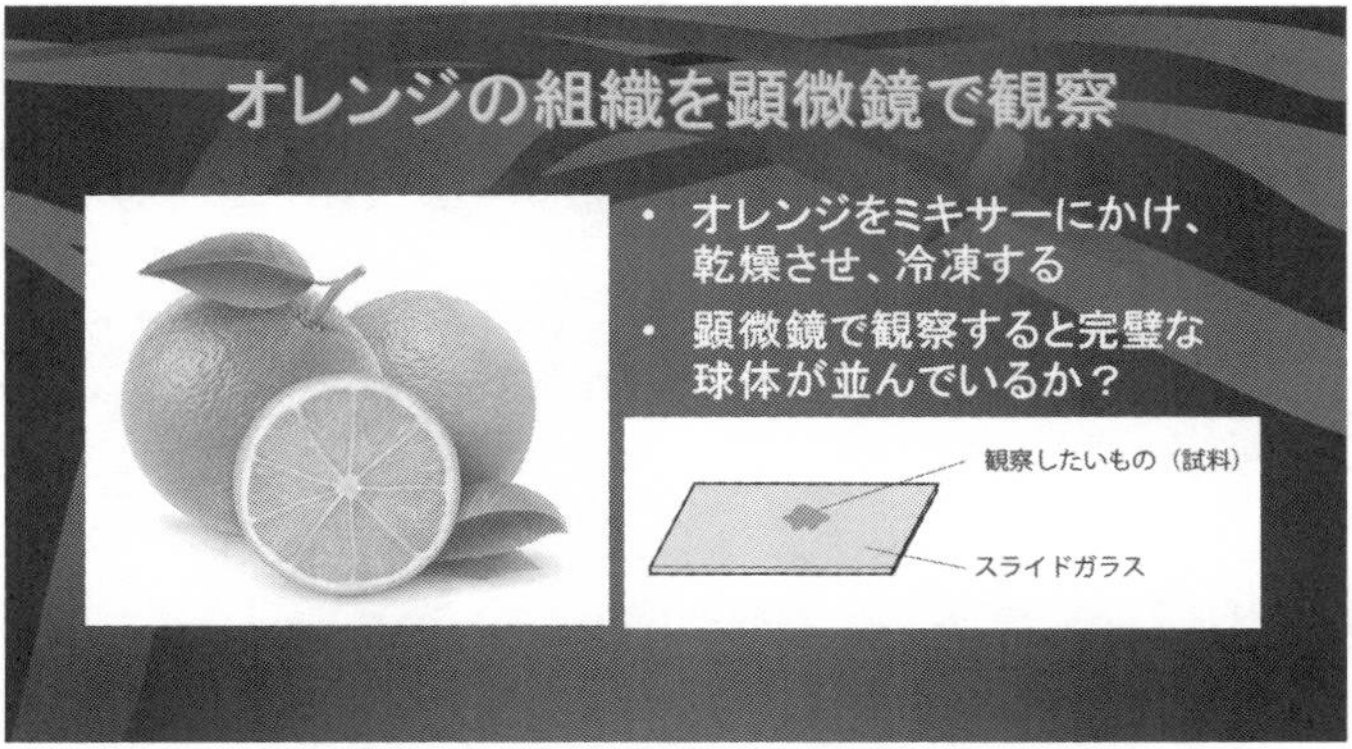
オレンジの組織を顕微鏡で観察
・オレンジをミキサーにかけ、乾燥させ、冷凍する
・顕微鏡で観察すると完璧な球体が並んでいるか？
観察したいもの（試料）
スライドガラス

スライド47

ハロルド・ヒルマンは
「リボソーム」はガスの泡であることを証明

スライド48

（スライド48）

ヒルマンは、リボソームが丸くきれいに並んでいるのは、組織から出てきたガスの泡を見ているのだと言っています。

（スライド49）

まとめると、ＲＮＡをどういじっても、どんな脂質の中に何を入れても、そこからタンパク質をつくることは不可能です。生命の仕組みはそういうふうには働かない、実際の生物の仕組みを全然反映していないというお話です。

自然治癒力を信じて生きる

（スライド50）

さて、「トム・カウワン医師の勧め」をご紹介します。

現代医学に基づいて治療する病院や医師にかかってほしくないんですが、これは医師であるカウワン自身が言っているから重みがありますね。それでも医師にかかる機会があれば、こう聞いてみることをお勧めします。

「ウイルス学者がどのようにしてウイルスの存在を証明し、それが病氣を引き起こすことを示したのですか？」

一般的な医師は、「ウイルス感染症は見ただけでわかる。臨床でわかるんだから」と言う人が多いと思いますが、しかし私たちが本当に知りたいのは、最初に誰が証明したのか、どうやってその配列を手に入れたのか、あなた（医師）があると言っているウイルスが実在することをどうやって確認したのかということです。

医師は、どのような手順でウイルスが発見されたのか一切知らないのに、どうして「ある」とわかるのかと、カウワンは言っています。

（スライド51）

私は日本に1年4カ月住んで、約1年半前にカナダに戻りました。カナダに戻って一番やりたかったことは、野菜でも何でもいいから自分で育ててみようと思って、自分の家のベランダで段ボールを使って小さなタネから育ててみたんですね。

47ページ下の写真はコリアンダーです。私はコリアンダーを自分で栽培するのが夢でした。というのは、コリアンダーはキレート作用があるので、例えば土壌に有害重金属があったら、それを吸収してしまう。パセリもそうです。どうやって育てているかわからないようなものを食べてしまったら、体のためには逆効果なので、自分で育てたかったんです。

逆に言うと、パセリやコリアンダーが有機で健康なものであれば、自分の体の中に入っ

結論

RNAをどういじり、
どんな脂質の中に、何を入れても
そこからタンパク質を作ることは不可能
それは生物の仕組みを反映していない
生命はそのように作用しない

スライド49

トム・カウワン医師の勧め

- 現代医学療法は勧めないが、もしも医師にかかるなら、
  こう聞いてみることをお勧めしたい
  →「ウイルス学者がどのようにしてウイルスの存在を証明し
  それが病氣を引き起こすことを示したのか？」
- 一般的な医師の答え：
  「私の臨床経験から、ウイルス感染症は見た目でわかる」
- 医師に期待する答え：
  誰が最初に証明したのか、どうやってその配列を手に入れたのか、
  あなた（医師）があると言っている「ウイルス」が実在することを
  どうやって確認したのか
  → 医師は、どのような手順で「ウイルス」が発見されたのかを知らない

スライド50

生命はもっとたくましく、もっと美しい

スライド51

ている重金属とかをキャッチして体の外に出すこともできるんです。

スライド51の一番右は、からし菜やレタスです。いろいろやってみてわかったのは、構造水で水やりすると、葉っぱが生き生きして普通の水より大きく育つことです。小さなタネから自分が育てたものは、シャキシャキして本当においしいんですよね。収穫して食べる度に感動するんです。

私たちは以前は、例えば病氣になったらすぐに病院に行って薬を飲むのが当然だと思っていましたが、実際はそうではない。さっきヒカルランドの社長さんともお話ししたんですが、医師じゃないと治療ができないとか、私は鍼《はり》の資格を取りましたが、鍼師じゃないと鍼を刺しちゃいけないとか、一般の人は体に手当てしちゃいけないと思っていますが、そうではなくて、誰にでも自然治癒力が備わっている。体って生命力があるし、もっとたくましいし、生きるというのは本当に美しいことなんだと、葉っぱから教えられたんですね。

ここまでは、ウィルヒョーの「細胞仮説」というお話に焦点を当てて、疑似科学とはこんなものだよということをお話しさせていただきました。私は動物を飼っていませんけれども、例えば動物を育てるとか、あるいは自分で育てた植物を食べるとか、そういうことを経験すると、腑に落ちて、生き生きと生きられる。ウイルスを怖い、怖いと思っている人は体の姿勢もよろしくない。そういう人生は嫌ですよね。今日来てくださっている皆さんはそういう考えは持っていらっしゃらないと思います。

質疑応答①

少し時間があるので、皆さんのご意見をお伺いしたいと思います。何かご質問はありますか。

――DNAの話で、前から言っているんだけど、バクディさんがmRNAワクチン、いわゆるワクチンの働きとして人工的なDNAを体の中に混入している。つまりDNAの組み換えを行っている。組み換え作物、組み換え人類ですね。これは人類に対する最大の犯罪であるといって今大きな声を上げているんですが、今のお話だと、その根拠が崩れているような感じがするんだけれども、その点について教えてください。

リーシャ　教えることはできないかもしれないですが、私が集めた情報とか、トム・カウワンにDNAの話を聞いたことがありますけれども、体の中に何かを入れて変えるということは不可能だ。アンディ・カウフマンも、直接聞いてはいませんが、そんなことはできないと言っていました。

私ははっきりとは言えないですけど、彼らが言っている話からすると、ＤＮＡ自体が、私たちが聞かされている話とは全然違うんじゃないか。私も過去にバクディの書籍を共訳させていただいたので、あまり悪いことは言えないんですけど、バクディは基本的にウイルスは存在していると思っている。その辺で私はちょっとアウトなんですよ。マイケル・イードンはウイルスに関して疑問に思い始めた。バクディは、ひょっとしたら自分の研究を覆すとなると大変なことになるんじゃないかな。わからないですけど。

私は、そんなに簡単に体は変えられないんじゃないかなと思います。ワクチンを打って重金属とか体に毒なものが入ってくると、体は嫌なので、いわゆる症状を呈して体から外に出そうとします。熱が出るとか、鼻水が出るとか、咳が出るとか、いわゆる病氣とか症状と言われているものは、解毒や再生のプロセスの１つです。その辺をよく理解していない人が走りやすい話じゃないですか。実際に遺伝子組み換え作物もあるみたいですから、人間的にはどうなのかなと思うけど、私はわからない。

ただ、バクディのことで言えることは、ウイルスとスパイクタンパク質の存在を信じていらっしゃるので、そこら辺が私とは見解が違います。でも、それで彼らがコントロールオポジションかというと、私は、彼は違うと思う。すみません、それぐらいしか言えません。

ＤＮＡに関して、二重螺旋が概念だというのは私も腑に落ちています。「ＤＮＡ」という言葉を使ってもいいかもしれないけど、遺伝とは無関係であることに留意する必要があります。さっきミミズの話もありましたが、エーテル体について、今後もっと見ていく必要があるのではないでしょうか。

――先ほど細胞の説明を聞いていて、エクソソームと同じ役割を果たしているなと思ったのですが、細胞とエクソソームの関係はどのようにお考えでしょうか。

リーシャ　「エクソソーム」は、アンディ・カウフマンがいわゆるパンデミックの初期に言っていましたが、トム・カウワンも初めはその言葉を使ったんですが、今は後悔しているようです。「エクソソーム」を何かメッセンジャー的役割をしているのではないかとして誤解している人がいっぱいいるんです。要するに、細胞はエクソソームでもウイルスでもなくて、死にかけた、あるいは死んだ組織の残骸なんです。顕微鏡で見ているのはそれだけです。私は、エクソソームいう言葉は使いません。細胞はただの死んだ組織の残骸です。

――昔、ＮＨＫでやっていた人体に関する特集で、エクソソームの働きとして、メッセージを体中の細胞に伝える役割と、要らなくなったものを排出する働きの２つあったような氣がします。メッセージを伝えるほうに関してはどうですか。

リーシャ　エソソームと呼ばれているものは、実際には死滅した、あるいは死にかけた組織から必然的に生じる分解産物のことなので、それが伝えることはない。世の中がエクソソームがメッセージを伝えるということを言い始めたから、多分カウワンは「エクソソーム」という言葉を使うことに支障があると思ったんじゃないですか。それよりもむしろ、体内の水にその役割があるのではないか……。

――素人の単純な疑問ですけれども、よく見ると、細胞は今説明されたみたいに非常にシンプルな構造でできているにもかかわらず、例えば教科書だと、整然といろいろなものが載った形で説明されるわけですよね。グレート・リセットというので70年ぐらい疑似科学が、という話がありました。この70年の世の中で多くの科学者は、顕微鏡で実際にモノを見ていろいろ研究されているにもかかわらず、何でそのシンプルなほうに行かずに、教科書的な、あるいは学説のほうに応じて、何かそういうフィルターが生じると、見ているモノは同じでも違うように見えちゃうのか、あるいは忖度みたいな感じなのか、そこら辺のメカニズムはどうなっているのか、お教えください。

リーシャ　ところで、１９３０年代に電子顕微鏡が開発されましたが、40年代に入るまで実用化されなかったようです。１９３０年ごろにグレート・リセットがあったと考えられるのは、ロックフェラーがちょうどそのあたりでいろんなことをやっているからです。例えば私が携わっている自然医療が弾圧されたのもそのあたりです。それまではホメオパシーとアロパシー（現代医療）がせめぎ合っていました。科学者も、バクテリアより小さいものがあるんじゃないかと一生懸命証明しようとしていたみたいで、そういう痕跡はあるようです。でも、いろんな文献を見ると、失敗しているのも事実です。

逆におカネをもらって支配者側のほうに流れていくとか、忖度ももちろんあると思いますけれども、実は本氣でやっていた人もいっぱいいます。私はその時代に生きていないからわからないですが、文献で見る限りは、おカネをもらって支配者側に流れていった、あるいは逮捕されて、真実を言えなくなったとか、医師でも免許剝奪とか、そういうことが起こったのが、ロックフェラーのいたそのあたりです。

——その後のここ何十年間の科学者は、それが学説だから、その頭で見ているということですか。

リーシャ　そう思います。信じて疑わないんじゃないですか。ＡＭＡ（American Medical Association）という組織は完全に毒されています。私の友達の医師なんて、支配者側を信じて疑わないですもんね。煎じ薬をつくる魔女じゃないけど、私がやっている中医学なんて、それこそ詐欺師みたいに言われましたよ。その人たちは、ＡＭＡという組織を信じているし、現代医療はすばらしいと思っているんです。洗脳ですよね。怖い。

——　初期には綱引きがあったけれども、その後、固まってしまうと、支配者側に流れが行っちゃったと。

リーシャ　そういう感じですね。

——　先ほどエクソソームの話があったんですけど、それを伝えるというイメージになっているということは、私には、伝える＝伝染という言葉が浮かぶんです。伝染性ウイルスとか、伝染性の病氣とか、ヒトからヒトへ何かがうつるとか伝わるということで、みんな恐怖を感じて感染症対策をずっとしてきたと思うんですけど、その考え方がどうやったら切りかわっていくのかな。この考え自体が今はほんとに少数派で、現代医学、洗脳の科学が多数派を占めちゃって、どうやったら人の氣持ちというか、考え方が切りかわっていくのか。今は過渡期で、これから変わっていくとは思うんですけど、そこのキッカケづくりとか、どうやって人に伝えたらいいのか悩んでいます。どうしたらいいでしょうかというご相談です。

リーシャ　それは私もずっと考えていますけど、カナダでも同じです。ある日、自然医療をしている知人と久々に会ったら、その人がマスクをしているので、私は「マスクしなくていいよ」と言ったんです。そうしたら、「ノー、ノー。新しい何か（ウイルス）が出たんでしょう」と言うんですよ。聞くとワクチンを4回打っているというのでショックでしたね。私はずっとマスクやワクチンの害について話してきましたが、最近はそんなヒマはないと思うようになってきて、見捨てるわけじゃないんだけど、以前ほど会う人会う人に言わなくなりました。それでも時間があれば、「マスクしていて苦しくないの？」と聞いたり、その人を見てワクチンのことを話せそうなら、「ワクチンは毒爆弾だよ」とか、そういうことを言いますよ。ほんとにどうしようもないですよね。私も日々考えていることなんですけど、病氣になるとか、うつるとか、みんな信じ込んでいます。ウイルスがないんだったら、その症状は何よ、と言って。

――私は以前、学童保育に勤めていて、そこの女性の主任が、同じ小学校の中にインフルエンザになった子がいるので、「〇〇ちゃんが今学童に来たらインフルエンザが広がっちゃうから、来ちゃダメよね」と言い出した。この人、何言ってるんだと。そのときから、うつるとか、誰かから何か病氣をもらうという感覚がおかしいなと思っていたんですけど、それが今回、コロナで日本中や世界中がバーッとおかしくなってしまって、「人を見たら病氣と思え」みたいな状態が人間生活をどんどんダメにしている。そこの切りかえをできるように、わかっている人たちからちょっとずつでもできたらいいなと思って、私もいろいろ発信しています。いつもありがとうございます。

リーシャ　頑張ってください。ありがとうございます。

大橋眞　質問じゃないけど、肝臓というのは、今の医学でも核が2つある。それは非常に不思議です。核が2つあって、細胞としては1つに見えるというのは、実は細胞膜が分かれて見えるだけだ。核がたくさんある（多核）細胞は、ほかの生物でも結構あるんですよ。

これはなぜかというと、細胞分裂しない前段階で核が2つになる。基本は構造水だと。細胞膜がいわゆる細胞の単位であると考えるよりは、構造水のほうが単位としてはふさわしい。ゲル状の水というのは、そうかもしれない。そういう意味で、細胞の考え方を改めたほうがいいだろうということはあると思う。

恐らく細胞が病氣をつくっていく、これがウィルヒョーの言った細胞病理学という分野で、私もずっとその考え方でやってきた。何かおかしいなというのはあった。何で細胞が悪いことをするんだろうか、と。

考えてみたらそれは全く逆で、細胞が何かするんじゃなくて、何かの結果、細胞がそういうふうに見えるということであって、細胞が病氣をつくるわけではない。癌の考え方もそうなんです。細胞が悪いことをするのだろうか、タンパク質が悪いことをするのだろうか。それは多分、悪いことをするんじゃなくて、結果としてそういうタンパク質が見えるということ。結果論にすぎない。これが今、西洋医学で一番問題になっている。原因と結果をすりかえているんですよ。

うつった、うつったと皆さん言うけど、実は最初から持っているものを、手をかえ品をかえ検出しているだけなのです。うつっているのでも何でもない。こういう話です。要するにこれは手品と同じで、手品のトリックを知れば、何だということです。そういうことに氣づく、いい機会になったと思います。

リーシャ　貴重なご意見、コメントをありがとうございます。

では、神さんにバトンタッチしたいと思います。（拍手）

ワクチン神話

神　瞳　私は、まだ翻訳書も出していないのに翻訳家と名乗っていて、ちょっと違うんじゃないかと思っていたところ、ヒカルランドさんで『ワクチン神話　捏造の歴史』という本を翻訳で出すことができて、ようやく翻訳家と言えるようになりました。

ワクチン神話というのは、ワクチンが効くんだ、ワクチンさえ打っていれば平氣なんだという考え方ですね。Germ Theory（病原体病因説）もそうだし、抗体、免疫、感染症には抗生物質が効く、ウイルスには抗ウイルス薬がいい、癌は死の病である、ＤＮＡ螺旋構造、細胞膜、ＡＣＥ受容体、血液脳関門、これらはほぼ怪しい。１個ずつ丁寧に見ていく

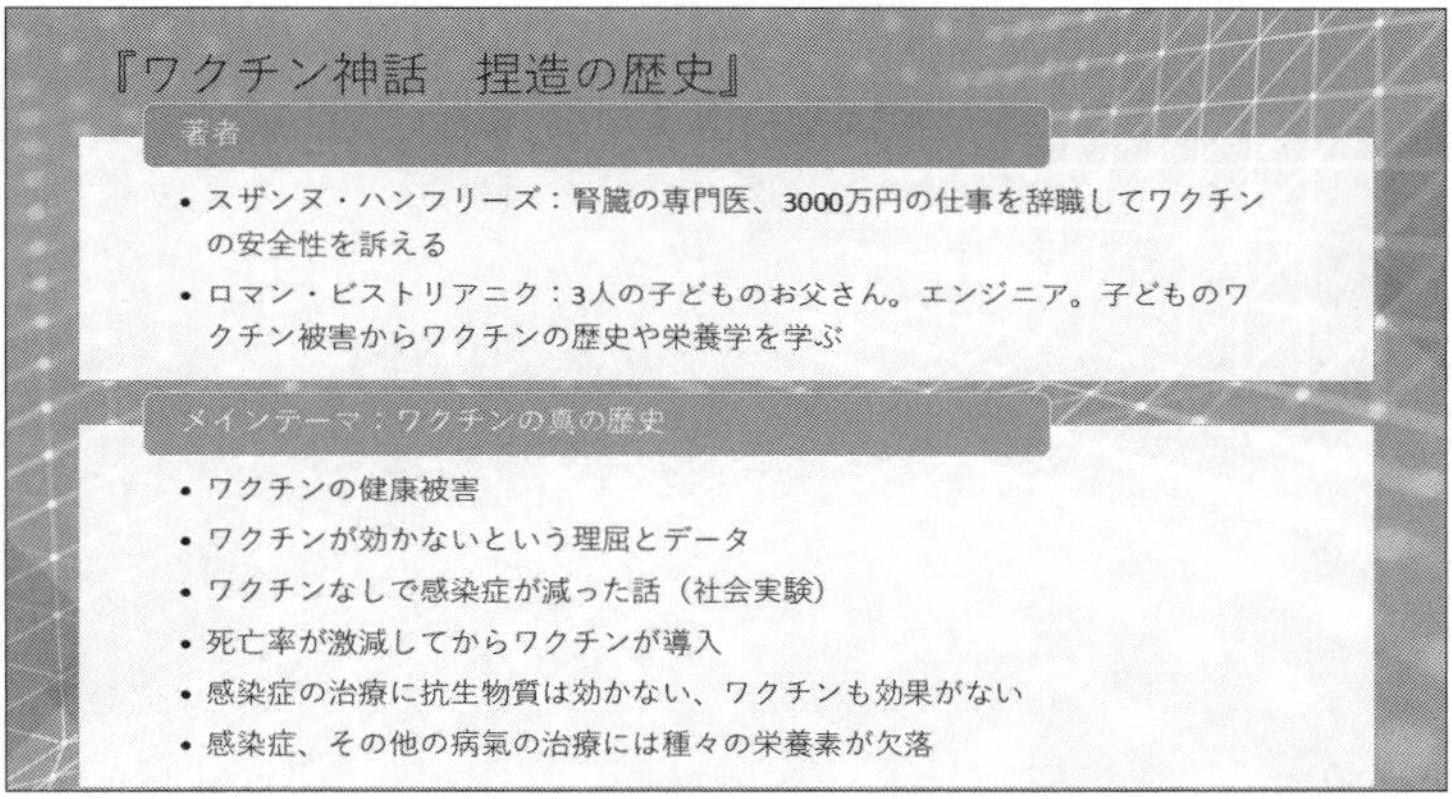
『ワクチン神話　捏造の歴史』
著者
スザンヌ・ハンフリーズ：腎臓の専門医、3000万円の仕事を辞職してワクチンの安全性を訴える
ロマン・ビストリアニク：3人の子どものお父さん。エンジニア。子どものワクチン被害からワクチンの歴史や栄養学を学ぶ
メインテーマ：ワクチンの真の歴史
ワクチンの健康被害
ワクチンが効かないという理屈とデータ
ワクチンなしで感染症が減った話（社会実験）
死亡率が激減してからワクチンが導入
感染症の治療に抗生物質は効かない、ワクチンも効果がない
感染症、その他の病氣の治療には種々の栄養素が欠落

スライド52

必要があるんだけれども、どれも根拠が怪しいのです。

（スライド52）

『ワクチン神話　捏造の歴史』の著者を紹介します。

スザンヌ・ハンフリーズさんはアメリカ人で、腎臓の専門医でした。非常に優秀な人で評価もされていたんですが、多額の報酬をもらえる仕事を辞めて、ワクチンの安全性を訴える方向に転換しています。

もう1人のロマン・ビストリアニクさんは、東欧系の方だと思うんですが、エンジニアであって、医学の専門家ではありません。そのかわり素直な目でデータを見ることができます。しかも専門用語があっても屈しないし、数字に強い方です。子どもがワクチンの被害を受けたので、ワクチンの歴史や栄養学を学んだのです。

この本のメインテーマとしては、以下の3つです。

・ワクチンの健康被害

・ワクチンが効かないという理屈とデータ

・ワクチンなしで感染症が減った話（社会実験）

今の私たちの世界は、ワクチンなしで感染症が減る社会になっています。その理由として以下のことを説明しています。

・死亡率が激減してからワクチンを導入しているから意味がない

・感染症の治療に抗生物質は効かない、ワクチンも効果がない

・感染症、その他の病氣の治療には種々の栄養素が欠落していることが多い

（スライド53）

16章では、欠落した栄養素を補うことで劇的に回復する例があるということが書かれています。

最後の17章は「信仰と恐怖」です。つまり、恐怖を煽《あお》って信仰を強めて、ワクチンや薬、癌治療へと誘導するメカニズムが書かれています。

時代を追って書いてあるのでわかりやすいのと、全部が正しいデータです。政府が公表

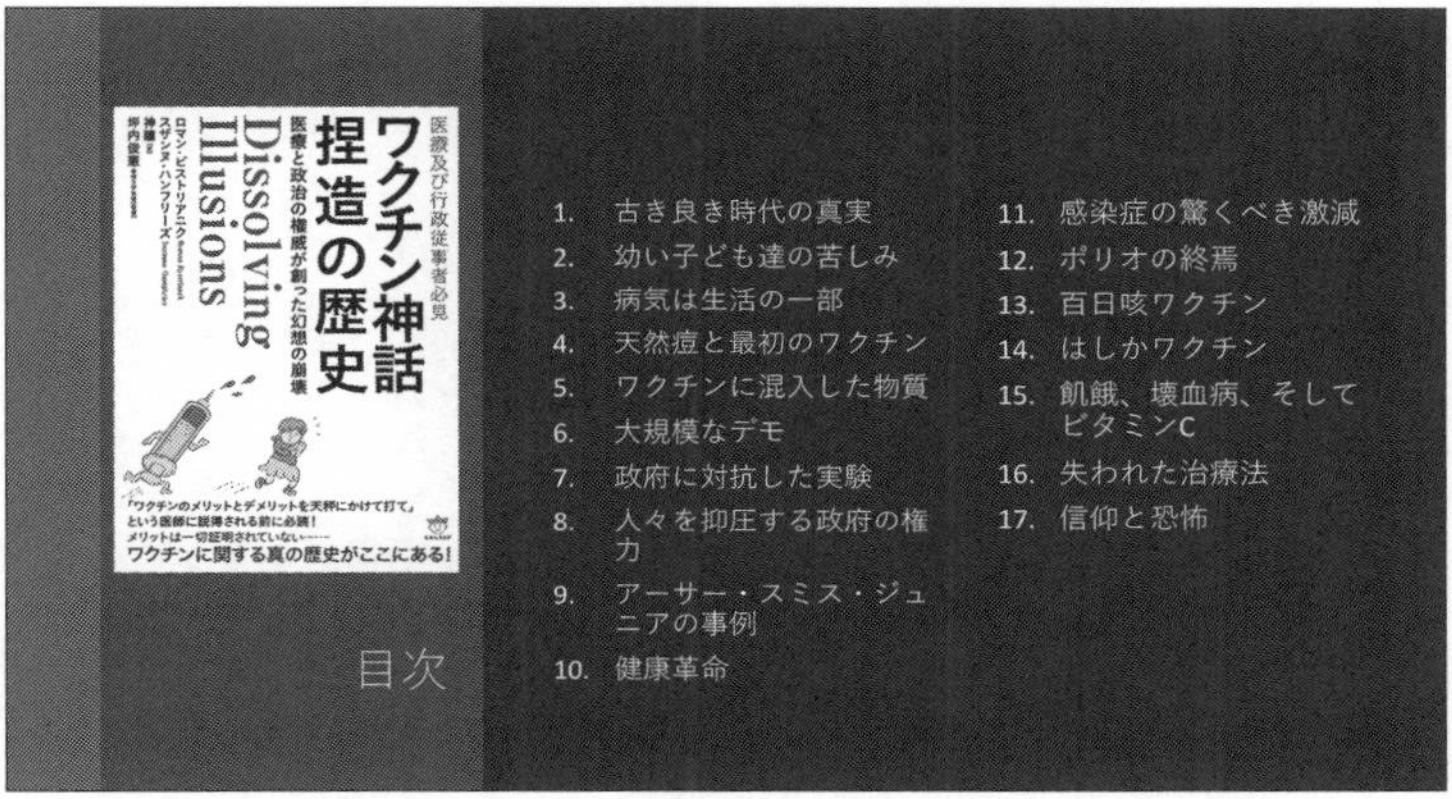

スライド53

しているデータを集めて発表しているものなので、この本に載っているデータそのものを否定することができないのです。

ＷＨＯはパンデミック条約によって全世界を支配しようとしています。それに全ての国が参加して、ＷＨＯが「これは感染症だ」と言えば、ロックダウンしなきゃいけない。「ワクチンを打ちなさい」と言われたら、ワクチンを打たないと県境をまたぐことすらできなくなる。そうなる前にこの本を読んで、ワクチンの弊害がこんなにあって、効果がないことがわかっているのに、それでも打たせるとはどういうことですかと、医師や学校の先生、公務員や議員、そういう人たちに説明を要求するときにこの本を使えばいいかなと思っています。

最初にこれを読んだとき、これは絶対にみんなが知るべきだと思ったんです。ワクチンに懐疑的なお医者さんに話をしたら、英語を読めないみたいなことをおっしゃるし、一般の方も読んだほうがいいと思ったので、頑張って訳しました。

私の本職は言語学なんですけれども、言語学の中にも変なことがある。ノーム・チョムスキーの生成文法というのがあって、突然現れもてはやされた理論です。ところが、やっていくとだんだんおかしくなってくるんですね。つまり、ウソの文法で仮定がおかしいから、それをずっと突き詰めていくと変な方向に行っちゃうんですよ。これでは「ダメだ」と言って、10年ごとに理論をラディカルに変えて、今は最初とは全然違うことを言っている。権威だから、そういう変な理論に多くの学者が乗っていくんですね。そもそも、10年ごとにラディカルに変わるような理論が正しいはずがないじゃないか。普通に見ているとおかしいと思うんだけど、それを本氣でやっている人たちがいっぱいいるんですね。

そういうことを知っていたので、医療、医学のおかしさにも、勝ち馬に乗るというか、誰かの権威にすがって生きていくしかない人たちっていっぱいいるんだな、自分の頭で考えていないことがあるんだなということがわかったんです。

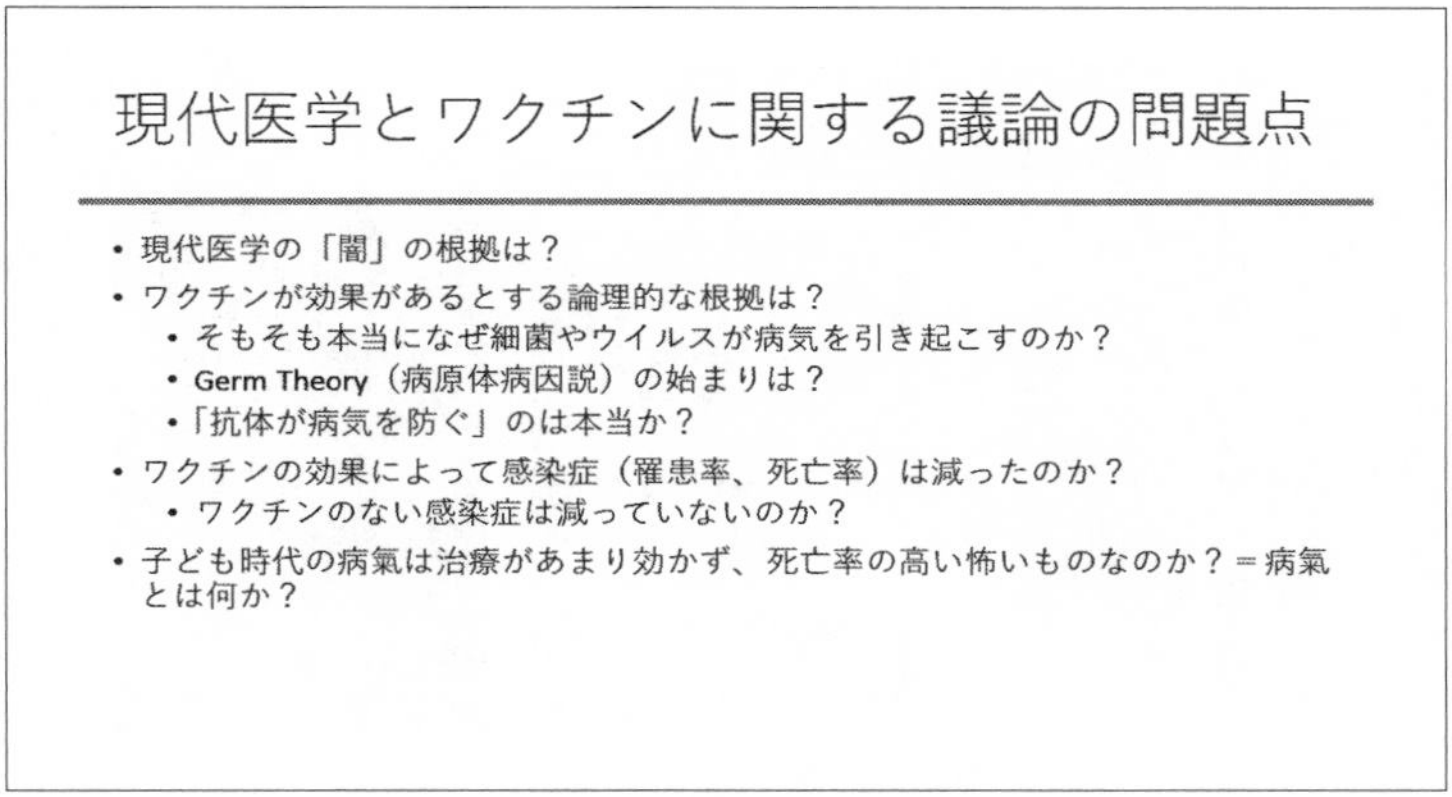
現代医学とワクチンに関する議論の問題点
• 現代医学の「闇」の根拠は？
• ワクチンが効果があるとする論理的な根拠は？
• そもそも本当になぜ細菌やウイルスが病気を引き起こすのか？
• Germ Theory（病原体病因説）の始まりは？
•「抗体が病気を防ぐ」のは本当か？
• ワクチンの効果によって感染症（罹患率、死亡率）は減ったのか？
• ワクチンのない感染症は減っていないのか？
• 子ども時代の病氣は治療があまり効かず、死亡率の高い怖いものなのか？＝病氣とは何か？

スライド54

ウイルス・感染症は存在しない

（スライド54）

現代医学には「闇」があるとよく言われますが、先ほどリーシャさんが話したこととほとんど同じ話なので、ワクチンと感染症の話は後のほうでお話しさせていただきます。

（スライド55）

岩田健太郎さんは完全にワクチンを推進しているんだけど、『感染症は実在しない』という本を出している。内容を見ると、この人はかなり正直に現代の医学のことを書いています。例えば権威のある雑誌6つのうち5つがアメリカで発行され、もう1つがイギリスで、全部英語圏で出版されていることを書いています。

スライド55

医学の歴史を本氣で考えていくと、アラビアとか東方の医学を入れて発展したのはルネサンス時代なのです。古いのはイタリアがメインで、ドイツ医学もすごく有名だったので、イタリアとかドイツの雑誌が入っていないのは変です。

もっとおもしろいのは、新薬は32人か33人に1人に効くと、「とても効く」と評価される。60人に1人効いても新薬としては認められることがある。つまり、100人に使って1人か2人しか効果がなくても、「これは効果がある」と認められ新薬として売り出せると書いてある。この本は、こういうところだけはおもしろいんですよ（笑）。

真ん中の本は、今ほかの方が翻訳中で、『ヒューマンハート・コズミックハート』を書いたトム・カウワン医師の『THE TRUTH ABOUT CONTAGION』で、『CONTAGION MYTH（感染症神話）』と内容は同じですね。

リーシャ　これにはエピソードがあって、本当は『CONTAGION MYTH（感染症神話）』というタイトルなんですよ。ところがアマゾンなどではそのタイトルでは出してくれないから、『THE TRUTH ABOUT CONTAGION』のタイトルに変えて出すことにしたようですよ。でも、本当の意味はこれ（『THE TRUTH ABOUT CONTAGION』）じゃないんですよね。

神　そういうことです。感染症の原因は、彗星とかがあらわれたときの電磁波によるものだったり、人工の電磁波によるものだったりします。インフルエンザ、スペイン風邪も、電波塔がいっぱい建ってレーダーを使っている軍の基地の若い兵隊から倒れていった。もともと電氣がいっぱいある都会で過ごしていた若者は体に耐性ができていて、細胞がうまく電磁波をよけるように頑張っていたので、レーダーを浴びても少ししか倒れなかった。けれども、田舎から来ている子は初めて強い電磁波を浴びたので、体が対応し切れなくて重症化し、そこにアスピリンを投与されて死んでしまう、そんな話が書いてあります。

スライド55の右端の崎谷先生がお書きになった『ウイルスは存在しない！』を読むと、いろんな論文が紹介されています。全て査読済みのきちんとした論文ですから、これもいいかなと思います。

ウイルスの存在と感染症の存在を科学的に証明した論文は存在しない

- ウイルスは単離されていない：単離できないのがウイルスの特徴だと言われている
- ウイルスが炎症を引き起こし細胞を殺すとされている
  - しかし、ウイルスが多数含まれているとされる粘液から直接ウイルスを単離する作業は行わない
  - 必ず、ウイルスよりも大きい細菌を除く作業を行ってから（これを分離と呼ぶ）粘液をvero細胞（サルの腎臓の細胞）の上で培養し、牛胎盤血清や抗生剤を加えて培養
    →分離した後に他の物質を加えている

スライド56

アプローチがいろいろ違うので、崎谷先生はいいんですけど、ほかの2人は、ちょっとというときもある。いろんな本をお読みになって、『ワクチン神話　捏造の歴史』もどうぞお買い求めいただいて、自分の武器としていただければと思います。

人工ウイルス説

（スライド56）

ウイルスの存在について、最近ツイッター（現・X）で意見が割れているんですね。人工ウイルス説というのがのさばっています。ワクチンは危険だ、ワクチンを許容するのはいけないと言っている医師たちであっても、人工ウイルスは怖いという立場をとっている人たちがいっぱいいる。

それで困ったことになっています。

トム・カウワンのような人が分断を煽っている、ウイルスがないと言ったら人工ウイルスはどうなるんだ、と。

人工ウイルス説の肝は、ＮＩＨ（アメリカ国立衛生研究所）の感染症対策のトップだったファウチあたりから、エコヘルス・アライアンスという財団を通じて中国・武漢の研究所に資金が流れた。そこで人工ウイルスの研究をしていたのがリークしたんだというラボリーク説です。研究所から漏れたのだとされています。

つまり、おカネの流れや、武漢で発生したということは明らかなので、ここをつなげて、アメリカが人工ウイルスをつくらせたんじゃないか、これは人類に対する罪だと、法的に問えると思っている人もいるだろうと思うんです。

だけど、ウイルスがどうやって人を病氣にさせるのかということが全然わかっていない。まず、ウイルスが炎症を引き起こして細胞を殺すとされています。例えば肺の液とか、喉とか、鼻のスワブとか、鼻水でも何でもいいんですけど、そういうところにウイルスがいっぱいいるはずなんです。ところが、その粘液を採って、そこからすぐに分離という作業は絶対に行わないんです。

何をするか。細菌とウイルスは大きさが違います。細菌は目に見えるし、実際にある。

細菌が感染を引き起こすかどうかも問題ですが、とにかくウイルスより大きな細菌や細胞の破片とかを取り除く作業を行う。これを「分離」と言っているんです。その後、牛胎盤血清や抗生剤とかいろんなものをごちゃごちゃ混ぜて、それをサルの腎臓の細胞(注)の上で培養する。

ウイルスが培養されたことによって細胞が死ぬという現象が見られるから、これは「ウイルス」だと言っている。でも、分離したあとでほかのものをいっぱい入れている。特に抗生剤は細胞を壊すものなので、そんなものを入れたら細胞は死にます。どの論文も、分離してからほかの物質を加えているんです。

リーシャ　たくさんのものを入れたら、死んで飛び散りますよね。それを「分離」と言っているんです。本来の分離の意味とは全く逆ですね。

神　アイソレーション（分離）していると言う人は、最初の作業のことを「アイソレーション」と言っていたりするから、ここはちゃんと手順を見ないといけない。医学論文というのは本当に不思議な論文が多い。概要や結論には、例えばこの新薬でこんな効果が出ましたと書いてあるけれども、病氣が治ったかどうかが不明だったり、ウイルスが分離されましたと書いてあるんだけど、手順とかをちゃんと読むと、全然分離されていなかったり。そういうものも結構あります。

(注) アフリカミドリザルの腎臓上皮細胞のことで、ベロ細胞と呼ばれている。

リーシャ　手品ですね。ヘッドライン（見出し）を見ると、「アイソレーション」と書いてあるんですよ。科学者もそうかもしれないけど、ほとんどの医師は、パッと見ただけで、アイソレーションしてるじゃないかと言って、中を見ない。神さんがおっしゃったように、トップにアブストラクト（要旨）とかサマリー（概要）があるんですよ。それを見る人もいるけど、ほぼ見ないで、タイトルだけで信じている。

医学雑誌への掲載もおカネで決まる

神　これは医学雑誌とかにかかわった人は全員知っていることで、スタンフォード大学教授のヨアニディス（注）さんという人が告発したのが特に有名なんですけど、彼もずっと投稿論文を査読していた。彼はおかしいということを告発しているんです。さっきの岩田さんの本に出ている重要とされる6つぐらいの雑誌全てで、編集方針がおかしいと言って編集長や副編集長が辞めているんですよ。全ての雑誌でおかしなことがある。編集長たちはすごくおカネをもらえるので何年かは我慢するんだけど、10年ぐらいで、辞めてしまう。

もう1つ、これはほとんど知られていないことなんですけど、JAMAとか、6つぐらいの有名な医学雑誌に出そうと思ったら、投稿料か掲載料かのどちらかが100万円とか

（注）スタンフォード大学医学部教授の John P. A. Ioannidis は2005年に 'Why Most Published Research Findings Are False'「なぜ出版された研究論文のほとんどが虚偽なのか」を発表。

200万円ぐらいかかるんですよ。例えば個人の教授が研究室で数百万円程度の研究費をもらって実験して書いた論文を出そうと思ったとき、インパクトファクターが高い高名な雑誌から、100万とか200万とか要求されちゃうので、普通は有名雑誌には論文掲載ができないんですよ。一方、製薬会社の資金が入っている研究所は資金が潤沢ですから、幾らでも掲載料が払えるので、ほとんどの場合、論文が載るということです。

おカネのバリアに関しては、文系なんかでも掲載料が結構高いのはあるんですよ。というのは、例えば2500年前の古い言語の研究の本は売れないので、需要と供給のバランスで薄くても1冊3万円ぐらいして、出すときに200万円とか払わなきゃいけないことがあるんですよ。しかし医学雑誌なんて全世界でいろんな人が買うのに、何でそんなに高いおカネを取るのかということです。

編集委員会のメンバーはものすごいおカネをもらっているので、そこで何でもやっちゃうということです。

ただ、最近はオープンソースと言って、雑誌とかの情報は全部タダで提供したほうが人類のためになるという考え方が広がっています。文系でも、印刷するのは結構おカネが高いので、デジタル版でどんどん安価にしていこうという動きはあります。

物理とか化学の分野もそうなので、医学もだんだんそういうふうにやらざるを得なくな

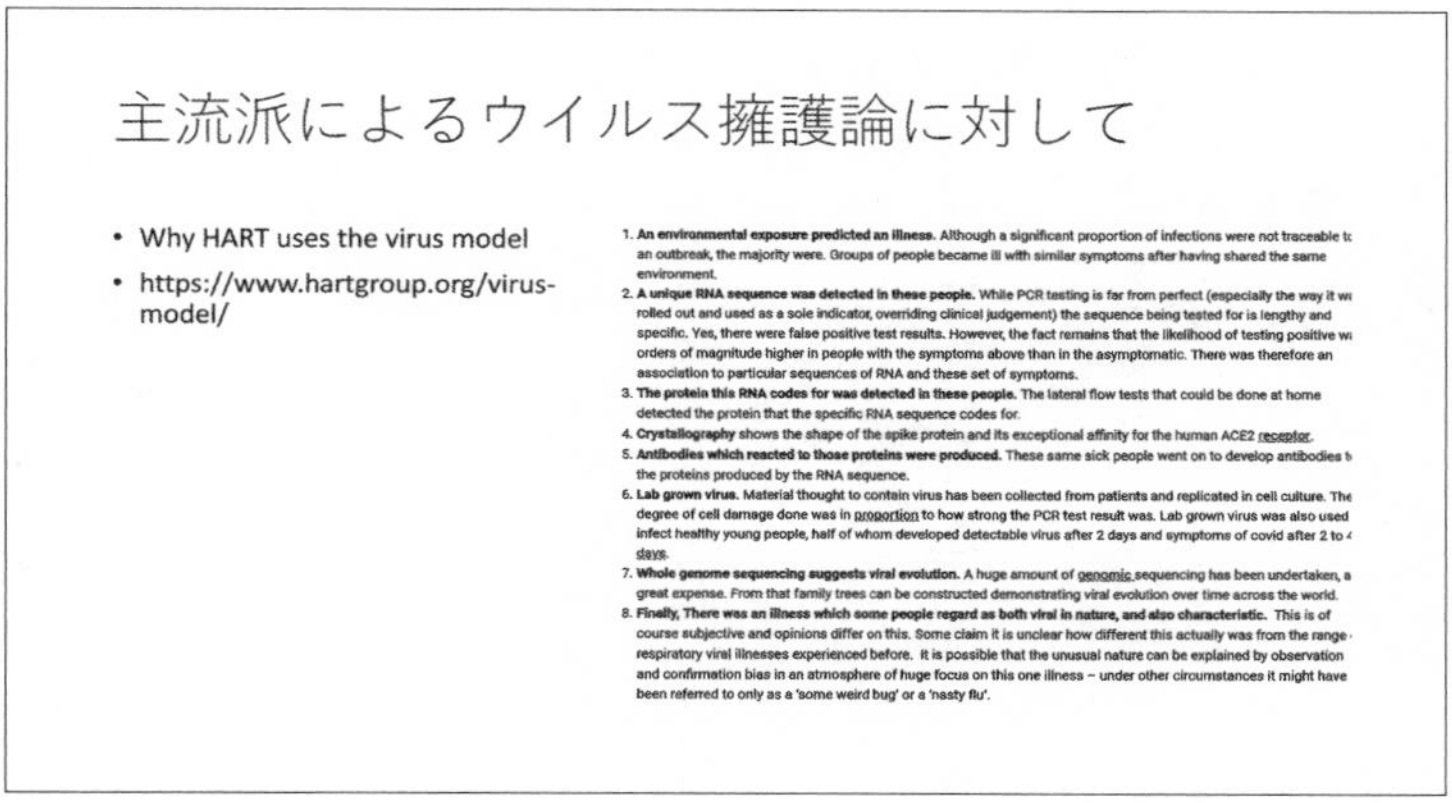
主流派によるウイルス擁護論に対して
• Why HART uses the virus model
• https://www.hartgroup.org/virus-model/
1. An environmental exposure predicted an illness. Although a significant proportion of infections were not traceable an outbreak, the majority were. Groups of people became ill with similar symptoms after having shared the same environment.
2. A unique RNA sequence was detected in these people. While PCR testing is far from perfect (especially the way it rolled out and used as a sole indicator, overriding clinical judgement) the sequence being tested for is lengthy and specific. Yes, there were false positive test results. However, the fact remains that the likelihood of testing positive orders of magnitude higher in people with the symptoms above than in the asymptomatic. There was therefore an association to particular sequences of RNA and these set of symptoms.
3. The protein this RNA codes for was detected in these people. The lateral flow tests that could be done at home detected the protein that the specific RNA sequence codes for.
4. Crystallography shows the shape of the spike protein and its exceptional affinity for the human ACE2 receptor.
5. Antibodies which reacted to those proteins were produced. These same sick people went on to develop antibodies the proteins produced by the RNA sequence.
6. Lab grown virus. Material thought to contain virus has been collected from patients and replicated in cell culture. The degree of cell damage done was in proportion to how strong the PCR test result was. Lab grown virus was also used infect healthy young people, half of whom developed detectable virus after 2 days and symptoms of covid after 2 to days.
7. Whole genome sequencing suggests viral evolution. A huge amount of genomic sequencing has been undertaken, great expense. From that family trees can be constructed demonstrating viral evolution over time across the world.
8. Finally, There was an illness which some people regard as both viral in nature, and also characteristic. This is of course subjective and opinions differ on this. Some claim it is unclear how different this actually was from the range respiratory viral illnesses experienced before. It is possible that the unusual nature can be explained by observation and confirmation bias in an atmosphere of huge focus on this one illness – under other circumstances it might have been referred to only as a 'some weird bug' or a 'nasty flu'.

スライド57

ってくる。これまではすごいおカネを取れていたけれども、これからもそういうふうにうまくいくとは限りません。このまま崩れていくといいなと思っています。ちゃんとした論文をオープンソースでみんなが読み比べることができるようになったら、自分の頭で考えられる人がいろんな資料を手に入れることができる。今はすごく高いです。インパクトファクターが高い雑誌を読もうと思ったら、1冊数万円とか、年間契約で何十万円もかかるので、大学に属していないと見れないということがあります。

ウイルスマニア

（スライド57）

最近、人工ウイルス説と言って、ラボリークしたんじゃないか、エコヘルスのピーター・ダスザックが悪いとか、そんなことを言っているワクチン強要に反対するようなフリーダム・コミュニティの人たちがいます。その人たちと私たちは、ワクチンに関しては立場が一緒なんだけれども、考え方が違うところがあって、そのフリーダム・コミュニティの主流派によってウイルス擁護論が幾つも出ています。ウイルスがないと話が通じないということをよく言っているんです。2023年10月4日に、高名なお医者さんが30人ぐらいいるHARTというイギリスの健康に関する団体が、ウイルスが存在する理由を8つぐらいの項目でネット上に掲載したわけです。

それについて、トム・カウワンとマーク・ベイリーがいろいろと説明しています。マーク・ベイリーの奥さんのサマンサ・ベイリーが共著で参加しているのは、ウイルス騒ぎは全部空騒ぎであると科学的に暴いた『ウイルスマニア』(注)という本です。HARTの主張は文も変なので訳すのが大変だったんですが、とりあえず日本語に訳してみました。

環境と病氣

（スライド58）

「環境にさらされると病氣が予想される」。つまり、ある環境にいると病氣になるという

（注）神瞳訳で近刊予定

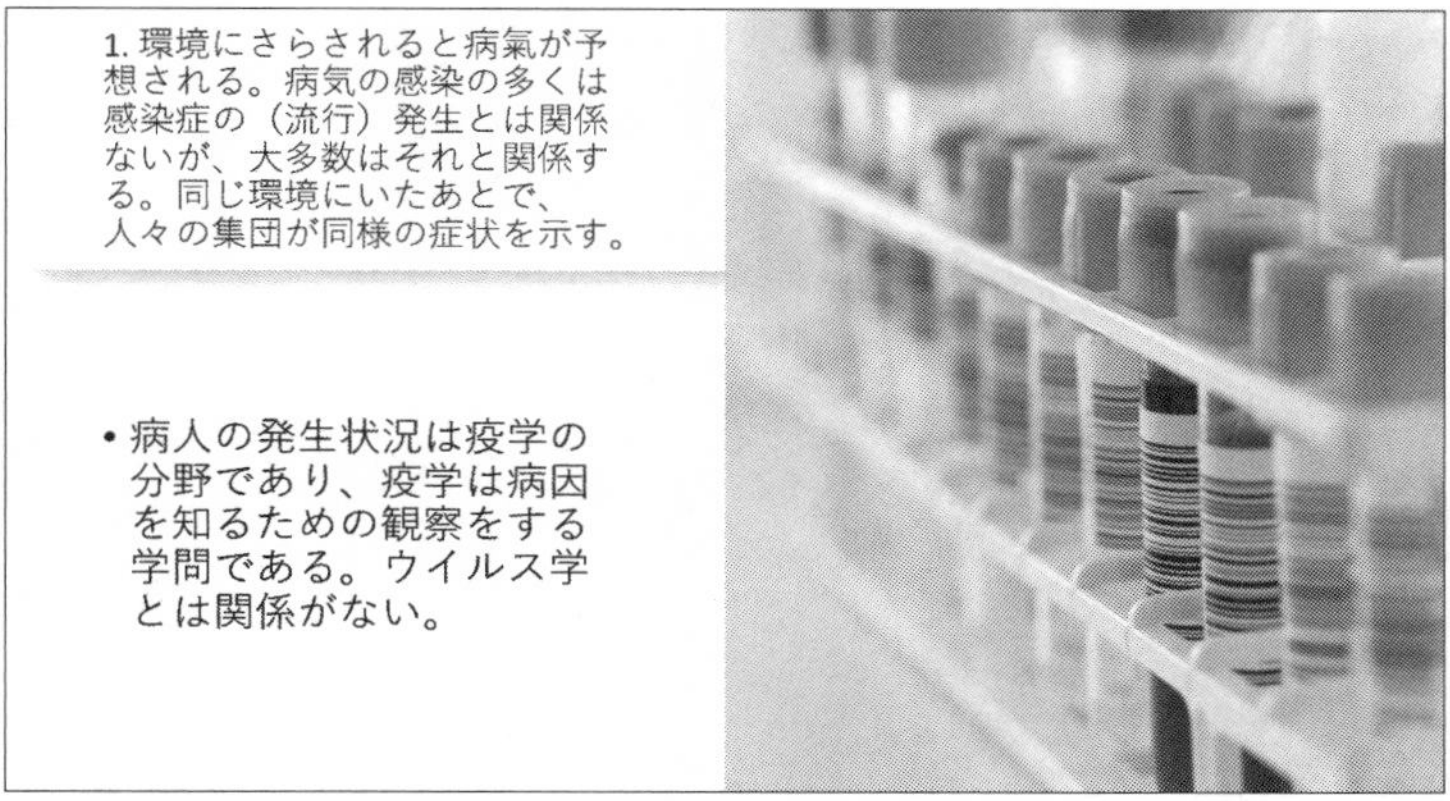
1. 環境にさらされると病氣が予想される。病気の感染の多くは感染症の（流行）発生とは関係ないが、大多数はそれと関係する。同じ環境にいたあとで、人々の集団が同様の症状を示す。
• 病人の発生状況は疫学の分野であり、疫学は病因を知るための観察をする学問である。ウイルス学とは関係がない。

スライド58

ことが予想される。

「病氣の感染の多くは感染症の発生とは関係ないが、大多数はそれと関係する。同じ環境にいたあとで、人々の集団が同様の症状を示す」

これは池田としえ先生からもお話があったんですけれども、家庭内での感染というのは、ほとんどの方が経験している。ところが、私は生まれ育った家庭であまりそういうのを経験していなかったから、自分が子どもを産んだときに、誰からどういうふうに病氣がうつるように見えるかをずっと観察していたんです。

そうしたら、まず夫はうちの家族で完全に独立していた。勝手に病氣になって、勝手に治る。ほかの人にうつしたように見えないし、誰かからもうつったように見えない。私が倒れても、子どもは別に病氣にならない。でも、子どもが病氣になると、私は病氣になる。特に一番はっきりしているのはノロウイルスとされているものです。子どもが吐いたら、絶対私も吐くんですよ。それでウイルスの感染力が強いとか言っているんですけど、吐くのだから、これは食中毒だろうと思います。冬に流行るので、冬によく使われる農薬の何かに耐えられないのかなという氣もするんです。これもはっきりはわからないのですが、ノロウイルスはよく集団発生する。給食とかで同じものを食べているから、保育園とか小学校とかで発生するわけですよ。そういうことはあります。

そして、子どもが小学校高学年ぐらいになると、誰にもうつさないし、誰からもうつされないというか、みんな独立して病氣になっていたのです。だから感染というのはおかしいなとずっと思っていました。

「目に見えないこと＝ウソ」ではない

神　リーシャさん、家庭内の感染についてどうですか。

リーシャ　私は健康には結構注意していたし、ずっと家に1人でいるのに、例えばくしゃみをしたり喉がイガイガするとか、たまに風邪のような症状が出るので、何でかなと思っていました。それは、いわゆるパンデミックになる前でした。

これは、シェディングという言葉に関係していると思うんです。それはまた後で話す機会があると思いますが、簡単に言うと、さっき電磁波の話がありましたけど、私たちは電氣を帯びた存在なんですね。現代医療、現代科学によって私たちは完全にそのインフォメーションを遮断されて育ってきているので、全く信じない人が大半かもしれません。「うつる」というのは、波動的に言って情報がうつるのでしょうね。家の中で子どもの具合いが悪くなった。そういう情報を体が察知して自分も具合いが悪くなる。でも、悪くならない場合もあるじゃないですか。それは何なのか。自分の体が健康なときは悪くならないはずです。何で悪くなるかといったら、体の中に毒があったり、新たに何かしらの毒が入ってきたのかもしれない。ここでも「氣」とか「エネルギー」という言葉を使いますけど、氣を張っているからとりあえず大丈夫だった。でも、よくあるのは、旅行から帰ってきて、ふっと氣を抜いたときに体調を崩す、いわゆる症状が出るケースです。

私が思うのは、体の中に何か毒があっても、体が頑張っているときは出来事に氣（エネルギー）を取られるから体調不良にならない。でも、何かのキッカケで、例えば誰かと一緒にいて、毒を体が察知したのがトリガーになって、自分も解毒して再生するという作業を、体がキッカケを見付けてやり始める。簡単に言うとそういう感じだと私は思っています。

神　よくあるパターンの1つは、こんな感じです。お母さんってすごく忙しいんですよ。専業主婦でも朝から晩まで何かと動いている。疲れがたまっているところに、子どもが倒れて看病というさらなる重荷が来たので、オーバーヒートして、これ以上できなくなる。それで子どもの次にお母さんが倒れる。お母さんが倒れれば、お父さんが一生懸命お母さんの看病もする。でも仕事もしている。それでお父さんも疲れ切って倒れる。そういうのが一番多いと思う。

もう1つの理由としては、子どもから今、解毒していますというサインを受け取って、お母さんが自分も解毒を始めるということです。だから、子どもが熱を出したらお母さんも熱が出るということがあるのかと思います。

アンドリュー・カウフマンがよく言っていたんですが、「女子寮（ドミトリー）現象」というのがある。最初は生理の周期がみんなバラバラなんです。ある人は1日から、ある人は15日から、ある人は20日から始まる。ところが、全然違うところから来た女性が同じところに住んでいると、だんだんとサイクルが似てきて、みんな15日から18日の間に生理が来る。それを「生理がうつる」というんですが、伝染病でも何でもないし、こんなのがうつるわけがない。フェロモンか何か知りませんけれども、同じ部屋で寝たり、同じバスルームを使うなど、いろいろと接触が多い女性同士の間で周期が似てくる。それと風邪がうつるのは多分同じことだろうと言っています。「女子寮（ドミトリー）現象」も科学的に証明されていないんですよね。

リーシャ　でも、それは証明できないことはない、不可能ではないと思うんですよ。あまりにも現代医療、現代科学に莫大なカネが投じられてきたのに、波動とかエネルギーといったところには全くカネが投じられていません。目に見えないこと＝ウソだということにされてしまっています。

神　家族内での感染のようなものは、そういうふうに考えたほうがいいと思います。

なんでもかんでもウイルスのせいにしない

神　ＨＡＲＴの医師の集団の主張に戻りますと、病人はどのようにして発生するかというのは疫学の分野です。疫学というのは、病因を知るために観察をする学問であって、ウイルスがあるかないかは疫学ではわかりません。

一番良い例は、ビタミンＢ１の欠乏症は脚氣、ビタミンＣの欠乏症は壊血病（scurvy）を引き起こすことです。壊血病は英米圏の人は皆よく知っているんですよ。私は壊血病と聞いても全然わからなかった。というのは、日本人は壊血病にほとんどならないからです。

なぜかというと、壊血病になる人たちは船員が多かった。船で長い間航海しているうちにビタミンCが欠乏して病氣になる。みんな同じように欠乏していますから、次々に倒れていく。それを伝染病と考えるわけです。壊血病の人が1人出ると、船から出ちゃいけませんと言って上陸させない。そうすると、ビタミンCの補給もままならないので、みんな死んじゃうんです。

ところが、ビタミンCが有効だということが発見されてからは、レモンをかじれば壊血病にならないことがわかって、レモンなどビタミンCの多く含まれる食品を積んでいくようになった。そのような知識が広まる前の現象としては、同じ船の中でバタバタと倒れていくわけだから、感染というふうに見えるわけです。疫学としてはそれでいいけれども、ウイルスが原因かどうかは、ウイルス学でやらないといけないんです。

だから今日ここに皆さんという集団がいて、2日後に皆さんが熱を出したとしても、それは必ずしも感染とは言えない。疫学的な調査が必要です。

日本では何で壊血病が有名じゃないかというと、長い間航海する人たちはお米と漬物と味噌を持っていく。漬物の中にビタミンCがいっぱい入っているので、日本人とか中国人などの漬物文化圏の人たちはビタミンC欠乏症にはほとんどなりません。

昔の人は麦飯も食べていましたから、脚氣にもならない。脚氣に関しては陸軍のエリー

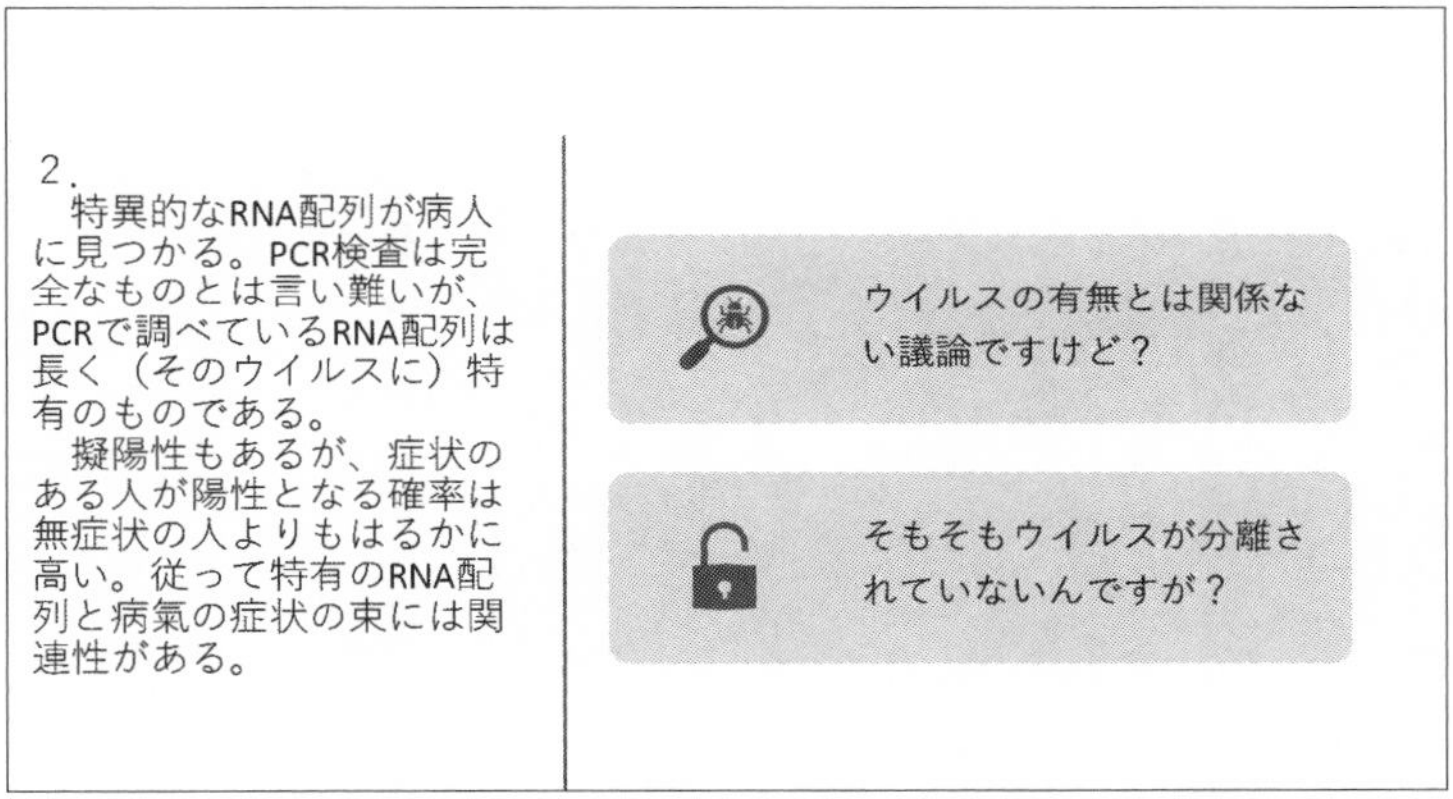
2.
特異的なRNA配列が病人に見つかる。PCR検査は完全なものとは言い難いが、PCRで調べているRNA配列は長く（そのウイルスに）特有のものである。
擬陽性もあるが、症状のある人が陽性となる確率は無症状の人よりもはるかに高い。従って特有のRNA配列と病氣の症状の束には関連性がある。
ウイルスの有無とは関係ない議論ですけど？
そもそもウイルスが分離されていないんですが？

スライド59

ト軍医で、脚気が細菌によるものだという説に固執していた森林太郎こと森鷗外がかかわった話が有名なので皆さんご存じだと思いますけれども、陸軍は白飯を食べていたので脚氣の患者がたくさん出て、海軍は麦飯を食べていたから脚氣にならなかったという話です。

疫学と病因は切り離して考えないといけない。どういうふうに病人が出たかという観察とウイルス学は別物です。

RNA配列は本当にウイルスから来たのか

（スライド59）

「2．特異的なRNA配列が病人に見つかる。PCR検査は完全なものとは言い難いが、PCRで調べているRNA配列は長く、（そのウイルスに）

特有のものである」

括弧のところは英語に書いていないんですが、意味がわからないので補いました。相当ひどい英語の文です。

「擬陽性もあるが、症状のある人が陽性となる確率は無症状の人よりもはるかに高い。従って、特有のRNA配列と病氣の症状の束には関連性がある」

という主張をしています。

まず、ウイルスの有無と関係ない議論をしています。ウイルスが分離されていないので、特異的なウイルスが見つかるかどうかはわからない。あるネジが何の部品なのかはそのネジをはめられる道具か家具がなければわかりません。RNA配列はそういうことで、PCRで調べているものがこのウイルスから来ているんだということは誰にも言えない。なぜかというと、全体がわかっていないからです。

この辺の議論をしているんですよ。つまり、ウイルスが存在しない説を主張する人たちは、分離されていないし、RNA配列がウイルスから来たかどうかはわからないじゃないかと言っているのに、こういう議論にすりかえるんですね。

（スライド60）

「3．このRNAがコードするタンパク質は病人に見つかる。自宅で行うことのできる側

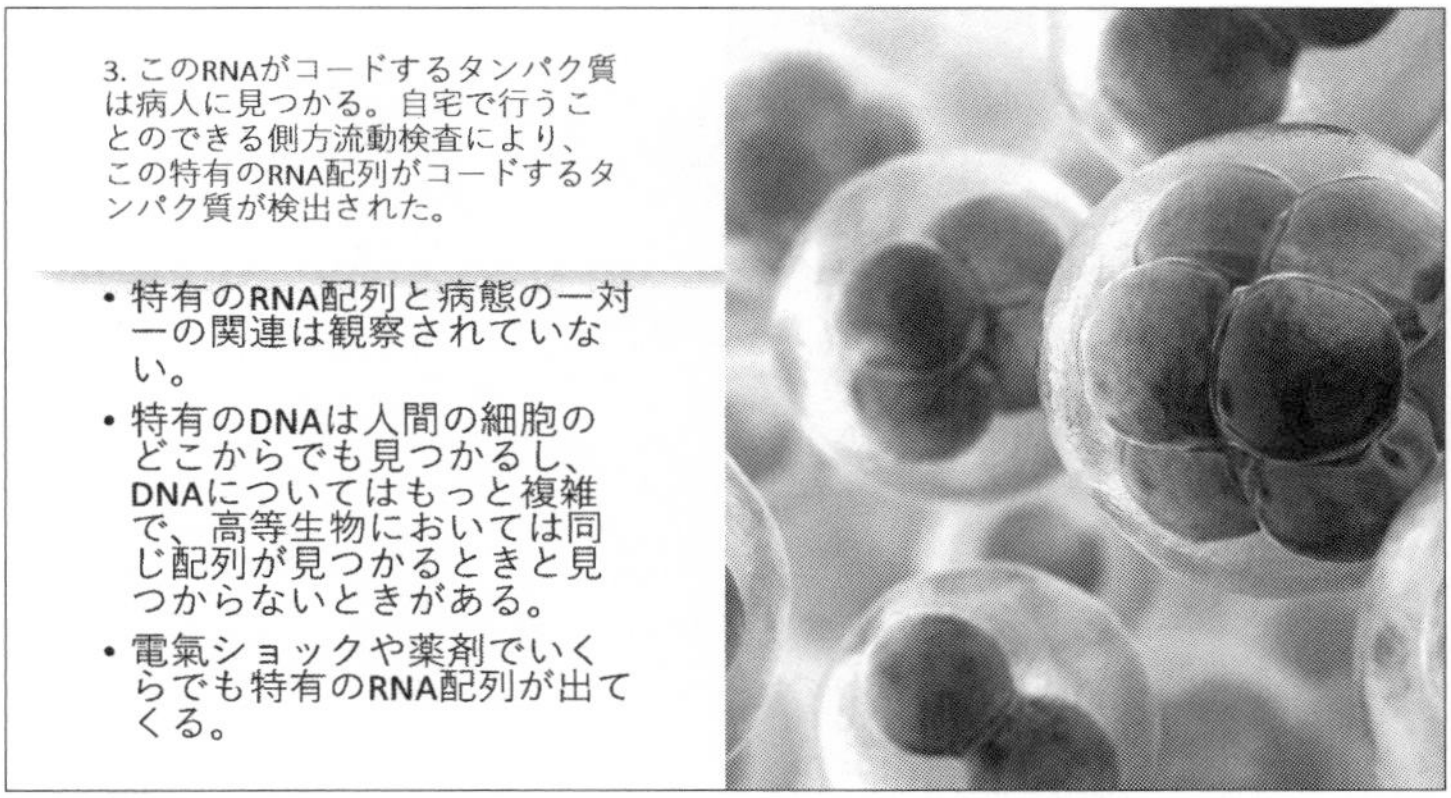
3. このRNAがコードするタンパク質は病人に見つかる。自宅で行うことのできる側方流動検査により、この特有のRNA配列がコードするタンパク質が検出された。
• 特有のRNA配列と病態の一対一の関連は観察されていない。
• 特有のDNAは人間の細胞のどこからでも見つかるし、DNAについてはもっと複雑で、高等生物においては同じ配列が見つかるときと見つからないときがある。
• 電氣ショックや薬剤でいくらでも特有のRNA配列が出てくる。

スライド60

方流動検査により、この特有のＲＮＡ配列がコードするタンパク質が検出された」

ＲＮＡ配列とタンパク質の間に関連性があるということは言っているけれども、例えば喉がやられるとか、肺に炎症が起きるとか、特有のＲＮＡ配列と病態の一対一の関連は一切観察されていないし、論文にもなっていません。

特有のＤＮＡというけれども、人間の細胞はどこからでも見つかるんですね。つまり、同じ人からでも細胞をとる場所が違うと、異なるＤＮＡ配列になりえますから、個人に特有のＤＮＡはない。

「ＲＮＡについてはもっと複雑で、高等生物においては同じ配列が見つかるときと見つからないときがある」

「電氣ショックや薬剤でいくらでも特有のＲＮＡ配列が出てくる」

4. 結晶学によりスパイクタンパク質の形が示され、それと人間のACE2受容体が極めて似ていることが示されている。
• ACE2受容体は新型コロナウイルスが感染する足場となる。
• ２つのタンパク質（スパイクタンパク質とACE2）が結合することを「コンピュータのソフト」上で確認したに過ぎない。
• そもそもスパイクタンパク質がウイルスの一部であるという主張は、ウイルスが分離されていなければできないですよね？

スライド61

これらは１９６０年からずっと研究されていることで、幾つも論文があります。

特有のＲＮＡ配列があるとか、それがあるタンパク質を検出したというのは、さっき大橋先生がおっしゃったように、タンパク質が見つかるからといって、それが病氣の原因とはなりません。あくまで結果です。だからこれもちょっとおかしな話です。

結晶学ゲーム

（スライド61）

結晶学（crystallography）というのはちょっと意味がわからなかったんですが、

「４．結晶学によりスパイクタンパク質の形が示され、それと人間のＡＣＥ２受容体が極めて似ていることが示されている」

ここことウイルスは何か関係があるのか。スパイクタンパク質というのはウイルスの一部なんです。ウイルスが小さ過ぎて検出できないとか言っているのに、それより小さいスパイクタンパク質の形はどうやってわかったのか。このあたりになると頭がおかしくなってくるんですね。

「ＡＣＥ２受容体は新型コロナウイルスが感染する足場となる」ものとされている。これは公式見解です。

「２つのタンパク質（スパイクタンパク質とＡＣＥ２）が結合することを」とありますが、もとの論文を見ると、実際に確かめたのではなくて、「コンピュータのソフト」上で確認しただけなんです。

リーシャ　文献を丁寧に見ていくと、結合する現象は一切ない、それは全く証明されていない、結合（ドッキング）というのはないんですよ。

神　だけど、コンピュータ上ではできるから、「できます」と言っているわけです。

「そもそもスパイクタンパク質がウイルスの一部であるという主張は、ウイルスが分離されていなければできないですよね？」

こんな簡単なことは、トム・カウワンもいまさら、当たり前だとは言っていなかったん

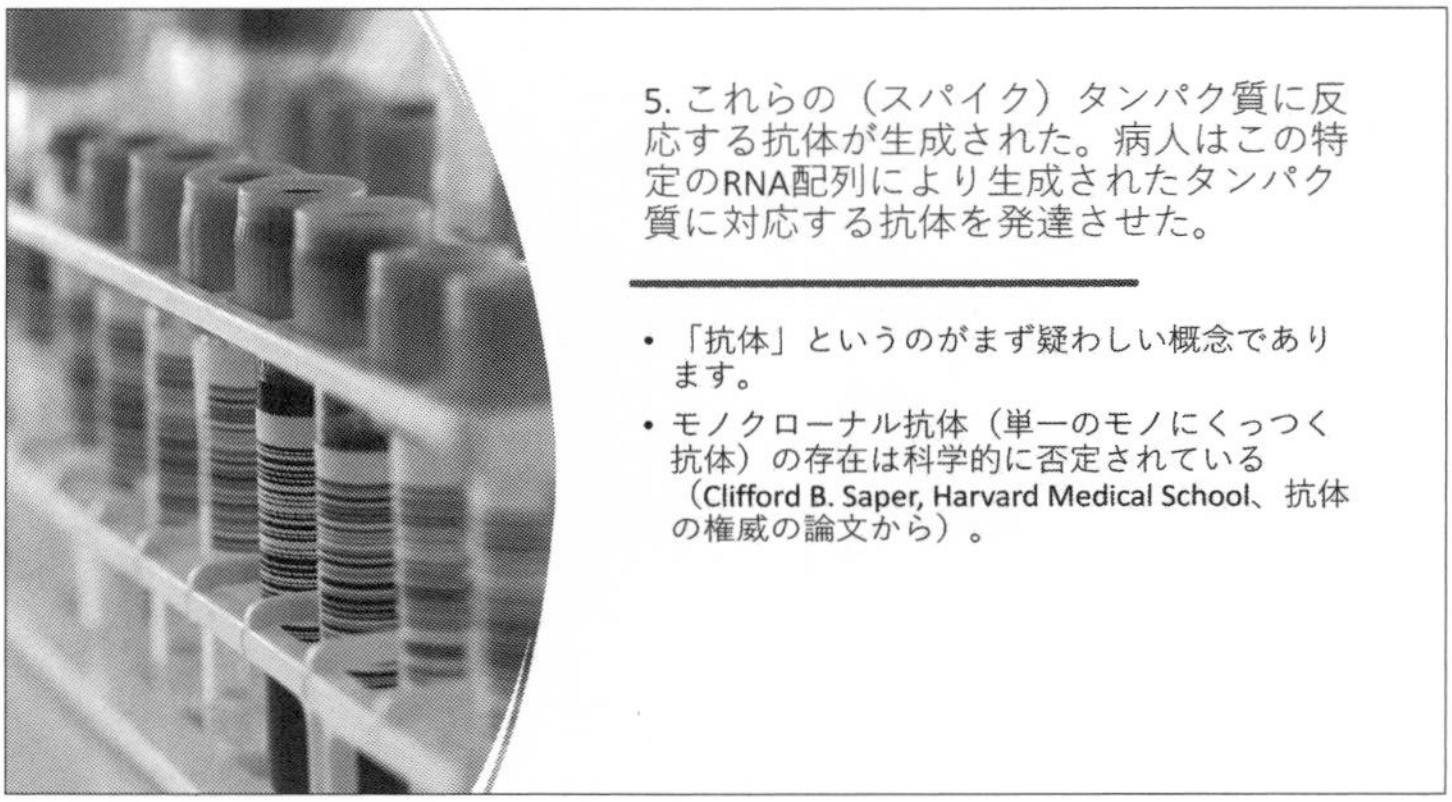
5. これらの（スパイク）タンパク質に反応する抗体が生成された。病人はこの特定のRNA配列により生成されたタンパク質に対応する抗体を発達させた。
• 「抗体」というのがまず疑わしい概念であります。
• モノクローナル抗体（単一のモノにくっつく抗体）の存在は科学的に否定されている（Clifford B. Saper, Harvard Medical School、抗体の権威の論文から）。

スライド62

ですけど、私がつけ加えました。

モノクローナル抗体なんて存在しない

（スライド62）

「5．これらの（スパイク）タンパク質に反応する抗体が生成された。病人はこの特有のＲＮＡ配列により生成されたタンパク質に対応する抗体を発達させた」

と言い切っています。

まず、「抗体」というのが疑わしい。この後でお話しします。

「モノクローナル抗体」という言葉をこの3年で初めてお聞きになった方が多かったかと思います。これは単一のもの（ウイルスとか）にくっつく抗体なんです。モノクローナル抗体ができたとかできないとか、それをつくるワクチンだからいいとか悪いとか、そういうことをずっと言っているんです。私はクリフォード・B・セイパーという人を知らなかったんですけど、調べたら、ハーバードメディカルスクールという主流派中の主流派の、非常に有名な抗体の権威の方らしいです。この方の論文によると、モノクローナル抗体はない（注）。つまり、1つのウイルスに対応する特定の抗体はなくて、ある抗体は幾つものものにくっつくということを証明しています。

抗体を発達させているからスパイクタンパク質があるというのはウソで、スパイクタンパク質ではないものにも、くっつくものができているだけだということです。1対1の対応ではないから、抗体がいろんなものにくっつくからといって、1つのウイルスにだけ対応するものができているとは言えない。ほかのものにも対応しています。

ウイルスで細胞は死なない

（スライド63）

「6．研究室でウイルスが培養できる。ウイルスを含む物質は病人から取り出され、細胞の上で培養できる。PCR検査の結果が濃厚であればあるほど細胞の損傷は激しい。研究

（注）Saper, Ctifford. B. 2009.
A Guide to the Perplexed on the Specificity of Antibodies. *Journal of Histochemistry & Cytochemistry.* Vol.57(1):1-5.

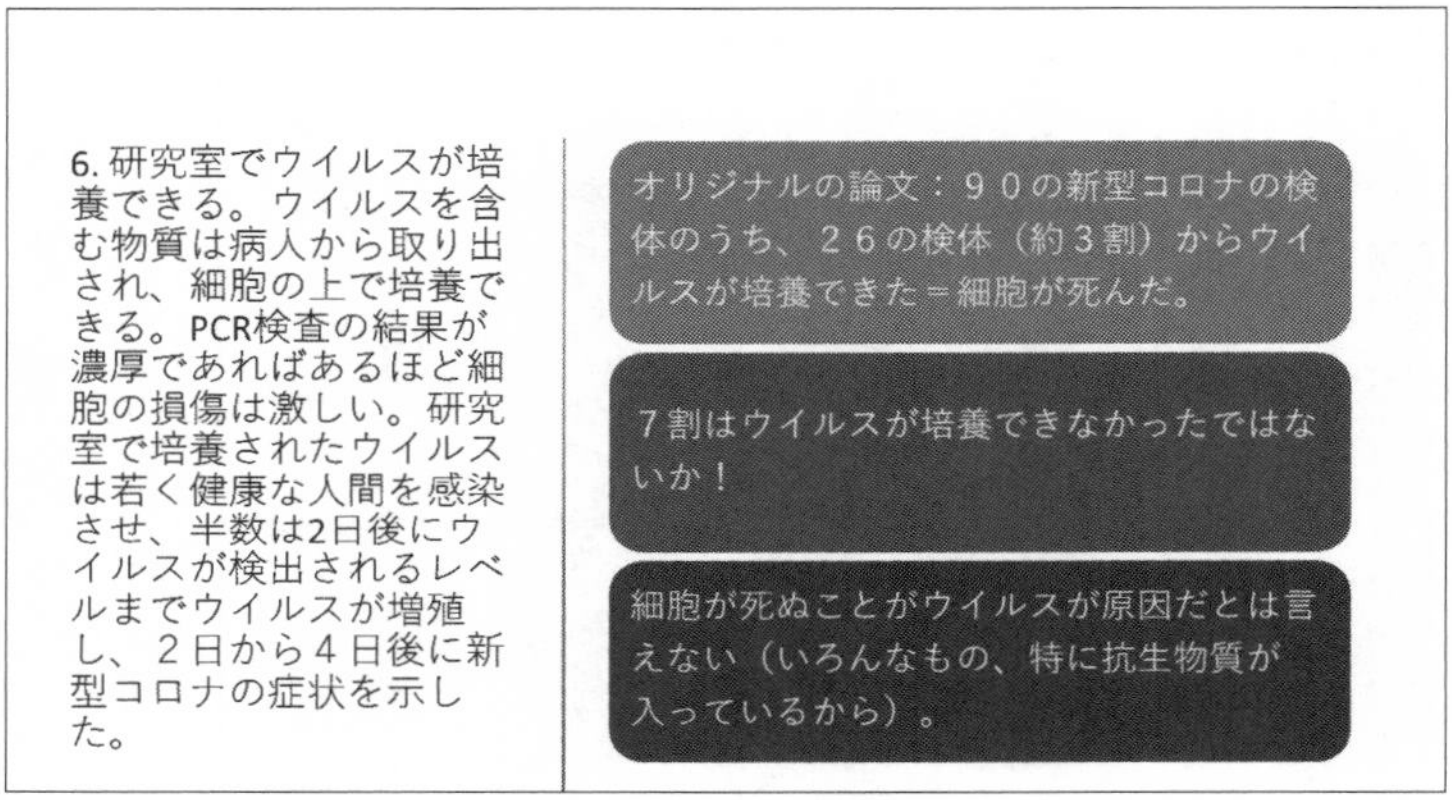
6. 研究室でウイルスが培養できる。ウイルスを含む物質は病人から取り出され、細胞の上で培養できる。PCR検査の結果が濃厚であればあるほど細胞の損傷は激しい。研究室で培養されたウイルスは若く健康な人間を感染させ、半数は2日後にウイルスが検出されるレベルまでウイルスが増殖し、２日から４日後に新型コロナの症状を示した。
オリジナルの論文：９０の新型コロナの検体のうち、２６の検体（約3割）からウイルスが培養できた＝細胞が死んだ。
7割はウイルスが培養できなかったではないか！
細胞が死ぬことがウイルスが原因だとは言えない（いろんなもの、特に抗生物質が入っているから）。

スライド63

室で培養されたウイルスは若く健康な人間を感染させ、半数は2日後にウイルスが検出されるレベルまでウイルスが増殖し、2日から4日後に新型コロナの症状を示した」

オリジナルの論文を見ると、「90の新型コロナの検体のうち、26の検体（約3割）からウイルスが培養できた」。つまり、彼らの主張にのっとると、7割の検体からはウイルスが培養できなかったということです。そして、「細胞が死ぬことがウイルスが原因だとは言えない」。これは先ほど言ったとおりで、抗生物質とかいろんなものを入れているので、ウイルスで死ぬとは言えないわけです。

これを証明するためには対照実験をやればいいんですよ。対照実験というのは、ウイルスだけ抜いてほかの薬剤を全部入れたものと、ウイルス＋

薬剤、この2つをつくって、両方とも細胞に与えてみる。ウイルスがあるほうだけ細胞が死ねば、これはウイルスが原因だとわかる。両方死んだら、ウイルスが原因ではないということがわかるわけです。

この対照実験をした論文が1個もないのです。私は個人的には、30年とか50年前の人がこれをやってみて、全部失敗したからやめたんだと思うんです。

半数はウイルス検出レベルまで特定したとか、その後に新型コロナの症状を示したとか言っているんですけど、新型コロナの症状は束がすごくいっぱいあるわけですね。ちょっと鼻水が出たとか、ちょっと味覚がおかしいとか、そういう人も全部コロナによる症状になっているので、どれに対応しているかということは一切書いていない。何となく風邪っぽかったら、全部コロナとされてしまっています。

次世代シーケンサーマジック

（スライド64）

「7．遺伝子配列によりウイルスの進化が示唆される」

ウイルスの遺伝子解析がいっぱいできていますね。

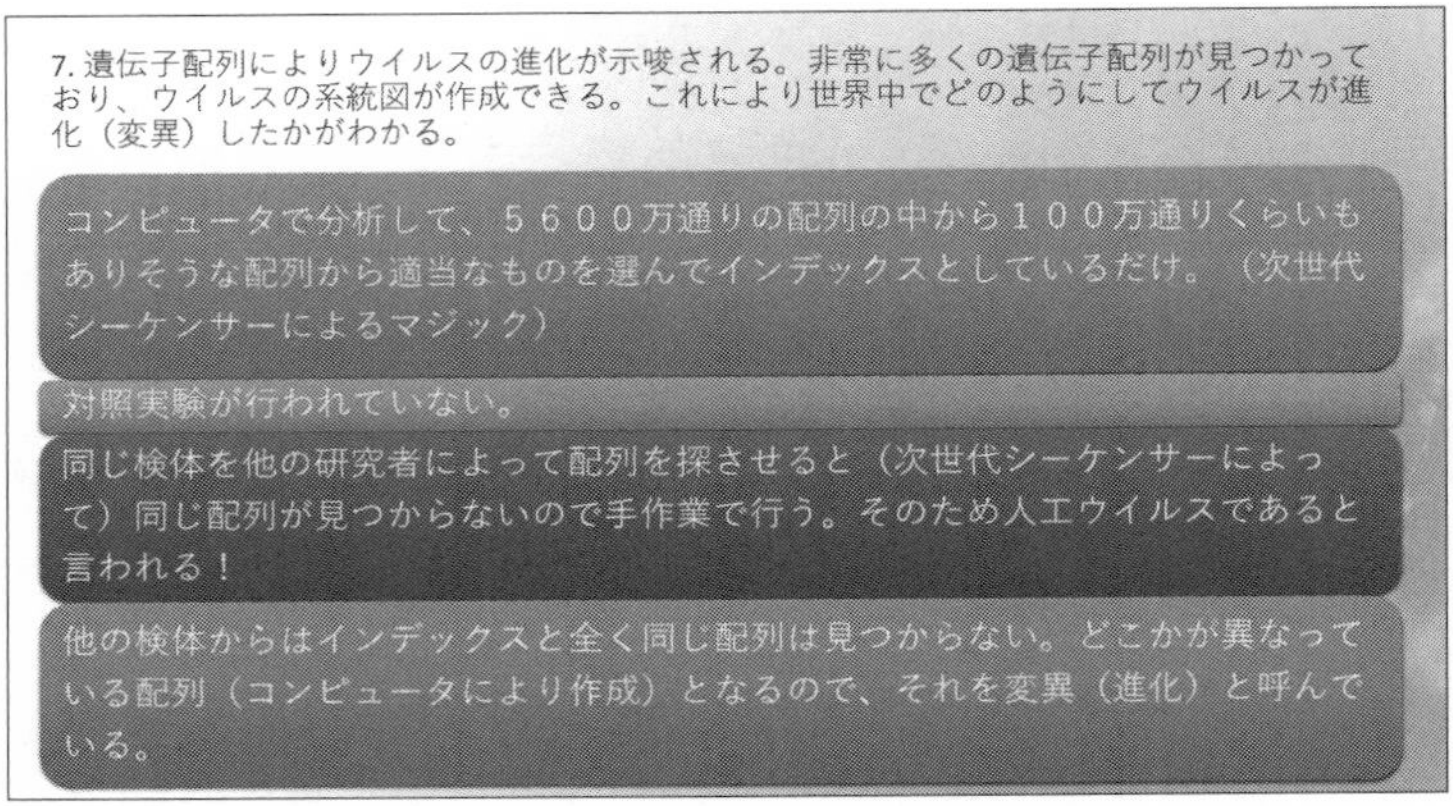
7. 遺伝子配列によりウイルスの進化が示唆される。非常に多くの遺伝子配列が見つかっており、ウイルスの系統図が作成できる。これにより世界中でどのようにしてウイルスが進化（変異）したかがわかる。
コンピュータで分析して、５６００万通りの配列の中から１００万通りくらいもありそうな配列から適当なものを選んでインデックスとしているだけ。（次世代シーケンサーによるマジック）
対照実験が行われていない。
同じ検体を他の研究者によって配列を探させると（次世代シーケンサーによって）同じ配列が見つからないので手作業で行う。そのため人工ウイルスであると言われる！
他の検体からはインデックスと全く同じ配列は見つからない。どこかが異なっている配列（コンピュータにより作成）となるので、それを変異（進化）と呼んでいる。

スライド64

「非常に多くの遺伝子配列が見つかっており、ウイルスの系統図が作成できる。これにより世界中でどのようにしてウイルスが進化（変異）したかがわかる」

「コンピュータで分析して、５６００万通りの配列の中から１００万通りくらいもありそうな配列」があった。つまり、こんな配列は完全におかしいだろうというものもあるものの、その中から１００万通りぐらいは、これはウイルスかもしれないという配列があって、そこから「適当なものを選んでインデックス」、つまり、これが基準だとしているだけです。次世代シーケンサーに破片にした遺伝子を入れたら、ガチャンガチャンと勝手に、「こういう可能性があります」というのを示してくれる。これは次世代シーケンサーによるマジックです。

さっき言ったように、「対照実験が行われていない。他の研究者によって同じ検体の中から配列を探させると、同じ配列が見つからないので手作業で行う。そのため人工ウイルスであると言われる！」。手作業で作為的なものが入るので、人工ウイルスであるという根拠になるのです。

同じ検体でも同じ配列は見つからないわけだから、ほかの検体から同じ配列が見つかるわけがないんですね。ちょっとずつ違ってきて、ここところが違っているから、まずこれらがグループで、そこからこういうふうに分かれてという系統図がつくられる。1000本以上の論文がありますから、こういうふうに進化しているんだ、こういうふうに変異しているんだ、となる。どんどん変異株が出てくるのは、こういうことの結果なんですね。

ウイルスが存在しないと主張している医師たちはもとのやり方がおかしいからだとずっと言っているんですが、それに対してもとの手順はおかしくないという反論が1個もないんです。

ワクチンは危険

（スライド65）

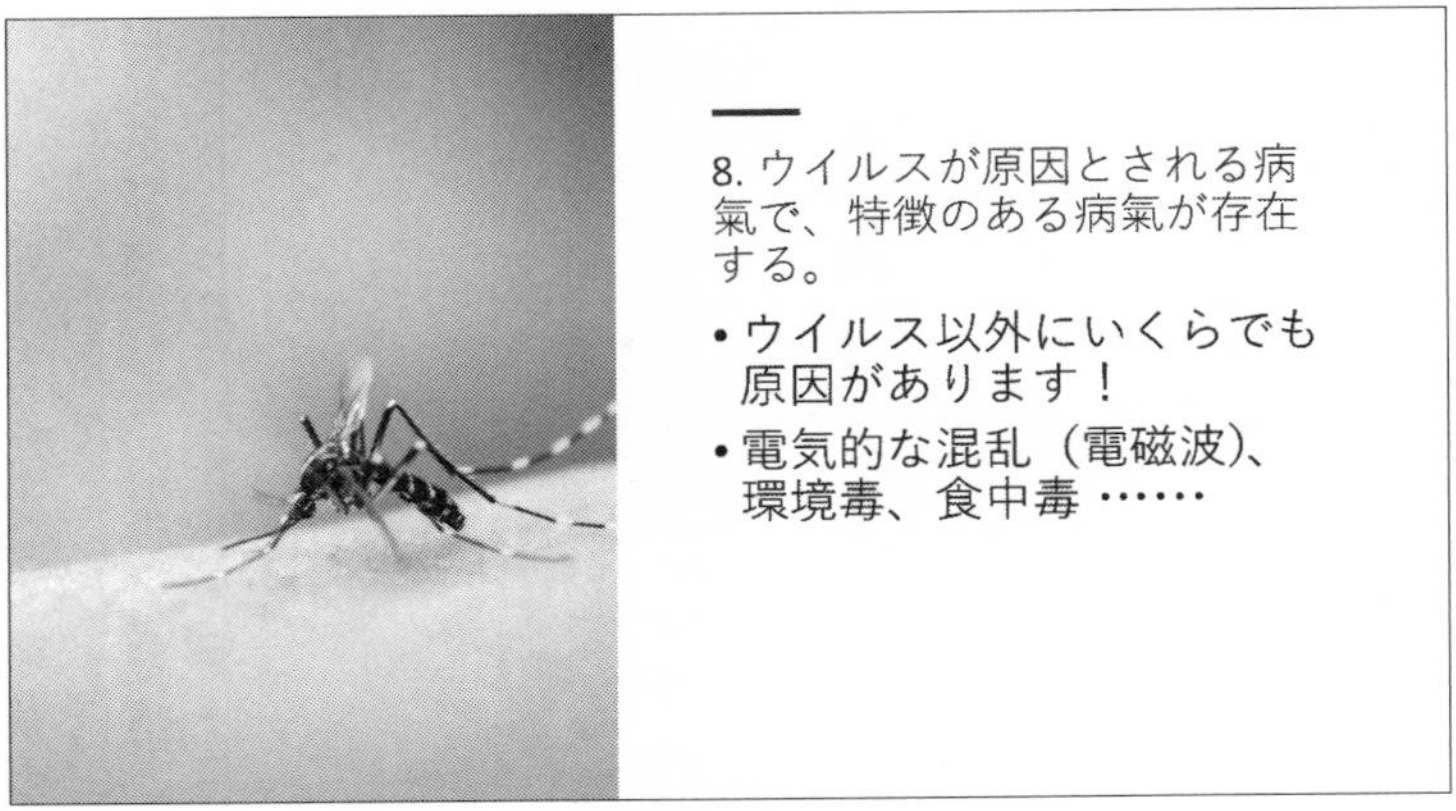
8. ウイルスが原因とされる病氣で、特徴のある病氣が存在する。
• ウイルス以外にいくらでも原因があります！
• 電気的な混乱（電磁波）、環境毒、食中毒……

スライド65

「8．ウイルスが原因とされる病氣で、特徴のある病氣が存在する」

「ある病状を示す原因はウイルス以外にいくらでもあります！」

さっき言った壊血病です。電磁波と環境毒ですね。何かがまかれているとか、食中毒といったものがあります。公害は環境毒の中に入ります。つい40年、50年前まで、光化学スモッグで子どもたちがよく倒れたりしていたわけですね。

ウイルスがあるとか、人工ウイルスがどうこうと言っている高名な方もいっぱいいらっしゃる。ウイルスの有無に関する質問を投げかけると、大体怒りだすので話にならない。あとは素人をバカにするとか、そういう感じになってしまうので、そこはうまくつき合わなきゃいけないと思います。私も、ワクチンに反対するいろんなお医者さんと

癌はウイルスで引き起こされるのか？

- そもそも、癌細胞は染色体もめちゃくちゃになっていて、正常に機能できない細胞。なぜ、正常な細胞をおしのけて増殖するのか？
- ヒトパピローマウイルス（HPV）は子宮頸癌の原因との証明はない？
  - 子宮頸癌ワクチンの効果があるとするためには、このワクチンで排除することができるとされているヒトパピローマウイルス（以下、HPVと表記）が子宮頸癌の原因であることが証明されていなければなりません。しかし、HPV感染が子宮頸癌の原因であるという仮説には以下のような疑問が提示されています。

1) なぜ、HPV 感染した女性の1万人に1人しか子宮頸癌を発症しないのか。

2) なぜ、感染から20年から50年後に発癌するのか。

3) 時々できるイボからはHPVが検出される。中和抗体ができるとイボが排除される。中和抗体ができる前、HPVが存在する間になぜ癌が発生しないのか。

4) HPVによってタンパク変性が起きる。その結果生じるとされる子宮頸癌に対して人体が免疫反応を起こして排除しないのはなぜか。

スライド66

お話ししたけれども、こういうところは絶対認めない方が多いんですよ。とにかくワクチンさえ打たないでくれればいいかな、ワクチンは危険だと言ってくれればいいかなと、今のところは見逃しているんですけど（笑）。あと何年かしたら本氣で闘わなきゃいけないような氣がします。

HPVは子宮頸癌の原因ではない

（スライド66）

癌とウイルスの関係についても、マコーマックとピーター・デュースバーグとが一緒に書いた子宮頸癌に関する論文（注）があって、それを坪内俊憲先生と一緒に訳したものをまとめてみました。

癌がウイルスで引き起こされるというのは、性行為によってＨＰＶ（ヒトパピローマウイルス）

（注）McCormack et al. 2013.
Individual Karyotypes at the Origins of Cervical Carcinomas.
Molecular Cytogenetics 6:44.

に感染することが子宮頸癌の原因になるという主張です。そこで、性行為をする前の若い女の子に子宮頸癌ワクチンが推奨されています。

でも、子宮頸癌というと男の子は関係ないとなってしまう。そうすると半数しかワクチンを接種しない、すなわち利益も半分になる。だから、今は子宮頸癌ワクチンを「HPVワクチン」と言いかえて、接種の推奨券を自治体で負担して男の子にも打たせようとしている。女の子は既に公費負担になっています。池田としえ先生たちのものすごい努力があって一旦止めたのに、コロナのワクチンを打ちまくった陰で、すっと子宮頸癌ワクチンが推奨に戻っちゃって、無料で打てることになっています。

癌がウイルスで引き起こされるかどうかということの前に、癌細胞とは何か。

先ほどリーシャさんがおっしゃったように、染色体がむちゃくちゃになっています。マコーマックらの論文を読んでもそうなんだけども、同じ染色体を複製することができない。最初のものとその次のものは全然違ったりして、ごちゃごちゃなんですね。それを車に例えると、どこかにぶつかってエンジンが半分壊れて、窓ガラスが割れて、車体がへこんでいる車と新車を比べたとき、エンジンが壊れた車のほうが新車よりも速く走れると言っているような感じです。つまり、正常な細胞が増殖するよりも速く癌細胞が増殖すると言っているわけでしょう。

ありえないですね。癌はゴミ箱というか、体を治すために毒をどこかにためている状態です。ゴミを全身に散らばせておくとよくないから、特に肝臓のような解毒作用がある臓器に入っていくということです。

ＨＰＶが子宮頸癌の原因だという証明はありません。

こういう疑問があります。まず、ＨＰＶに感染した女性はいっぱいいるのに、そのうちの１万人に１人しか子宮頸癌を発症しないのはなぜか。ウイルスが原因なら、もっとたくさんの人がかかります。圧倒的少数かあるいはほとんどいないわけなので、普通に考えて、原因は別にあるだろうという話です。

「感染から20～50年後に発癌するとはどういうことか」という論文を読んでいると、常識では理解できないから、お医者様ってすごいんだな、癌の専門家はほんとに頭がいいんだなと思っちゃうわけです（笑）。

でも、常識で考えないといけないということをトム・カウワンはずっと言っています。

「時々できるイボからＨＰＶが検出される」

これは抗体があると考えている人たちの論文で、中和抗体はウイルスを殺すと考えられています。

「中和抗体ができるとイボが排除される。中和抗体ができる前、ＨＰＶが存在する間にな

子宮頸癌の原因がHPVというのは無理筋の主張

- アメリカではHPVに70〜80%の人が感染しています。そのほとんどは子宮頸癌を発症しません。
- 子宮頸癌患者にはHPV 陽性の人も、陰性の人もいます。このウイルスが子宮頸癌発生に何らかの役割を果たしているという相関は証明されていません。
- 何故HPVが子宮頸癌の原因とされ、ワクチン接種が推奨されるのか？　ワクチン接種を決断する前に、コッホの４原則に従って証明された感染症がほとんどないこと、抗体が感染症を予防しないこと、などから、HPVを防いでも子宮頸癌になる可能性は残ります。
- 2013年、McCormackらが「子宮頸癌の起源における個々の核型」という論文を発表しました。この論文は、子宮頸癌の発生には遺伝的素因もHPV感染も関係ないという結論を導き出しています。この研究で調査された全ての子宮頸癌細胞に異常な染色体が見つかります。この染色体が由来するのは、癌細胞であって、ウイルス由来ではないことを明らかにしました。結果、この論文は、HPV感染と発癌は全く独立した２つの事象であると結論しています。

スライド67

ぜ癌が発症しないのか」

イボができる人はいっぱいいるのに、その人たちが癌を発症しないのはなぜか。

「ＨＰＶによってタンパク質の変性が起きる。その結果生じるとされる子宮頸癌に対して人体が免疫反応を起こして排除しないのはなぜか」

タンパク質が悪者かどうかという議論になってくるんですけれども、変なものを排除するのが人体の仕組みなのに、タンパク質の変性が起きたときに何でそれを排除しないのか。癌ウイルス説というのは、このようにいろいろと問題があります。

（スライド67）

「アメリカでは、ＨＰＶに70～80％の人が感染しています。そのほとんどは子宮頸癌を発症しません」

さっき言ったように、「ほとんど」の中身は１

万人に1人の発症だから、全然レベルが違います。皆無と思っていい。

「子宮頸癌患者にはHPV陽性の人も、陰性の人もいます。このウイルスが子宮頸癌発生に何らかの役割を果たしているという相関は」、ほんとは因果関係ですが、「証明されていません」。

何故HPVが子宮頸癌の原因とされ、ワクチン接種が推奨されるのか？　ワクチン接種を決断する前に、「コッホの4原則に従って証明された感染症がほとんどないこと、抗体が感染症を予防しないこと、などから、HPVを防いでも子宮頸癌になる可能性は残ります」ということは理解してください。

「2013年、マコーマックらは『子宮頸癌の起源における個々の核型』という論文を発表しました。この論文は、子宮頸癌には遺伝的素因もHPV感染も関係ないという結論を導き出しています。この研究で調査された全ての子宮頸癌細胞に異常な染色体が見つかります。この染色体が由来するのは、癌細胞であって、ウイルス由来ではない」

ウイルスのDNAなどは全然見つからなかったという主流派の論文もありますので、医者とかに言うときにはこういう論文を使ってください。

ここで大事なのは、「子宮頸癌には遺伝的素因は関係ない」ということです。「うちは癌家系だ」というのに信用できる根拠はなく、同じ環境で同じ毒を食べ、同じ毒を浴びていれば、同じような病態になるだけかもしれません。

例えば、放射能を浴びた鉄骨を再利用したマンションの住人がどんどん病氣になっていく。新しい住人が引っ越してくると、また病氣になる。そういう事件も台湾でありました。環境で病氣になるということですね。ですから癌家系というのもあまり信用しないほうがいいと思います。

この論文をちゃんと読むと、癌細胞を9つぐらい使っているんですけど、さっき言ったバイアルじゃないけど、全部製品化された実験材料なんです。何でかというと、子宮頸癌の患者からもらった細胞を培養しても、5代か6代ぐらいで絶対に死ぬ。つまり、癌は無限に増殖するというのはウソなのに、無限に増殖できる細胞を売っているんですよ。

何でそういうのができているのかが私はわからなくて、『ワクチン神話　捏造の歴史』の監修をしてくださった坪内先生にも聞いたんだけど、先生もわからなかった。癌細胞を培養すると5~6世代で死ぬ。健康な細胞もそうらしいです。こういう実験にはそぐわないから、キットを売っているということです。全部まがいものでやっているんじゃないかなという感じがしますね。

遺伝子治療の代わりにでっち上げられたワクチン

mRNAワクチン＝遺伝子療法はもともと癌治療のために開発された

- 遺伝子治療：正常な遺伝子を何らかの方法で患者の体の細胞内に挿入し欠乏しているタンパクを作らせる方法
- 米国の癌治療法開発：War on Cancerはニクソン大統領によって１９７１年に提唱された
- 治療法開発がうまくいかず、資金の縮小、研究部門解散の話が出ていた
- AIDSが現れ、莫大な資金が投入される
- 癌研究として遺伝子治療を推進
- うまくいかないのでワクチンにシフト

スライド68

（スライド68）

最後に、ｍＲＮＡワクチンは遺伝子療法だと皆さんお聞き及びだと思いますが、これはもともと癌治療のために開発されたものです。遺伝子治療というのは、「正常な遺伝子を何らかの方法で患者の体の細胞内に挿入し欠乏しているタンパクを作らせる方法」です。

米国の癌治療法開発には、ニクソン大統領が１９７１年に提唱したWar on Cancerが契機となり莫大な資金が投入されました。これで10年ぐらいやったけどうまくいかない。癌のとらえ方が間違ってますから。資金の縮小、研究部門解散の話が出ていたときにＡＩＤＳが騒がれ始め、そこで再び莫大な資金が投入されて、ＮＩＨやＣＤＣ（アメリカ疾病予防管理センター）が息を吹き返すのです。癌研究として推進していった遺伝子治

抗体が多いと重症化　プレジデントオンラインの記事から
https://president.jp/articles/-/41706?page=2

- 世界中で新型コロナウイルス感染者の臨床が行われるなかで、他のウイルス性疾患とは異なる、奇妙な現象が確認されました。（Liu et al. An infectivity-enhancing site on the SARS-CoV-2 spike protein targeted by antibodies , 2021, Cell 184:13, 3452–3466)
- 重症化した患者ほど、体内の抗体量が高まっている。
- 本来、抗体が多いのなら、それだけウイルスを撃退しているはずなのに、実際は重症化している。それはつまり、「抗体は新型コロナウイルスからの回復にあまり寄与していない」という可能性を示唆しています。
- 新型コロナに対する抗体については、アメリカで3万人以上の新型コロナ感染者を対象にした大規模研究から、ほとんどの患者で抗体の産生が確認され、少なくとも5カ月間は十分な量の抗体が存在し続けることや、日本からも感染後6カ月でも98％の人が新型コロナに対する抗体を保有していることが報告されています。
- 一方、感染者がどのような種類の抗体を持っているかを詳細に解析した研究では、抗体が急速に減ってしまう場合や数カ月以上大量の抗体を持ち続ける場合など、人によってさまざまであることも明らかになったのです。

スライド69

療がうまくいかないのでワクチン開発をでっち上げた、大体こういう経緯です。

ほかにもいっぱいスライドがあるんですけど、今日は新しいところを皆様にお知らせしました。

抗体がなくても死なない

（スライド69）

抗体に関して言いますと、抗体があると重症化するというのは大阪大学の研究者の論文に書いてあります。

（スライド70）

抗体を持っていないアメリカの先住民は、天然痘を初めとする感染症でばたばたと死んでいったと言われています。ワクチン開発は１９６０年代が一番盛んで、そのころ、抗体がない人たちは弱

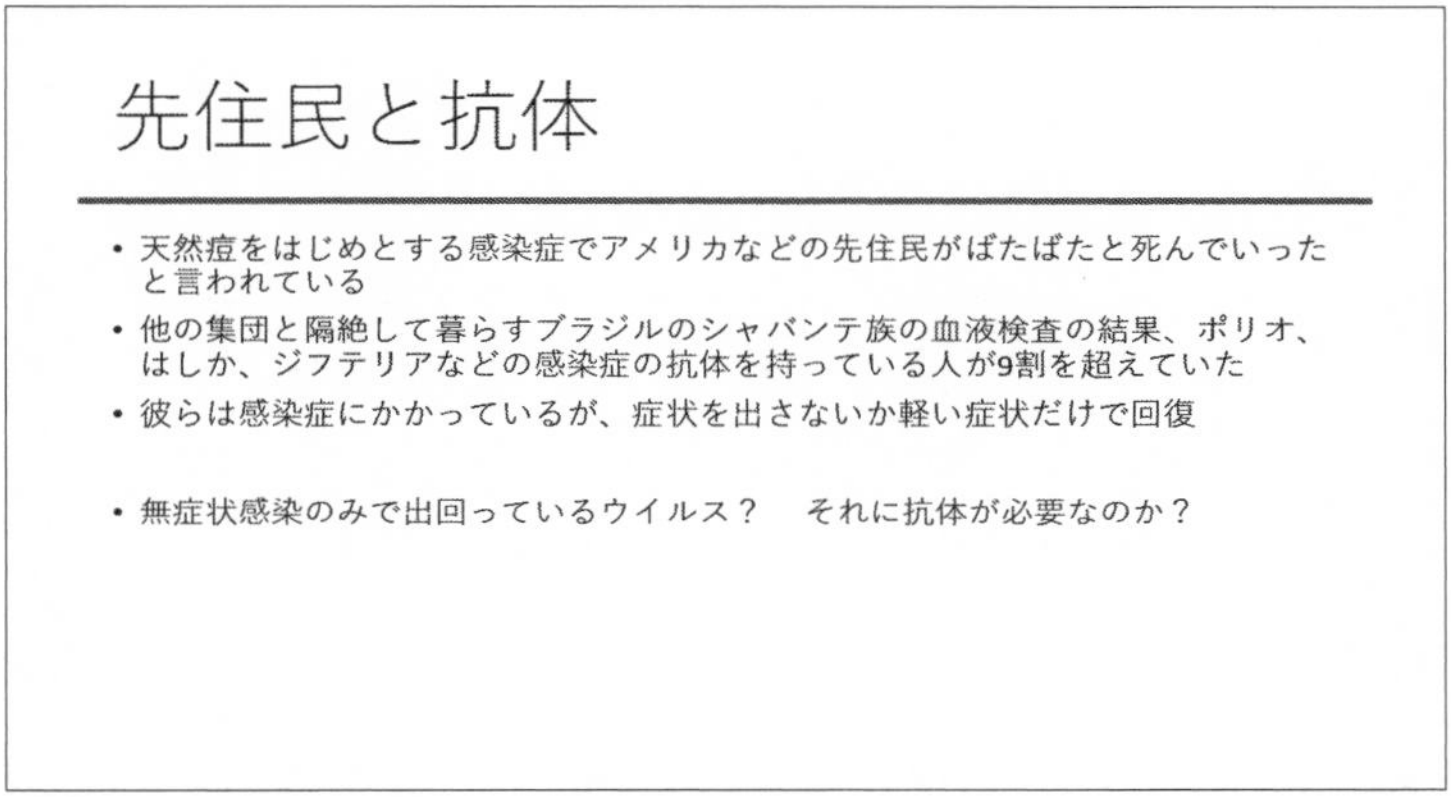
先住民と抗体
• 天然痘をはじめとする感染症でアメリカなどの先住民がばたばたと死んでいったと言われている
• 他の集団と隔絶して暮らすブラジルのシャバンテ族の血液検査の結果、ポリオ、はしか、ジフテリアなどの感染症の抗体を持っている人が9割を超えていた
• 彼らは感染症にかかっているが、症状を出さないか軽い症状だけで回復
• 無症状感染のみで出回っているウイルス？　それに抗体が必要なのか？

スライド70

いという前提でいろいろ調べている。これは『ワクチン神話　捏造の歴史』に書いてあります。

ブラジルのシャバンテ族は、白人と一緒に暮らすと病氣になって死ぬから、外部から白人が来ると殺していました。彼らは150年間隔絶されていたので、抗体を持っていないと思われていたのですが、ポリオ、はしか、ジフテリアなどの感染症の抗体を持っている人が9割を超えていたのです。抗体という概念も怪しいのですが、彼らは感染症にかかっているけど症状を出さないか軽い症状で回復していると、主流派は解釈しているわけです。

でも、無症状感染のみで出回っているウイルスに抗体が必要なのか、症状が出ないものに何で抗体をつくらなきゃいけないのか。

これでわかるように、感染して症状が出なくても抗体が見つかるわけですから、病氣を駆逐するために抗体ができているわけじゃない。抗体を見るマーカーの試験をやると出てくる何かのタンパク質があって、それを「抗体」と呼んでいるだけなのです。それがある病氣を駆逐するものだとか、ある病氣をやっつけるためにできたものとは限らないということです。

先天性免疫不全症候群の無ガンマグロブリン血症の人たちは本当に抗体ができない。しかし、はしかや何かの感染症にかかっても、問題なく回復します。無ガンマグロブリン血症の子どもが病氣になったらみんな死ぬかというと、そんなことはない。抗体をつくらなくても回復しています。

抗体は、最も複雑な免疫の過程のうちの、たった1つのマーカーでしかないということです。

1960年代にはしかのワクチン接種が始まろうとするとき、抗体がないと死ぬということを研究しようとしたんだけれども、結局、抗体がなくても死なない、回復するということがわかった途端、その事実は消されています。医学部では教えないので、誰もこういうことを知らずに医者になっていくのです。

リーシャ　神さんが翻訳された『ワクチン神話　捏造の歴史』の著者のロマン・ビストリアニクがナレーションをした1時間ぐらいの動画があって、いつか機会があれば、あれに

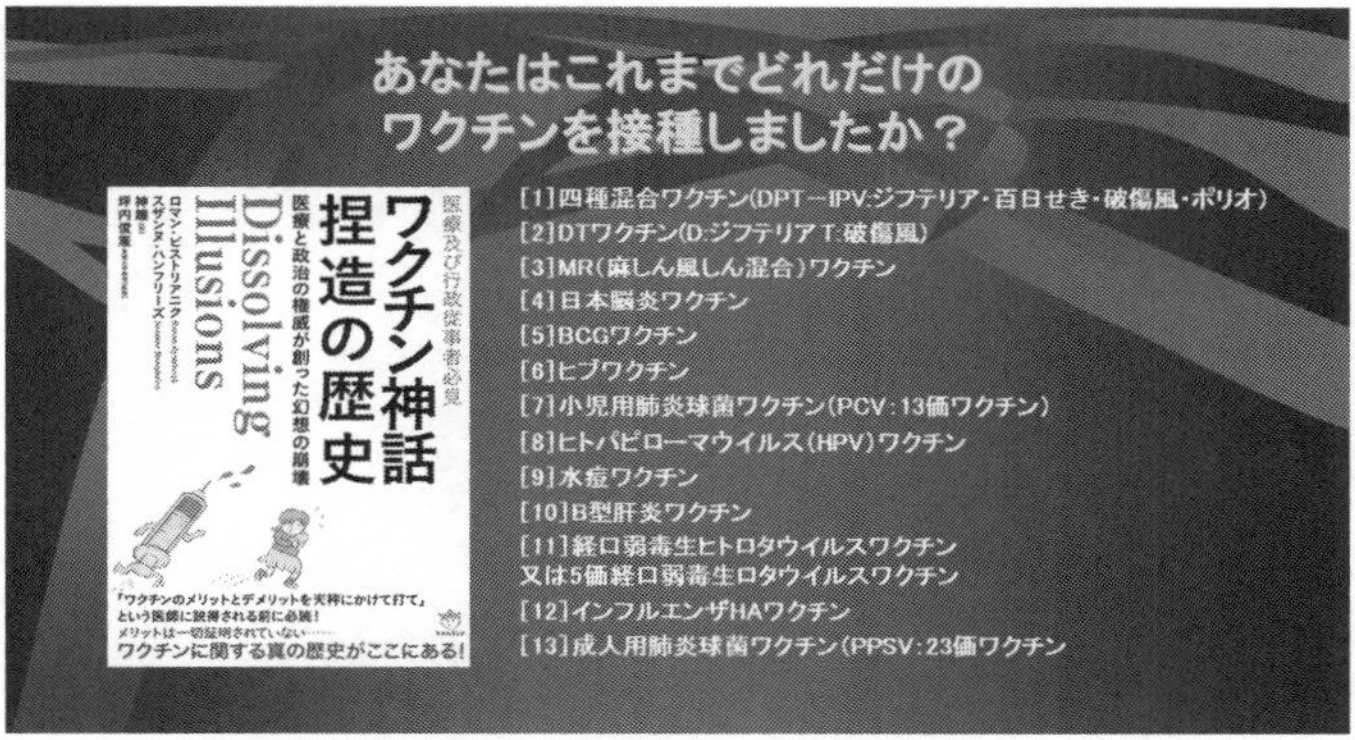
あなたはこれまでどれだけの
ワクチンを接種しましたか？
医療及び行政従事者必見
ワクチン神話捏造の歴史
医療と政治の権威が創った幻想の崩壊
Dissolving Illusions
ロマン・ビストリアニク
スザンヌ・ハンフリーズ
「ワクチンのメリットとデメリットを天秤にかけて打て」
という医師に説得される前に必読！
メリットは一切証明されていない……
ワクチンに関する真の歴史がここにある！
[1]四種混合ワクチン(DPT－IPV:ジフテリア・百日せき・破傷風・ポリオ)
[2]DTワクチン(D:ジフテリア T:破傷風)
[3]MR(麻しん風しん混合)ワクチン
[4]日本脳炎ワクチン
[5]BCGワクチン
[6]ヒブワクチン
[7]小児用肺炎球菌ワクチン(PCV:13価ワクチン)
[8]ヒトパピローマウイルス(HPV)ワクチン
[9]水痘ワクチン
[10]B型肝炎ワクチン
[11]経口弱毒生ヒトロタウイルスワクチン
又は5価経口弱毒生ロタウイルスワクチン
[12]インフルエンザHAワクチン
[13]成人用肺炎球菌ワクチン(PPSV:23価ワクチン)
スライド71

字幕をつけたいと思いますが……。

神　この本を1時間で読むのは無理なので。

リーシャ　これはほんとにすばらしい本なので、1冊持っているといいと思います。

ワクチンから逃げろ！

（スライド71）

神　最後に「ワクチンの避け方」です。「正面突破」というのが一番やりたいことで、「データと書籍を示して論理的に拒否する」。

説明を聞いても理解できませんとか、言っていることがおかしいとか言い、予防接種同意書の「医師の説明が理解できた」という欄にチェックを入れなければいい。あとはアレルギーの証明書を出してもらって、医療的に打てないと言って先延ばしする。

これは子どもとか、次に来るパンデミックに備えてです。
「引き延ばし作戦」や、害のなさそうなものを一部だけ打つ。BCGの信者は結構いるんですよ。私は、BCGも結核も保菌者の9割ぐらいが発症しないからおかしいと思っているんですけど、BCGぐらいならという方は打ってもいいかもしれません。ただ、これからは中に何が入っているかわかりません。

リーシャ　いや、絶対に打たないほうがいい。

神　とりあえず1本でも少なく、1カ月でも遅く、複数打つ場合は間隔を1日でも多くあける。これは強く出られない人向けの話です。

もう1つは、これからNoLの話もすると思うんですけど、文書を作成する。誰か知り合いの弁護士さんが安くやってくれるなら書いてもらってもいいと思うんですが、別に弁護士に頼まなくても、ちょっと法律的な言葉を使って自分でつくればいい。それをツイッター（現・X）とかでみんなに配ればいい。

「これまでのワクチンによる障害の記録を提供する」

論文とか本がありますので、まずそれを読めと。

「障害が起こる可能性を理解したことを確認し、署名を要求」する。30年後でもいいんだけど、「障害が10年後までに起こった場合、慰謝料を払うことに同意させる」。例えば、ワクチンを打ってから2週間以上腕が上がらなくなったら100万円とか、死んだら1億円とか、法的に署名をとっておくことが大事です。

これに署名する人はいないですね。普通のお医者さんは、障害の記録を提供するというあたりで怒り出して、「文句があるなら来なくていい」と言うと思います。

同意されちゃったらどうしようか。署名だけもらって逃げればいいかな（笑）。

こういう感じで頑張ってみましょう。（拍手）

「うつる」とは一体何なのか

神　リーシャさんに世界の最新情報をお話ししてもらって、そこに私がちょっと補足する感じで対談を進めたいと思います。

まず最初にシェディングについて、リーシャさんのご意見をお願いします。

リーシャ　「シェディング」という言葉をまず定義しないといけないと思うんですね。

シェディングというのは、英語の動詞 shed、「発する、放つ、及ぼす」に由来するんです。ただしシェディングは、shedding という英語の動名詞の形で使われていますが、本当の定義がわからないまま言葉がひとり歩きしている。

抗体もＤＮＡもそうです。同様に意味もわからずに使われている状態なので、言葉を使うときには氣をつけたほうがいいです。わからない医師たちも、何となく「シェディング」という言葉を使っている。英語を使うと、わけがわからなくても何か本当みたいな感じがするじゃないですか。

製薬会社は「ワクチンシェディング（vaccine shedding）」と言うんですよ。もちろんこれは全てウソですけど、いわゆる「生ワクチン」の中に入っているものがシェッドして（外に放たれて）何かしらの悪さをする。そういうことでもともとは製薬会社が使い始めた言葉です。ところが今、ｍＲＮＡと言われている、生ワクチンじゃないものでもシェディングしているといいます。では、それは一体何なのか。

家の中で誰かが風邪のような、いわゆるＣＯＶＩＤ－19の症状が出てきて、子どもがどんどん鼻水を出したことで、「うつった」と言いがちですが、みんなが全く同じ時期に、全く同じいわゆる症状を呈しているかというと、そうではない。実際によく観察すると、みんな別々に始まったり、症状が少し違っていたりしている。ひとくくりに具合いが悪いと言っても、みんなが全く同じ体調ではないんですね。そこら辺のところをよく考えないといけない。

恐怖という感情が生理的に体に悪影響を及ぼすことは明らかです。ワクチンは効かないが、ウイルスは存在すると思っている人はたくさんいるでしょう。茶番に氣づいて、ワクチンを打たないという人でも、ウイルスはあると思ってどこかビクビクしている人はいっぱいいるんですよね。さっきの私の話じゃないですけど、自然療法をしている人なのに、そのあたりを深くは理解していない。

「うつる」とは一体何なのか。神さんがさっき詳しく触れられたんですけど、目に見えないからわかりにくいことですよね。ウソじゃないかと思っちゃう。私たち生きているもの全て、人間だけじゃなくて、動物も植物もそうですけど、バイオフィールドを持っている。例えば私と神さんが近くにいると、目に見えないバイオフィールドが重なるんですね。手をかざすと、わかる人にはわかるんですよ。例えばどこかが悪いといったらビリビリするとか、体が敏感になればなるほど研ぎ澄まされて、毒素が出てきれいになればなるほど敏感になっていきます。それはみんな同じです。

多かれ少なかれ、もともと何も知らずに氣とかがわかっちゃう人はいると思うんですけれども、トレーニングできます。八百屋さんに行って、リンゴやフルーツの上に手をかざすと、ビリビリするところがあるんですよ。リンゴが発するエネルギーはそれぞれ違うので、そういうところからトレーニングすることもできます。

バイオフィールドが重なったとき、自分にはいわゆる症状が全くなかったのに、ゴホゴホ咳をしている人が横に来たら、体がそれを察知して、自分にもし毒素があるんだったら何か出したほうがいいんじゃないかと思って、スイッチが入って似たように体調が悪くなる。それがいわゆる「シェディング」と思われているものだと私は理解しています。

さよならノーシーボ

神　リーシャさんがこの前、「シェディングはないよ」とおっしゃった。スパイクタンパク質が出ていることをシェディングと呼んでいる人が結構いますが、それはウイルスがあることを前提にしています。ウイルスの一部がスパイクタンパク質なので、出ていったスパイクタンパク質を吸い込んだ人が、ワクチンを打っていないのにワクチンを打ったような状況になってしまうと言っている人が多い。けれども、それ自体あり得ないことだと思います。

ただ、毒を体に入れたら、毒を出したくなるわけです。毒を出すうえで一番多いのは、胃のあたりでわかったら吐く。大腸とか小腸なら便とか尿を通じて出す。これが解毒の一番いい方法なので、下痢が生じたら、下痢がおさまるまで出しきったほうがいいわけです。途中で無理に止めたら死にますよみたいな話です。

そういう解毒の方法もあるけど、次は発汗と鼻水とか、カウフマンが何か言っていましたよね。

リーシャ　最初は鼻水が出る。咳はちょっと後かな。そのうちだんだん痰が出るようになったり、あるいは呼吸器官の深い部分、肺のほうに行って、発熱するとか、いわゆる症状は似ているんですけど、これは全部解毒のプロセスです。それを風邪とかインフルエンザと言っています。それを衣替えしてＣＯＶＩＤ－19と言ってみたりする。症状は全部同じなんだけれども、いわゆる診断名をすりかえていますね。

神　ワクチンのＬＮＰ（lipid nanoparticle、脂質ナノ粒子）の毒性は書かれていることですよ。シュードウリジンは皆さんも聞いていると思いますけど、そういったものが体に入ったら出そうとするのは当たり前で、それが唾液だけじゃなくて、汗とか呼氣から出ることはあり得る。そうすると、そばにいた人がその毒を浴びちゃう、そういうことだと思います。

私は人が多いところで仕事をすることが多いし、通勤はずっと電車を使っていますけれども、喉が絞まるような感覚を受けることがあるんですね。それがワクチン接種の開始で特に強まったかどうかはわからないんですけれども、ある人としゃべっていると、いつも喉が絞めつけられるようになるとか、咳が出るとか、そういうことは多々あります。

リーシャ　体が拒否するんでしょうね。

神　何か化学的な物質を発していることはあると思う。だけど、出てきたスパイクタンパク質を取り込んだら、同じようにｍＲＮＡが体に入ってスパイクタンパク質をつくるということはあり得ないから、そこは安心してください。先ほど言ったように恐怖を感じずにいることが大事です。

リーシャ　すごく重要です。プラシーボという言葉をご存じの方は多いでしょうが、ノーシーボというのもあるんですよね。体はどこも悪くないのに、恐怖などから自分で勝手にいわゆる症状を出してしまう。そこにウイルスはないわけですから、安心してください。スパイクタンパク質が体の中に入って自分でどんどんつくるということはないです。

ヴォルフガング・ヴォルダーグの狂犬病エピソード

神　恐怖の話では、最近デーヴィッド・アイクがいろいろ言っていて、フュルミッヒと対談したのを半分ぐらい聞いたんだけれども、フュルミッヒ(注)自体はちょっと怪しいかな。

リーシャ　フュルミッヒはドイツの弁護士で、アメリカ生活が長いようですが、今回のいわゆるパンデミックが始まってポッと出てきましたね。彼の話では、世の中が何かおかし

(注) ライナー・フュルミッヒは2023年10月13日、横領の罪でフランクフルトで、逮捕された。ちょうどこの対談が行われていたころである。

いとわかったから、急いでドイツに戻ってパンデミック委員会を立ち上げた、とされています。

フュルミッヒの投稿に字幕もいっぱいつけましたが、いろいろリサーチしていく中で、彼はコントロールオポジションではないかと疑っています。

ヴォルフガング・ヴォルダーグは、私は最初からおかしいと思っていました。彼と一緒にフュルミッヒやマイケル・イードンが活動しているように見えたので、見抜くのが難しいかもしれませんが。

結論的には、ヴォルフガング・ヴォルダーグは完全にあちら側のパペットですよ。

神　フュルミッヒは、裁判を起こすことで人やおカネを集めたりしましたよね。だけど、結局どこの国の裁判所もあっち側の手先しかいなくて、公平な審判は絶対にできないから、一般の人たちに陪審員になってもらうということでグランドジュリー（大陪審）をやりました。インターネットで公開しています。

そこで出てきたのは、ここがミソなんですが、ＰＣＲ検査は完全に否定しないけど、運用がおかしいという指摘です。例えばサイクル数が多過ぎる。つまり、増幅し過ぎるからゴミが出ちゃって擬陽性が出るなどとは言います。でも、ＰＣＲのもとになっている遺伝子配列がおかしいとか、大橋先生がお書きになっているようなＰＣＲを根幹から疑うことには一切触れません。ＰＣＲ自体の信頼性をうまく否定しないでおくんですよ。

ＰＣＲ検査はこれからもいろんな病氣の診断に使われていくので、そこは生かしておくわけです。運用したやつが悪い、あのやり方が悪いんだと言ってごまかす。フュルミッヒはそういう人です。彼は証拠とか論文とかを使って、ＰＣＲ検査のサイクル数が多くて、こんなのは使いものにならないとか、そういう正しいこともちゃんと言っているんですよ。だけどウイルスありきの説です。

ヴォルフガング・ヴォルダーグは、ウイルス擁護派がよくやる反論、つまり「ウイルスがなかったら何で狂犬病になるんだ」などを持ち出しています。

狂犬病もおかしくて、噛まれてから3年後に狂犬病になる人がいる。噛まれて、それが体に悪い病原体だったら、抗体理論で抗体をつくるはずじゃないですか。何で3年間もサボってたんだ、みたいな話です。

リーシャ　狂犬病について調査したアメリカのある論文についてトム・カウワンが話していました。狂犬病と診断された62症例のうち54例が、過去6カ月、他の動物と一切接触していなかったのだそうです。全てがバカバカしいというか。狂犬病の話だけじゃないんですけど、鳥インフルエンザとか、動物にかかわるものも全て、ウイルスがあるほうが説明するのに便利という話なんですよね。

ヴォルダーグの狂犬病のエピソードは結構有名ですね。２０２２年2月4日、カウワンとカウフマンとランカが……。

神　カウワンは呼ばれなかった？

リーシャ　そうですね、カウワンは呼ばれなかった。ランカ、カウワン、カウフマンの３名がコロナ委員会のフュルミッヒにインタビューされるという話が持ち上がったんですね。時既に遅しなんですが、パンデミックに入って1年以上たって、私は、どうしてカウワンとかカウフマンにインタビューしないのかと思っていました。しかもランカなんて、同じドイツにいるのに全く呼ばない。つまらない人ばかりいっぱい呼んで、ついに１００回とか、コロナ委員会のインタビューはものすごい回数を重ねていましたよね。私はこれはおかしいと思っていたので、２０２1年の12月ぐらいに見切りました。

２０２２年2月4日、ついにカウフマンとランカが呼ばれたんですよ。それにはちょっとしたエピソードがあって、カウワンを呼んでほしいとずっとリクエストを上げていた。ところが、カウワンだけは絶対に呼ばない。最終的にランカとカウフマンが呼ばれた。なぜかというと、カウワンには引き出しがいっぱいあるからです。どのように攻めようが、カウワンにはとにかくあの手この手で言い負かされるから、フュルミッヒも怖かったんじゃないですか。さすがの弁護士も、下手に呼んでカウワンにもしやられたらおしまいだなと思ったんじゃないですか。私はその辺で、フュルミッヒはもうダメだ、あっち側だと、見切りをつけましたね。

悪魔崇拝やワクチンで人を殺す

神　デーヴィッド・アイクは、ヒカルランドから『答え』を出しています。アイクが言ったのは、いろんな文化を調べると、アラビア諸国だとジン（悪霊・悪魔）ですが、そういったものがどの文化にも必ずある。それは一体何かというと、恐怖に戻るんだけども、恐怖という低い波動のことを指している。低い波動を好むような、私たちの目に見えないものが存在するんじゃないかみたいなことを言っているわけです。

私は昔話とか神話が好きだったので結構読んでいたんですけど、どの文化にも恐怖とか何か怖い存在が必ず出てくる。怖がらせて何かいいことがあるのかなと思った。バイブレーションを低くすることを好む人たちがいる。それは悪魔崇拝にもつながってきます。

リーシャ　私は今はあまり見ていないんですが、アイクの動画を、初期は見ていました。彼はバイブルを深く理解しているのかもしれませんね。バイブルを深く読んでいる人たちはそういうのをわかっていますよね。悪魔崇拝やワクチンで人を殺そうという考えは、心のある私たちには思いも付かない。アイクは、この世の支配者が私たちとは違う種だから、そのような残酷なことができるのだと思っているのではないでしょうか。

神　そういうふうに言っている。皆さんのお知り合いにもいらっしゃるかもしれないけど、私は幽霊（霊魂）が見える人を1人知っていて、普通に歩いていると、「（幽霊が）いるから」と言って避けて歩いたりしている。小さいころは普通に言っていたんだけど、中学生のときだったかな、「そこにいるじゃない」と友達に言うと「何言ってんだ、おまえ」と言い返されバカにされて、そこから幽霊が見えるという話は一切しなくなった。

「幽霊」という言葉がいいのかどうか私にはわからないのですが、違う波動というか次元というか、そういったものを感じられる人はいるはずで、ヨーロッパやアメリカでは「サイキック」と言われたりするわけです。どんな人もトレーニングすれば、ある程度はわかるようになるのかもしれないです。

何が言いたいかというと、次元が違う幽霊とかが見えている人はいっぱいいるわけです。バカにされるから絶対に言わないけれども、いる。そういうことを考えると、私たちの次元というか、普通に見えているものとは違うところに画策者がいる、何かを操っているような存在がいるということは、不思議ではないんですよ。そういうものを全部シャットダウンするのが私たちの社会システムであり、あちら側の狙いの1つです。

恐怖は体を悪くする

神　超能力もそうなんです。「超」とついた瞬間に、それを普通の人は持ってないでしょということになるわけです。チベットの僧とかの研究をすればわかるわけですけれども、彼らはすごく長い時間、息を止めることができたり、心霊の力かどうかわからないけど、大きな石を軽々と持ち上げたりできる。そういうふうなことはトレーニングすればできるんですよ。

チベットだけじゃなくて、私は、昔のお坊さんとかそういう人の話もちょこちょこ読んで覚えているんですけど、法力《ほうりき》というのはすごく大事だったんですよ。中世の仏僧もそうだし、山で修行する山伏もそうだし、念力でモノを持ち上げるとか、すごく重いものを軽々と持ち上げるとか、筋肉の物理的な強さじゃなくて、「氣」というようなもので力を強くして、何かが刺さっても平氣になる。

私は少数民族の言語を研究しにインドネシアに行ったことがあるんですけど、そこで本当にすごいのを見ました。黒魔術をする人のところに連れていってやると言われて、私は言語の研究をしに来たんだから、そんな与太話につき合っているヒマはないと思いながら、住民との関係構築のために、夜、疲れているのに行ったんですよ。そうしたら、マントラみたいなのを唱える黒魔術師みたいなのがいて、鉈《なた》を腹に突き立て始めた。鉈というのは大きなナイフですよ。その先が曲がる。でも、こんなのはマジックや手品で何でもできると疑っていました。でもそばにいる彼の奥さんがすごく嫌そうな顔をしていたんですね。終わってから奥さんが石でダーンダーンと叩いて鉈をもとに戻そうとしている。それだけ堅いものなんですよ。それがほんとに曲がっちゃったの。私は自分の目で見ているわけ。

クリフォード・ギアツとか、昔の文化人類学者も、呪術とかについていろいろ書いている。グンター・ゼンフトという今70歳くらいのオセアニアの言語の研究者がいるんです。言語学の発表のときの余談で、彼は「呪いはある！」と言うんです。

ある島で言語調査に協力してくれた人がいきなり震え始めて、「私は呪いをかけられた。ここにいると死ぬ」と言って、平安時代の方違《かたたが》えのように、別のところに小屋を建てて移動したわけです。だけど、呪いをかけられているから、3日のうちに髪が真っ白になった。これはマリー・アントワネットの話で有名ですけれども、本当にそういうことがある。彼は、その後2年ぐらいして亡くなった。恐怖ですよね。

呪いというのは、かけるほうとかけられるほうが同じことを信じていれば、それは真実になっちゃうんですよ。その恐怖にさいなまれて、結局体が悪くなって、あるいは注意散漫で事故に遭いやすくなって亡くなってしまうことがある。だから呪いはあるんだと、昔の文化人類学者が書いていることと同じことを目の前で語ってくれた学者もいるし、私も実際に見ました。

いろいろ変なことはあるんだけど、私はそういうのをなるべく見ないようにして生きてきたから。

リーシャ　見ないほうがいいですよ。

神　でも、今バーッと出てきて、いろんな次元があるよねと。

リーシャ　あるとわかっていたらいいと思います。

今の神さんの話で突然思い出したのは、カル・ワシントンがあるインタビューで話していたエピソードです。フリーメイソンや邪悪な世の中に氣づいた彼の友達が、情報収集の目的で、フリーメイソンのことをいっぱい調べたのだそうです。最初は世の中を良くしたいからということで一生懸命やっていた。ある時カルがその友人の家に呼ばれて行くと、大きなスクリーンがあって、波動が低そうな曲とかをガンガンかけていた。カルはめちゃくちゃ氣分が悪くて吐きそうになったと言っていました。フリーメイソンのマークもあちこちにあって、とにかく家全部がフリーメイソンだったらしいですよ。

ところが、その友達はだんだん病んできた。まず、腎臓を悪くした。中医学の概念では、腎は恐れや不安といった感情とつながっているのですが、肝は怒り、肺は悲しみと関係しています。彼は腎臓にさまざまな不調があらわれ、そのうち皮膚もジュクジュクしてきた。それは解毒しているんだろうから、本当はそれが治まるまで待つべきだった。そして、フリーメイソンから遠ざかれば健康を回復していただろうに、彼は病院に行ったんです。病院に行くことで、検査して入院になって、最終的に彼は死んでしまった。薬害ですよね。

カルが言っていました。そういうのを知るのはいいけど、そればっかりになっていくと、どんどん影響されて、知らず知らずに恐怖心を抱き続けるようになる。それでいわゆる病氣になっていく、と。だから、そういうのをあまりやり過ぎるのは危険だと私も思いますね。体調を崩したら外に出てお日様に当たって、裸足で歩いて、アーシングとかグラウンディングするのはすごく重要だと思いますね。

神　恐怖はバイブレーションが低くて、それにとらわれちゃうと、体も悪くなる。

リーシャ　そうですよね。

癌では死なない

神　信仰の力が強いということですね。今は現代医学信仰ですから、癌になったら死んじゃうとかね。癌と言われただけで体の力が抜けちゃう。

誰だったか忘れましたが、スピリチュアル界で結構有名なインド系アメリカ人の女性がいて、その人も癌治療はおかしいと思っていたから、癌と言われたときに代替療法をずっとやって小康状態を保っていました。けれども、あるとき、本当に体調が悪くて、家族が心配して病院に連れていってしまった。医者に「あなたは余命2カ月です」と言われた途端に、ガーッと悪くなったんです。そういうふうに、恐怖を与えられたらすごく悪くなる。それで彼女は臨死体験もしたんですが、生き返ったんです。「あなたはまだやることがあるし、こんなところで死ぬものじゃないよ」というメッセージを受けて、その後、驚異の回復をしたのです。

病は氣からというか、精神的なものが多くて、癌は本当に精神的なトラウマと関連が深い。German New Medicineという理論を提唱したドイツ人のハマー医師は、1000例以上の癌患者をずっと診ていって、こういうトラウマだとこういうふうになると提示しています。例えば女性だと、男性に不信感を抱くと乳癌や子宮癌になりやすい。ストレスや心理的要因が癌の原因と解明している人たちもいるので、恐怖にとらわれずに生きていくのが大切です。

癌で死なないとわかったら、怖いものはないんですよ。希望しかない。つまり、体調が悪いのは、何か栄養素が足りてない、毒素を出していない、では、こういう方法があるんじゃないか、試してみようと、すごくポジティブな方向に向くことができます。それは自分の体が教えてくれているんだなと謙虚に受けとめればいいだけで、恐怖とか絶望とかに沈む必要はないわけです。

だけど、現代医学を信じていると全てが怖いでしょう。健康診断や人間ドックを受けるたびに、何か病氣が見つかるんじゃないかとビクビクして血圧が上がっちゃって、「あなた、高血圧ですよ」と言われて、脳卒中の可能性が4倍以上に高まるのに「お薬」だと言われて毒を飲んでいる。

リーシャ　カウワンもカウフマンも医師ですが、いわゆる健康診断と言われているような検査は一切やらなくていいと言っています。カウワンは今はリタイアしていますが、現役の時代も血液検査はしていなかった。する必要ないと言っています。私もそれは賛成ですね。しなくていいと思います。

神　特に放射線を浴びるような検査はしない。症状が出たら、それをどうにかして治すということです。ヒカルランドさんには、いいものがいっぱいあるので、そういうのをお試しいただく。

ただし、癌保険は悪くないと思っています。診断が下ったら何百万円ももらえるでしょう。それでヒカルランドにあるような機器を買って使えばいいんです（笑）。西洋医学の薬などは飲まずにね。あと、新鮮な有機野菜などを摂取するのもいいですね。

リーシャ　この対談が始まる前にヒカルランドの社長さんとも話をしたんですが、免許がないと体を治療しちゃいけないとか、そんなのはないんです。しかも自分の体は自分で治せるので、それを信じることですね。

今日は時間がないのでお見せしなかったんですが、私は以前からいわゆるアトピー性皮膚炎と言われていました。写真を見るとびっくりすると思います。あんなにひどい状態から、今ではツルツルの肌になったので、私は体って本当にすごいな、と思いました。そういうのを身をもって体験すると、自分を信じますね。自分を信じ切れていない人は、最終的にワクチンに頼るとか、病院に行くとか、そういうふうになっちゃいます。

体には、バイタリティーというか、たくましい力があるので、ほんとにすばらしい。ライフ・イズ・ブリリアント、ボディ・イズ・ブリリアントです。どういうキッカケでもいいので、特に日光を浴びるとか、グラウンディングするとか、今はちょっと寒くなっているけど、機会があったら海辺を裸足で歩くとか、ただで健康になれるので、そういったことを実践してみてください。

インパワー・ムーヴメントという組織

神　では、私はメンバーなのにあまりよくわかっていないのですが、インパワー・ムーヴメント（InPower Movement）の概略をリーシャさんに説明していただきます。

（スライド72）

リーシャ　これは私が今年5月の講演会で使ったスライドですが、インパワー・ムーヴメントという組織をこの2人が立ち上げました。私が初めてインパワーを知ったのは、アンディ・カウフマンがあるビデオで、インパワーとカル・ワシントンの活動に言及していたのを聞いたのがキッカケで、２０２０年秋にメンバーになりました。

スライドの右側はカル・ワシントンで、実は私と同じブリティッシュコロンビア州に住んでいるので、それを知ったときには大変驚きました。彼は離婚をキッカケに壮絶な人生を歩むことになり、カナダが実際には国家ではないというのがわかったんですね。

彼がある日仕事から帰ってきたら、家がすっからかんになっていた。真面目に家族のために一生懸命働いていた彼にとっては、青天霹靂、とてもショックな出来事でした。そこからカナダにおける（離婚産業の実態など）司法の闇の渦にはまっていくのですが、想像を絶する苦労を重ね、その20年後に、彼は自力で完全な自由を勝ち取りました。

簡単に言うと、今私たちが戦っている場所は白黒のチェックボードで、私たちはチェッカーをやっているけど、支配者はチェスをやっていたということが、彼はわかったんですね。最終的に彼は、なるほど、戦っている場所が違うんだ、それを私たちは隠されているんだ、ということがわかったんです。

（スライド73）

それはなぜかというと、ジュリスディクション（jurisdiction）、つまり管轄権・管轄領域・支配権という意味ですが、私たちは全く違う領域で、違う法律を見せられ、実は支配者は古代からあるレックス・メルカトリア（Lex Mercatoria）、つまり商慣習法を使っていたということです。

私たちがいるのは「ＹＯＵ」と書いてある真ん中で、私たちが戦っているところは、せいぜいその2枠くらい外側なんですね。

（スライド74）

カナダというのは実質的に、歴史上、また法律上、一度も国家になったことがないんですよ。国ではない。じゃ、誰が運営しているのか。びっくり仰天ですが、カナダに来たことがある人は、ハドソンズ・ベイというデパートの名前を聞いたことがあると思います。ハドソンズ・ベイというのはカンパニーの名前で（正式名はThe Governor and Company of Adventurers of England trading into Hudson's Bay－ハドソン湾での交易に携わるイングランド総督と探検家一座）、これがカナダを運営していたというのです。カナダにはフリーダム・チャーターという自由憲章があるから、それを憲法だと信じている人がほとんどだと思いますが、カナダは憲法を持っていません。その自由憲章も表向きのもので、実際に存在するのは、通称、ハドソンズ・ベイ・チャーター（ハドソンズ・ベイ憲章）です。カル・ワシントンはそこに氣づいたのです。

一番外枠にあるのが、ナチュラルロー（自然法）でありスピリチュアルローなんですね。私たちは基本的にプライベートとパブリックがあると信じていますよね。今回のいわゆるパンデミックも「公共を守るため」とされているじゃないですか。その公共というのは、支配者がつくった概念です。公共も私的も本当は存在しません。

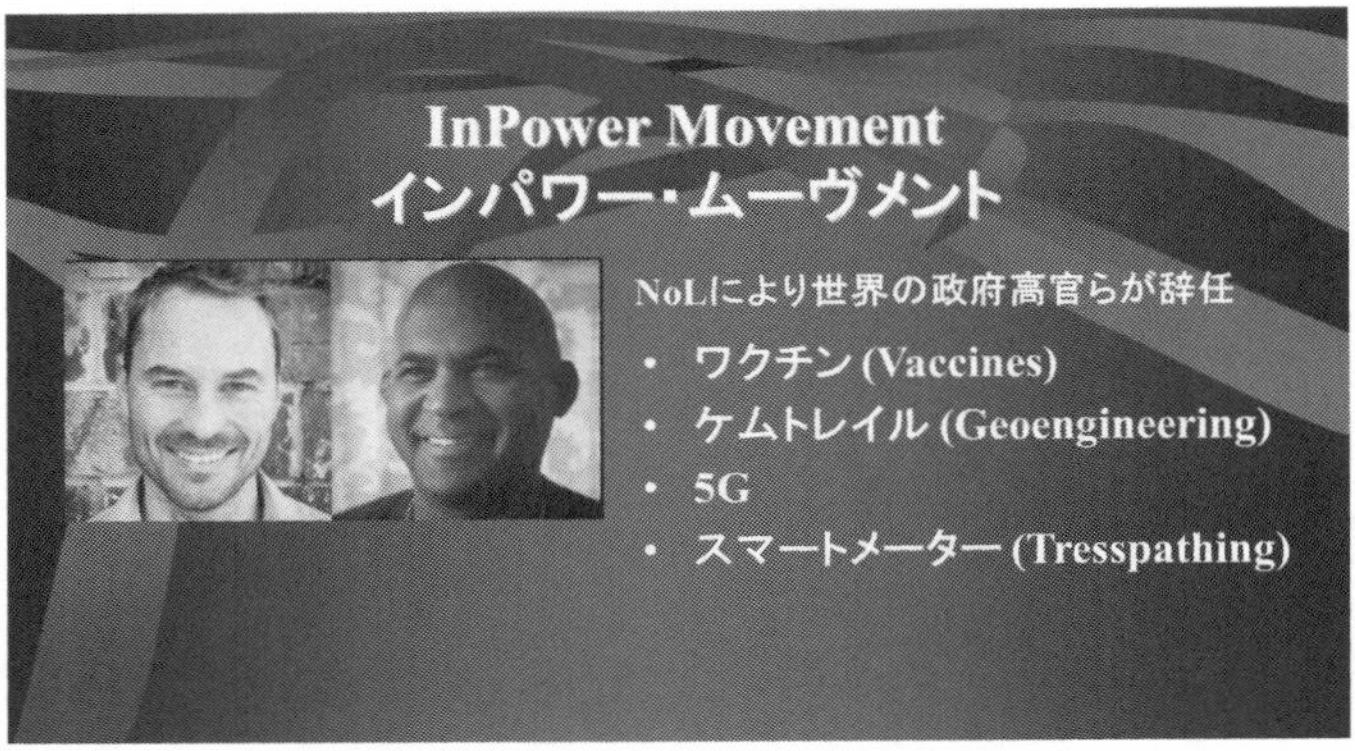
InPower Movement
インパワー・ムーヴメント
NoLにより世界の政府高官らが辞任
• ワクチン (Vaccines)
• ケムトレイル (Geoengineering)
• 5G
• スマートメーター (Tresspathing)

スライド72

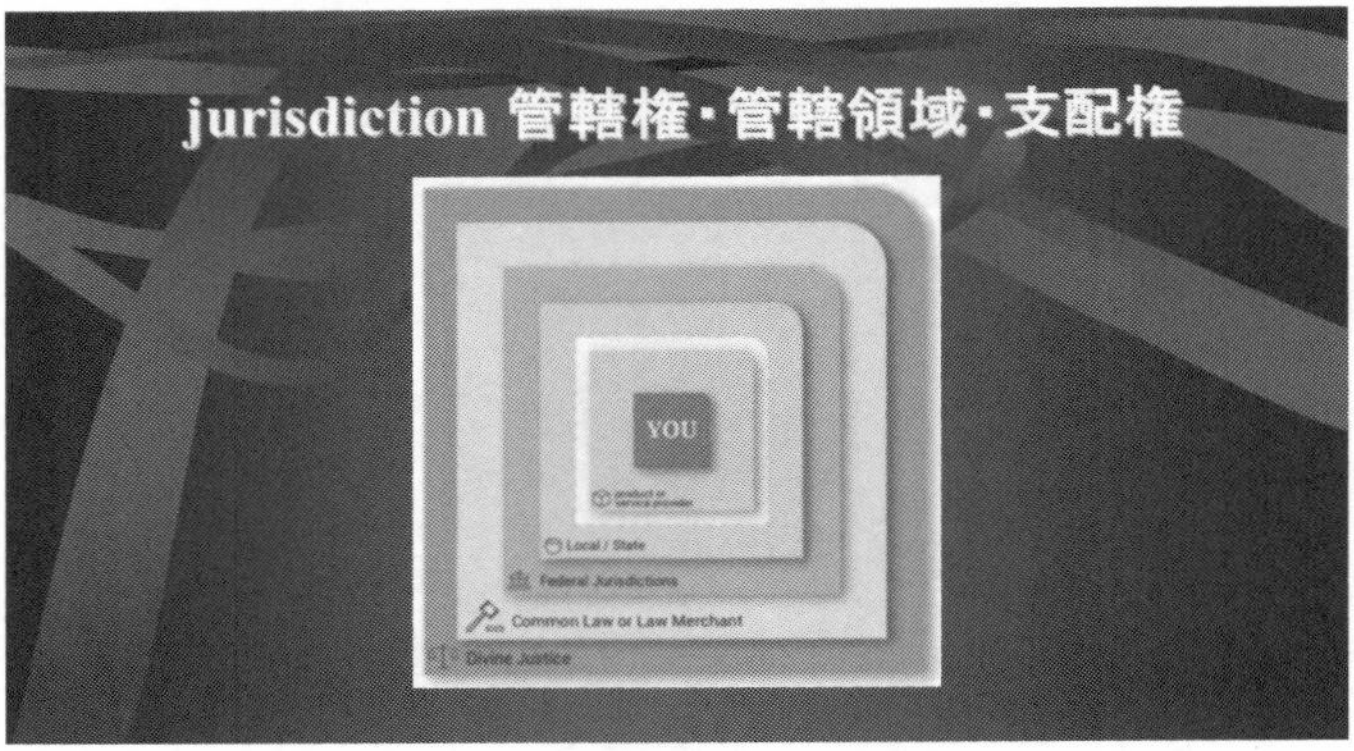
jurisdiction 管轄権・管轄領域・支配権
YOU
Local / State
Federal Jurisdictions
Common Law or Law Merchant
Divine Justice

スライド73

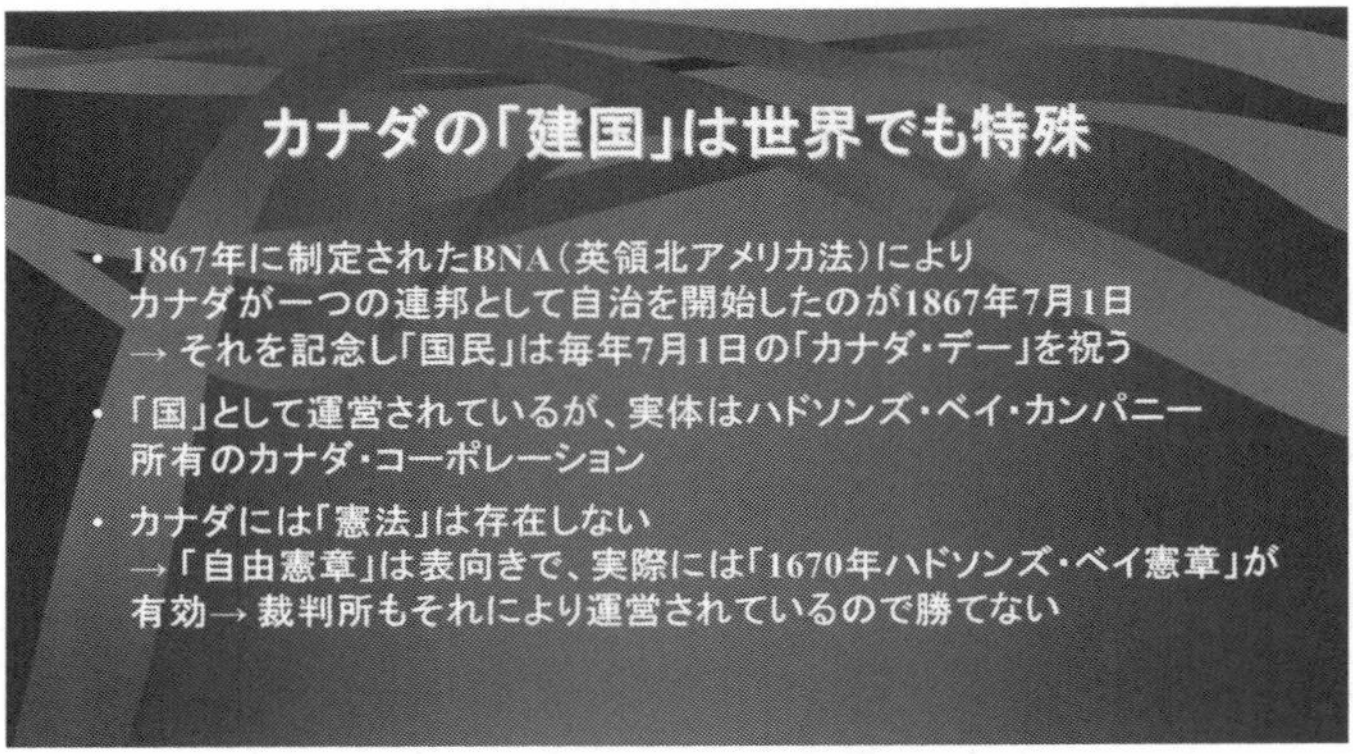
カナダの「建国」は世界でも特殊
• 1867年に制定されたBNA（英領北アメリカ法）により
カナダが一つの連邦として自治を開始したのが1867年7月1日
→ それを記念し「国民」は毎年7月1日の「カナダ・デー」を祝う
• 「国」として運営されているが、実体はハドソンズ・ベイ・カンパニー
所有のカナダ・コーポレーション
• カナダには「憲法」は存在しない
→「自由憲章」は表向きで、実際には「1670年ハドソンズ・ベイ憲章」が
有効→ 裁判所もそれにより運営されているので勝てない

スライド74

NoLの目的

文配者は、先ほどのスライド（73）にある図の最も外の枠のところでやっているわけです。カルは猛勉強して、なるほど、外枠から戦わないと自分は法的な縛りから脱することが不可能だと氣づいたんです。そして、彼の凄まじい体験から生み出されたのが、ノーティス・オブ・ライアビリティ（NoL=Notice of Liability、責任追及の告知書）です。

このＮｏＬを使う目的は４つの理由に限定されています。インパワー・ムーヴメント誕生のキッカケとなったスマートメーター、ワクチン（今回のいわゆるｍＲＮＡワクチンだけではなく全てのワクチンが対象）、５Ｇ、そして、ジオエンジニアリング（ケムトレイル）です。この４つを推奨する個人を対象に告知書を送る。例えば「ワクチンを打て」と言っている個人に対して告知書を送りたい場合、文書に何を盛り込むかというと、「あなたは私（家族や知人でも良い）にワクチンを打てと言うけれども、安全性を証明するのであれば打ちますよ。ただし、安全性が証明できないのであれば、あなたに対して○月○日から課金をしますよ、おカネをチャージしますよ」、ざっくり言うとそういう内容です。

さっきも少し触れましたが、オーストラリアのビクトリア州首相のダン・アンドリュースが辞任した話を知ってましたか？　彼にはインパワー5人のメンバーがＮｏＬを送っていました。辞任は、課金が始まる通知が届いた直後だったのです。

何でわかるかというと、ＮｏＬは必ず書留郵便で送り、受け取ったかどうか追跡するからです。莫大な収入があるようないわゆるエリートがいきなり辞めるのです。私たちのような金銭感覚じゃないですからね。すごいおカネをもらっている人たちだから、そういう人がいきなり辞めるというのは、一大決心ですよね。

冒頭でご紹介した私のツイッター（現・X）の右側の画像に鳥の絵があったと思うんですが、これは、Lex Dove レックス・ダヴという名の平和のハトなんです。法律に長けたLex Dove が、ＮｏＬがいかに有効で、どのように機能するのかを、2分のアニメーションで紹介していますので、これからご覧いただきましょうか。

神　全ての国や自治体が企業として登録されているということを少し詳しい方に言うと、それは取引上の問題だから、便宜的にやっているだけだと言うんだけど、そうでもない。

おかしいですよね。三権分立とかいっても、別に三権分立してないし、政府の言うままに裁判所が動いている。何かの幻想を信じ込まされている。

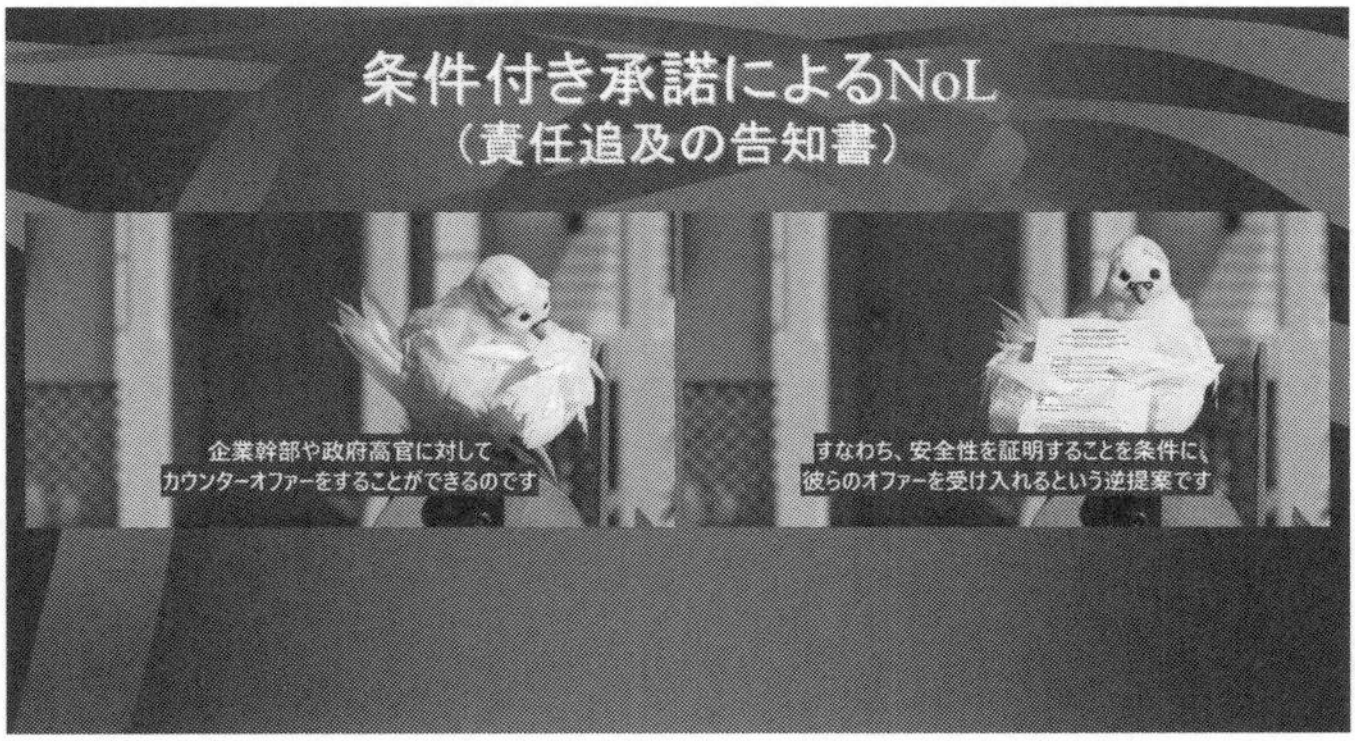

スライド75

NoLが支配者側の「カネ」を回収

（スライド75）

リーシャ

カル・ワシントンはいろんな裁判官とかかわっているうちに、ほとんどの裁判官はこの世の中の隠された仕組みについて知っていて、知らないのは下の方にいる一握り。逆に弁護士の大半がその仕組みについて知らないことがわかった、と言っています。でも、例えばハリウッドとつながっているような大きな会社のいわゆる敏腕弁護士は知っている。このことからも、裁判官と弁護士の認識度というのは逆であることがわかりますね。

今日は時間の都合で、ちょっとお話しできないかもしれないけど、すごいのは金融システムのカラクりです。今私たちが信じている「カネ」というのは支配者がつくった概念です。私たちはそれを信じていますが、実際には存在しないはずの「カネ」が出回っているんですね。インパワーのＮｏＬは、支配者のそのシステムを逆手に取って支配者側の「カネ」を回収し始めているという働きもあるんです。

一番の肝は、tacit agreement（暗黙の了解）です。法律では、沈黙は同意とみなされる。ビデオの中でレックス・ダヴが持っている本の左側に英語で「TACIT AGREEMENT」と書いてあるんですけど、みんな知らず知らずのうちにやっているんですよね。基本的にこれを逆手に取って逆提案、つまりカウンターオファーをするわけですよ。支配者は私たちを名目上は商人とし、実際には奴隷として扱っています。これはワクチンも５Ｇもそうなんですけど、全て「カネ」が目的で動いています。ミリタリーじゃなくて、全部契約、ビジネスとしてやっているのがポイントです。

ビジネスとしてやっているので、あちらがオファーしてきたことに私たちが無視して何も言わないと、暗黙の了解で、賛同したことにされるんですね。でも、向こうからオファーされたことは、それを逆手にとって、カウンターオファーできるんですよ。要するに、「ワクチンを打てと言うが、安全性を証明してくれたら打ちますよ」と、逆提案する。それができるんです。そのやり方で、世界中のメンバーが成功を収めています。

神　幾つか成功例をお願いします。

リーシャ　今年（2023年）の頭にニュージーランドのアーダーン首相が突然辞めましたよね。あれは、NoLが送られたからではなく、NoLを送る対象者のデータベースに載ったので辞めたんです。そんなものがニュースになることはありませんが。

「私たち」と偉そうに言っているけれども、私は中に入っているからわかるだけで、メンバーには有能な人がいっぱいいるんですよ。みんなボランティアで動いているんですが、本当にすごい。このとんでもない世の中を変えたいと思う人がそれだけいる。アーダーンはそれで辞めました。ビビったんでしょうね。

これはちょっと珍しいんですけど、今年の1月ぐらいかな、ベトナムの国家主席も辞めた。あれもNoLは送られてないんですが、やはり怖くなったんでしょうかね。そういう人たちはわかるんじゃないですか。

オーストラリアがすごいのは、実は西オーストラリア州の州首相も辞めたんですよ。それはNoLが届いたからです。彼は政界から完全に引退しました。やはり怖くなったんじゃないでしょうかね。支配者に雇われて一生懸命やっているんだろうけど、心が苦しいと思っている人も少なくはないと思います。

あと大きいのは、アメリカのメンバーが送ったんですけど、CDCのロシェル・ワレンスキーという女性は、ＮｏＬが届いた直後くらいに辞任を発表しました。

神　新しく来た人が同じことを続けるのであれば意味がないんですよね。

リーシャ　ところが、そういうトップの人を見つけるのは容易ではないようです。今後どんどん難しくなっていくのではないでしょうか。なぜなら、辞めても、一般人として課金され続けるからです。私たちはずっとＮｏＬを送り続ける。次に同じポジションに着任した人に対しても一緒に送る。だから、そういうのに氣づいたら、オファーされてもそのポジションに就きたがらないでしょう。そういうポジションに就くにはいろいろあるんじゃないでしょうか、宣誓もするだろうし。そういうのが嫌な人はいると思いますよ。だから、次のポジションを見つけるのは、どんどん難しくなっていくと思います。

神　つまり、まともな人しか残っていないということになりかねないわけね。

リーシャ　そうです。そういう意味でもインパワーの活動は、威力を発揮すると私は思うんですよね。

日本版ＮｏＬ

リーシャ　日本でも日本版ＮｏＬができたらいいなとコメントを入れてくださった方も結

構いて、もちろん神さんもそうですが、日本でできたらいいんですけどね。

神　準備はしています。

リーシャ　日本はラッキーなんです。マレーシアにはメンバーがいて、ほんとはすぐにでもやりたいんだけど、どういう状況かとか、法律とか、今から事前にリサーチをしないといけない。

それに比べて、実はベルギーのメンバーが東京にいたんですよ。今ベルギーに戻っていますが、彼が日本版をつくってくれました。だから日本はラッキーです。ある程度のメンバーが集まればすぐにでもやれるんですよ。マレーシアのように今からリサーチをしようかという段階ではなくて、日本は何にもやっていないのに、ポッとやってくれた人がいる。

私の考えとしては、神さんが今メンバーになってくれたし、他にも何人かいるから、一緒に勉強会をしようかなと思っているんですけど、ハードルは言語です。インパワーに入るためには英語ができないと意味がわからない。私はインパワーのサポートチームのメンバーでもあり、ＮｏＬ文書を日本語に翻訳する許可を得ていますが、これはあくまでも講演会や勉強会で使用する教育目的のためのものです。実際に送るＮｏＬは、国によって法律などの事情は異なりますが、全て英語の文書です。このこともあり、実際にメンバーになっていただくのはなかなか難しい。

中に入らないといろんなことがわからない。もちろん誰でもメンバーにはなれますよ。メンバーフィーが安いんですよ。インパワーは金儲けが目的ではないので。ひと月15米ドル、年間分をポンと払っちゃったら150米ドルなんです。すごく安いのに、いっぱい学べるんですよ。私もカルからいっぱい学びました。インパワーは素晴らしいコミュニティなんです。心温まる、本当にいいコミュニティです。それに入ってもらえるとありがたいというか、皆さんにもお勧めしたいんだけど、問題は英語ですよね。

膨大な情報量ではあるけど、おもしろいですよ。Biblical Connections（ビブリカル・コネクションズ）シリーズがあるのですが、バイブルの知識が豊富なカルが毎回ためになる内容を講義してくれるので、学ぶことがとても多いんです。

もう1つは、Lex Mercatoria（レックス・メルカトリア）。商慣習法についても非常に詳しいカルが、「カネ」のカラクリなど、目からウロコ、びっくり仰天の話をしてくれるので、メンバーが楽しみにしているシリーズです。

かなり過激な「エノク書」の内容

神　ビブリカル・コネクションズについて、おもしろかったことを話してください。

リーシャ　創世記（ジェネシス）という言葉を聞いたことがある人は？　バイブルを読んだことがある人はいますか？

これはカルがよく言うことなんですけど、実際にバイブルを読んでない人がいっぱいいるんですよね。読んでないのに、バイブル＝ちょっと嫌だ、と思う人が結構いる。でも、それは多分、人の意見を聞いてバイブルが怖いというイメージを持っているだけで、それは自分の意見ではない。

インパワー・ムーヴメントは、実はアメリカで登録している教会の傘下にあるコミュニティです。それはなぜかというと、アメリカの憲法ゆえです。アメリカ合衆国憲法修正第1条に、表現の自由、平和的に集会する権利を保護する法律があります。だから、何か起こったときに、私はアメリカ市民じゃないし、神さんは日本にいるけれども、インパワー・ムーヴメントのメンバーは全員、アメリカの憲法に守られている。それがあるから、カルはあえてインパワー・ムーヴメントの創立にあたり、まず教会としてアメリカで登録し、それをその傘下に入れたんです。

神　チャーチにいると守られる。信仰の自由ということですか。

リーシャ　そうです。だから攻撃されないんです。カナダはそういうのがないし、さっき言ったように、カナダはそもそも国家ではなく憲法もないので、守られない。むちゃくちゃな状態ですからね。

ビブリカル・コネクションズでおもしろかったのは、創世記を私が初めて読んだとき、何でいきなりそんな話になるのかなと、ちょっと意味がわからなかったんですよね。そうしたら、ビブリカル・コネクションズの中でカルが言っていたので、「エノク書」を見て、つながりがわかったのです。

神　「エノク書」というのは、今の普通のバイブルには入っていない。

リーシャ　エチオピア正教会の聖書には「エノク書」はあるようですが。

神　それを異端として排除してきたという歴史があります。バイブルというのは、キリストが亡くなって100年くらい経ってから編纂《へんさん》し始めたので、いろんなバージョンがあって、その中で、これはダメ、これはいいというのをずっと議論して、最後に4世紀ごろのニケアの公会議か何かで決めたんですよね。それまではいろんな派閥があったわけですよ。そこでそぎ落とされたものの中に、グノーシス派とか「エノク書」なんかもあるということです。

リーシャ　最近50～60年の間に「エノク書」が出てくるようになったとか。

神　注目されるようになった。それまでずっとエチオピアの教会で保存されていた。

リーシャ　注目されるというよりも、実際に出した。今まで出してなかった情報を出さざるを得なくなったんじゃないですか。

「エノク書」を見ると、とんでもない話なんです。誰か見たことがありますか。その内容を信じましたか。

――バイブルの中ではかなり過激な内容で、要はウォッチャーと言われる200人の天使が地上に降りてきて、人間にいろんなことを教えて、人間とその堕天使の間に混血ができて、それが巨人（ネフィリム）になった。その結果、神がそれを後悔して大洪水を起こした。その200人の天使はエノクに「助けてくれ」「神との仲介をしてくれ」と頼むのですが、結局許してもらえなかった。バイブルの中で死が書かれていない2人のうちの1人です。

リーシャ　信じられないような内容なんだけど、それがわかったら、私の場合は創世記につながったんですよね。それが前提にあっての創世記だから、創世記というよりは、再創世記と呼べるかもしれません。

神　大洪水で世界が一旦リセットされた。

――悪は外から持ち込まれるという考えです。創世記の中ではほとんど触れられていないんです。「ネフィリムがいた」ということだけ。

リーシャ　何でいきなりポッとそういう名前が出るのか。私ははじめ、海外に住んでいる人はみんな、そういうのがわかっているのかなと思ったら、みんなわかってない。カルは、ほとんどバイブルの専門家みたいなレベルなんですが、その彼も「エノク書」を見てつながった、と言ってました。

残酷なことが平氣でできてしまう支配者たちは、恐らくネフィリムの血が入っている者の子孫じゃないか。そう考える人がいますが、それなら私も腑に落ちますね。

神　ある建設会社の人によると、人骨でも何でも、とにかく何か出たらどこかに送るということが決まっているそうです。新しいビルを建てるときに、地下まで掘ってから埋めなきゃいけない。その前に発掘調査もしなきゃいけない。そういうことをやっていると、いっぱい出てくるんですよ。その中に、どう見ても人類よりずっと大きな人骨だろうというのがある。日本にもいっぱいあるし、トルコなんかが有名ですけれども、世界中にあるわけです。

さっき言ったように、私は昔話を読むのが好きだったからよく読んでいましたが、巨人の話がない文化はまずない。ほぼあります。インドネシアだと、巨人というのが1つの悪いキャラクターとして人間を食うんですよ。ネフィリムみたいな話です。

リーシャ　全部食べる。最終的に共食いです。

神　北欧神話なんかだと、巨人族がいなくなって、同じサイズの人間が出てきたという話になっているし、「ジャックとまめの木」もそうだし、何でこんなに巨人ばかりいるのかなと不思議だったんです。ずっと不思議だなと思っていたことが、今、答え合わせをされている感じです。

世界の邪悪な行いを改める

リーシャ　ところで（支配者にとって）アメリカが扱いにくいのには理由があるようです。1787年アメリカ合衆国憲法が作成されるにあたり、関係者の間でスピリチュアルバトルがあった。わかっている人には、私たちが今まさに経験していることが見えていた。それを邪魔しようとした人たちとの間にせめぎ合いがあったが、善人側が勝った。つまり、銃を持たせた。その一文を入れるか入れないかで大きく変わってきますよね。

神　ちょっとつけ加えていいですか。今、銃を所有する権利を唱えている人たちに対して共和党のリベラル派のメディアがつけているイメージとしては、教養があまりなく、田舎者で、キリスト教をよく信仰していて、草の根保守であり、トランプ信者でもあるというわけです。

銃を持つ権利というのは、人を撃っていいとかいう話ではありません。政府がいかようにでも傍若無人なことをするので、それに対する武器を持っていないと、まともな政府ではなくなりますよということ。政府に対していつでも反撃できる用意がある、そのための力を人民が持っているんだ、こういうことをずっと言っている人たちや、そういう思想もあるんです。

保守派とか、共和党の一部のトランプ信者とかを揶揄《やゆ》していますけども、トランプ自体は横に置いておいて、この人たちが言っている、自衛の権利というところはちゃんと報道されていない。アメリカでも日本でも報道されていません。結局、リベラル派のメディアが全部を支配しているので、そういった人民の権利に関することを隠している。これは中国の革命思想みたいなところに通じるんですけどね。

リーシャ　カルが言うには、邪悪な司法システムから抜け出したいと思っている警察官や裁判官は少なくないとのことです。ある時彼が裁判所から出てきて駐車場に行こうとすると、向こうから警察官がやってきて、握手しながら「応援するよ」と言う。ある裁判官からも、審議中にポジティブな言葉が投げかけられ、その時は意味がわからなかったが、後に、頑張れ、というメッセージだったと理解したようです。

世界のほとんどが似た状況だと思いますが、カナダの裁判所はコーポレーション。実際に裁判所が提供するサービスがオファーされる、ビジネスととらえるべきです。そこを理解せずに、何だかんだと法律とかを引っ張ってきても、ほとんど勝ち目がないでしょう。
その点インパワーでは、弁護士を雇わず、裁判所を介さず、ＮｏＬを送るという平和的な手段によって効果を上げています。ここで重要なのは、カナダを例に挙げると「ジャスティン・トルドー首相なんて、やり込めてやる！」と思ってＮｏＬを送るのではなく、邪悪な行いを改めてほしい、というジャスティス（正義）の姿勢によって送ることです。

実際には存在しない「カネ」のカラクリ

――ワールドワイド・ウェイブの話を後でしていただきたいのと、もう一点、請求したときに向こうが怖がる理由が、何となくわかるのですが、まだピンとこない。金額が大きいから怖いのか、彼らの根本ルールに乗っかっているので言われるとやりづらいのだろうというところまではわかるのですが、辞めちゃうほどの恐怖心とはどういうものかが、ピンときていないので、そこのところ、言葉を足していただけるとありがたいです。

リーシャ　ワールドワイド・ウェイブは後にして、金融の部分は、金融のカラクリがわからないと、理解するのはなかなか難しいと思います。
ざっくり言うと、「カネ」というのは全く何にもないところからつくられている。例えば、ここに2枚の白紙があります。1枚には「カネ」と書かれていて、もう1枚には何も書かれていません。どちらが価値があると思うか？　と聞かれたら、「カネ」と書いてあるほうが何となく価値がある感じがしませんか。

これは過去の講演会でもお見せしたことがありますが、カルが説明する際によく使うやり方です。これはカナダの通貨ですが、皆さん見たことがありますか？　このプラスチックの青色の5ドル紙幣と赤色の50ドル紙幣は、どっちのほうが価値があると思いますか？　価値があるのは50と書いてあるほうだと思いませんか？　幅も長さも一緒で、ただ違うのは色と、数字に0があるかどうかだけですね。

さっき、「カネ」は概念と言いましたが、これはただの紙切れで、先にお見せした2枚の白紙と同じことです。トイレットペーパー2枚にそれぞれ「カネ」と書き、1枚をクシャクシャにして、どっちのほうが価値があるかと聞かれると戸惑うと思います。これも同じことなんです。

では、ここに2枚の銀貨があります。1オンスと2オンスです。2オンスの銀貨は幅もあるし、実際重いんです。だから、これは実体としてどっちが価値があるか、わかりますよね。だけど、紙幣は完全にただの紙切れであり、概念にすぎないというのはわかりますよね。

キーワードはBills of Exchange（ビルズ・オブ・エクスチェンジ、荷為替手形）です。例えばカナダでは、Bills of Exchangeについての情報が、堂々と政府公式サイトの法律のページに掲載されているんです。

簡単に言うと、1枚の白紙に一定の情報が記載されていれば、それだけで「カネ」になるということです。

1枚の白紙が「カネ」として認識されれば、それが本当に「カネ」になってしまう。何でもありということです。このカラクリを知ったとき、私は愕然としました。何のために働いているのか！「カネ」のために人生を無駄にした人がどれだけいるのか！そう考えたときに、ほんとにやる瀬なくなりました。

支配者は、私たちには「カネ」がないと生きていけないと思わせ、「カネ」が全てだという世界を見せ、実際には存在しない「カネ」を追わせ、その負の金融システムを悪用して金持ちになった。

インパワーのＮｏＬは、それを逆手にとって編み出されたやり方なので、支配者がＮｏＬを受け取ると逃げ出すのは、そのシステムをよく理解しているからです。

――プロセスはわからないですけど、何か足もとが崩れていくような感じですね。

リーシャ　そうなんです。要するに、「カネ」というのは「ない」のに、私たちは「ある」

と思っているでしょう。日本でも、1万円札を手にするとありがたいと感じると思うんだけど、実際は存在しないはずのもの。支配者たちは、存在しないはずのもので資産をつくってきたわけで、それを私たちは回収しようとしているんです。

そうしたら、「カネ」の根本が崩れるので動けないですよ。連中は「カネ」に物をいわせているから。ピラミッドのトップのすぐ下の人たちがパペットでいろいろやっているわけです。ジャスティン・トルドーとか、日本なら岸田首相とか、そういう人たちは相当な「カネ」をもらってやっている。でも、それも契約なんですけどね。

払う「カネ」がだんだんなくなってきたら、回らなくなりますよ。それがその仕組みなのです。その仕組みがわかるのに私も時間がかかりました。

――要は、公的ポジションにいると、この戦いをやらないといけなくなってしまうんですね。そうすると、プロセスはわかりませんが、いろいろまずいことになってきてしまう……。そこから抜けると表ざたにはなりづらいけれど、表舞台での戦いからは逃げられるようになる。それで逃げちゃうということなんですか。

リーシャ そうですね。一番は自分の資産を守りたいんじゃないですか。相当巻き上げているでしょう。びっくりですよ。

神 トルドーが離婚したのもそれかもしれない。離婚して相手に資産を保存してもらう。

リーシャ　突然離婚したことになってますが、あれも実は資産を分散するための策でしょう。実際に不仲とか、そんなのはわからないですよね。本当はちゃんとしたファミリーかもしれませんよ。ジャスティン・トルドーのそんな変な動きもＮｏＬの効果と見ています。

――せっかく忠誠を誓っていい思いをしているのに、それができなくなりそうだということですね。

リーシャ　本当にヤバいと思ってるんじゃないですか。わかっている人はとっとと辞めるでしょう。今現在（２０２３年９月25日から８週間）ワールドワイド・ウェイブを実施中で、それはＮｏＬを世界で一斉に送るというインパワー初の試みです。９月25日から始まって、私も参加中です。

中には、やりたいけど、尻込みしてなかなかできないメンバーもいるので、そういう人をサポートするために、企画されました。２回目はより大規模に年明けの２月24日に実施する予定なので、その時までに日本在住メンバーがふえて、日本版ＮｏＬが送れるようになれば良いのですが。もしやるとしたら、日本の中で誰に一番送りたいですか。

神　やっぱり岸田首相かな。

リーシャ　その場合、岸田首相に対して送る理由が要りますよね。単に嫌いだからという理由で送ることはできません。ワクチンを推奨しているとか、５Ｇ導入にかかわっているとか、インパワーの4つの理由であれば、何でもいいんですよ。日本ではスマートメーターはあるんですか？

神　ほとんどの家にありますよ。

リーシャ　スマートメーター、5G、またはワクチンをどんどん推奨しているという証拠があれば、それをスクショに撮って、証拠としてつける。それをサポートチームに送り確認を取ってもらいます。岸田首相のほか、あとは誰がいますか。都知事とか。

神　河野大臣とか。ワクチンはやめましたよね。

リーシャ　やめた人には送れません。昔じゃダメ。現役でないと。

――まだやってます。送ったらどうなるのですか？

リーシャ　送ったら、多分わかっている人は辞めるでしょうね。辞任です。

――今、日本の首脳陣なんかはほとんどアメリカからの命令でやっているようなものでしょう。日本の場合は傀儡だから、それらをどうこうしても、あまり問題解決にならないと思う。さっきリーシャさんが話をしていたおカネの問題なんかは、皆さんほとんどご存じだと思います。日本は通貨発行権を持っているので、基本的に税金を取るというのは、国民のおカネをなくすということをずっとやっているんだと思います。例えば日本が株式会社なんていうのは2009年か10年ぐらいのときからずっと言っている。ニューヨークに住んでいるお友達なんかも、時々日本に来るけど、彼らのようにアメリカの公民権から抜けて、地下で活動する方も結構おられる。

――おカネの仕組みから何からほんとにインチキなので、税金なんて二度と払うもんか。何でもやめたほうがいいね。

リーシャ　アンディ・カウフマンはメディカルだけじゃなくて、そちらの方にも詳しいです。所得に対して課税するのは違法ですよ。

神　アメリカでは所得税を規定する法律がないんだよね。課税していいとは書いてない。

リーシャ　そこが逃げ道ですよね。日本はどうなんでしょうね。

神　日本がどうなのか、法律で調べないといけない。

リーシャ　支配者側に乗っているからこそ、トップの傀儡、パペットたちはわかっているはずですね。なので、そういうパペットを対象に送る。実際にオーストラリアを見たら、すごいですよね。知られている人物なので、ダン・アンドリュースの名前を出しましたけど。

神　辞めても、ＷＥＦ（ワールド・エコノミック・フォーラム）やＮＡＴＯの要職についたりしていいます。オランダのトップも突然辞めて、ＥＵだったかＮＡＴＯだったかの重職についたりしている。ただ、何故辞めるのかがわからない。そういうケースがヨーロッパでも結構たくさんあるんです。ＮｏＬの可能性がありますよね。

リーシャ　その可能性はあるでしょうね。全ての辞任がインパワーによるものとは限らないけど、ヨーロッパのメンバーも非常に熱心です。

ヒューマン・サクリファイス

神　一般的な話に戻すと、文書の力はすごく大きいんですよね。学校からマスクをするように言われる。しないと通えませんよと言われたら、それに反対する文書をつくればいいわけですね。マスクはこれだけ害悪があるということを読みましたか、理解しましたかと、署名をとる。それを強要する理由は何か、それを強要するのは法律違反だから慰謝料を払え、そういった文書をつくるだけで形が全く変わってくると思うんですよ。

リーシャ　日本の場合はそちらのほうを優先してやるべきかな。実際に日本でＮｏＬを送るとなると、ハードルが高いと思っていた理由はバイブルですね。ＮｏＬの文書には、スピリチュアルな内容が盛り込まれている。例えば先ほど触れたウォッチャーもあります。エンジェル（天使）には、いいイメージがあるけど、弓矢を持っています。あの意味を考えたことはないですか。

神　キューピッドとか言ってだまされている。

リーシャ　誰かに対して何かをやるからでしょう。あんなにかわいらしく描かれているけど、弓矢を持ってどうするの？　という話です。先ほどのネフィリム（巨人）の話と同様に、「エノク書」に出てくる200人のエンジェルというのは要するにウォッチャーなんですよ。カルが言うには、ウォッチャーの3分の1は悪い方についていて、3分の2は善い方につくのだそうです。そういう意味でも安心していいと彼は言っている。

そして、最終段階になったとき、ワクチンを打ってしまったことを後悔している人もたくさんいて、最初は私たちのことを陰謀論者とかバカにしていたような人たちが私たちになびいて、ものすごい数の人たちがドドドーッと来る、とも。私たちが健康そうに見えて、生き生きしていて、どこ吹く風で楽しそうにしているのを見て、何にも言わない人も、実は羨ましいと感じているかもしれませんね。

神　ワクチンに関して、病人だけを対象にしているんじゃなくて、健康な人にも打つので収益が桁違いだから、ワクチンを推奨するのはわかる。健康な人をそんなに病氣にしてどうするか。ちょっとずつ悪くなるならいいんだけど、今回のワクチンはすぐに死亡したでしょう。遅効性のほうが多いけれども、1カ月以内に死亡した人がいる。

――ファイザーなんか、今ステロイドを出さないように絞って、じわじわ死亡に至らせようとしています。ステロイドなんか出ませんよ。ワクチンの被害で一番最初にステロイドをやるのに、そのステロイドをなくそうとしているんですよね。

神　普通、羊とかを飼っているんだったら、なるべく長く生かして、たくさん毛を刈ったり、たくさんミルクを搾ったほうがいいわけですね。なのに何で殺すのかというのは、今回は、未必の故意ではありませんが、そんなに生産体制が整っていないのに慌ててつくったから悪いのが出てるという説があるわけです。それで障害が出てきている。本当はそんな障害をつくるつもりはなかったということを言っている人もいる。何でもいいからつくって、ずさんなことをやっているから死ぬだけであって、殺すような目的があるはずはない、それは陰謀論であると。ワクチンの害をよく知っている人でも、新薬はそうやっていつも慌ててつくってゴリ押しして、効かないものを「効く」と言っているだけで、たまに障害が出る。ワクチンの障害を認めている人でも、たまたまだと言っている人が結構いるんですよ。

私は、何でそんなに羊をすぐに殺しちゃうのかな、人口削減の話とかも何でかなと思ったけれど、バイブルに書いてあるわけですね。つまり、ヒューマン・サクリファイス（人《ひと》身御供《みごくう》）をやることによって、彼らの力を得るわけですよね。

リーシャ　正規の情報も適当に出す。それをしないとダメなんです。

神　ワクチン被害があるとか、そういう正しい情報も出すようにしている。

リーシャ　正しい情報も盛り込まないといけないんでしょうね。それは一般的な世の中に対することだけじゃなくて、スピリチュアル的にも言える。何であんなに残酷なことをする支配者がまともな情報を出すのか、と不思議に思うことがありますよね。それは神と契約を結んでいるので、神に対してウソをつけないのです。

今回のいわゆるパンデミック自体も、ほんとはもう少し遅らせたかったけど、焦ったと見ることもできますよね。支配者は頭がいいようで、実は頭が悪いと思うんですよね。つまり、共感力がない。

神　持っているソウルが違いますからね。

リーシャ　例えば私たちは人の氣持ちがわかるとか、氣を送れるとか、瞑想できるとか、そういうのができるけど、支配者にはその点が欠けている。

例えばワインのうんちくを垂れるときに、色味について表現する場合、英語でhueという単語がありますが、意味は「色合い、特色、傾向」などです。それをhumanという当たり前のようになっている単語で見てみると、hue of man、つまり、「人ではないが、人のようなもの」となります。

神　人の影とか、人のようなもの、そういう感じ。

リーシャ　傾向があるみたいな（のは、支配者のことなのでしょうけど）。ひところは、人間を指すときにmen and wemen（メン・アンド・ウィメン）と言っていたんですね。それがいつしかヒューマンという言葉になって、ヒューマニティーとか、ヒューマン・ライツ（人権）とか、そういう話にもなっているのは、話を少しずつ自分たちに有利なほうに持っていっているのでしょうね。

神　ちょっと関係があるのは、小麦とかコメとか、主要な作物とされているものは天から教えられているという伝承しかないんですよ。そこら辺に生えていたのがよかったから使い始めましたというような伝承はなくて、必ず天の御使いとか、そういったものから得ている。

それで考えると、小麦に関しても、あるとき突然、世界の全ての大陸でつくり始めたり、コメも、日本の伝承もそうですよね。神から与えられたものだったり、殺された女神の体から出たり、神がかった天からの贈り物みたいな伝承しかないというのも何かおかしい。農耕に関しても飛躍がある。この飛躍が同時期に起こっていて、その伝承が残っているので、何人かが、「これ、なんかいいんじゃない？」と言って栽培し、だんだん広まっていくというのとはどうも違うと。

リーシャ　いわゆる「進化論」と似てますよね。

神　突然何かがあるというイメージです。リーシャさんは「画策者」とおっしゃるけれども、そういった存在があるということを踏まえた上で、歴史とかを見直したほうがいいと思うんですね。まあ、バカにされますけどね。

――これから残っていく人や助かる人については、バイブルではどういうふうに書かれているのでしょうか。

リーシャ　助かるのは「真実を求める人」ですかね。つまり、今日ここにいる人たちだと思います。

――そういう人たちがこれから神様とつながっていけるということですか。

リーシャ　私の理解はそういう感じですね。今回のことで言うと、ワクチンを打っちゃった人でもなびくというのは、おもしろいなと思います。最初はキツネにつままれるというか、何でバイブルのとおりなんだと疑問に思っていましたが。

神　支配者は、そのとおりやろうとしているもんね。

リーシャ　ただ、グローバル・リセットに関しては、支配者側のやり方のリセットではなくて、私たちのやり方のリセットができますよね。その1つとしてＮｏＬは多大な力を発揮すると考えています。他にもいろんなやり方はあると思いますが、ＮｏＬは即効性があるでしょうね。私は中に入っているから実感しているんですよ。どんどん辞めるでしょう。

すごいな、また辞めたよ、みたいな感じです。だから以前とは違い、今は私は楽観しています。

監視下に置かれるデジタル通貨社会

神　デジタル通貨になって全部監視されるということですが、CBDC、つまり中央銀行のデジタル通貨は技術的になかなか難しいみたいです。なので、今ローンチしているところで実際に使っているところも、普通のおカネと並行してやっている。

今ローンチしているところは全部、カリブ海などの小さな島国です。そういうところで実験している。人口も少ないし、経済規模も小さいからできるんです。紙のおカネも併用している。これを広げようとしても、「嫌だ、こんなのはやらない」と言った国が2つあるんです。

日本では、実験するのは2026年ぐらいかなみたいなことを言っている。電氣がなくなったときにオフラインでも使えるようにしないといけないから、今はその準備と研究をしている段階なんですよ。

アメリカもあまり進んでいないですよね。

リーシャ　アメリカも進んでいない。びっくりするのは、私はカナダに戻ったら紙幣は使えないと思っていたんですよ。ところが全く問題ない。最初に「Do you accept cash?」と聞いたんです。そうしたら、多くの場合、現金の方が歓迎されるほどです。

神　というのは、１つは手数料が高いんですよ。何％か取られる。今クレジットカードも３％か５％か取られる。デジタルカレンシーも、導入時点ではゼロ％でも、そのうちだんだん手数料がふえていくわけですよ。最初は５％だったら、１００万円のものを売っても95万円しか手元に残らない。５万円取られちゃう。それがいつ７％になり、いつ15％になるかわからないんですよ。

デジタルカレンシーを使うときに必ず機器が必要で、それを使用するときに手数料を取られるので、そういうことで経済規模が縮小するという予測まで出ている。

だから、監視するのはいいんだけど、そのついでにカネもかすめとろうとすると、嫌だという人が増えてくるわけですね。

中国は全部電子マネーという報道が多かったんです。確かに現金を使わずに生活しようと思うとできる社会になっているんです。私の友達は、多分東京より人口の多い四川省の成都に行きましたが、現金を普通に使うことができたようです。そういう大きな都市は全部デジタル通貨なんだろうと思っていろいろ用意していったようですが、問題なく現金が使えたとのことでした。デジタル通貨は手数料の問題でなかなか流行しない。事業者であってもやりたくない人が多い。それが広まらない理由の1つ。

もう1つは、アンダーグラウンドの方々が困るんです。デジタル通貨で全部透明になっちゃったら、ヤクザが脅してみかじめ料を取っていると「あなた、これだけ収入がありますよね。所得税を払ってください」と言われてしまうのです。

中国はマフィアの力がすごく強くて、日本でもヤクザのショバを荒らしている。これは東京にいる方はよくご存じだと思うんですけれど、それだけ強い黒社会があるとデジタル通貨だけでは無理で、(現金を) 残さないといけなくなる。

「政府の言うとおり正直に生きていきます」という人が全部監視下に置かれて、デジタル通貨につながっちゃうんだけども、そこで反抗するためには、デジタル通貨は嫌だからキャッシュでしか受け取らない、キャッシュでやるとこれだけお得ですよ、そういう商店がふえてくる可能性もあるんですね。

だから、そういう流れをつくるとか、これで楽しくやろうよとか、ポジティブな波動を広げていくのがいいのかなと思いましたね。

BRICSの話は後でリーシャさんにしてもらいたいんですけど、BRICSでデジタル通貨をつくると言っているんですが、テクニカルに詳しい方によると、BRICSのデジタル通貨はまず無理だということでした。というのは、1国でもデジタル通貨ができていないわけだから、それを20カ国とかでやろうとすると、大変な作業になる。それはデジタルテクノロジーで解決できる状況ではない。そこも恐怖を取り除いて、大丈夫、現金でいける！　みたいな氣持ちになると大丈夫かなと思います。

現在、先進諸国とＢＲＩＣＳは意図的に別の経済圏に分けられていますが、ＢＲＩＣＳに対する幻想について、リーシャさん、お願いします。

世界の動き、資金の流れ

リーシャ　さっきのウイルスとかスパイクタンパク質の話と同じで、大元がわかっちゃっているので、正直、見てないんですよ。いわゆるウクライナ情勢とか、ああいうのは全部ショーだとわかっているし、今度はイスラエルか、と。確かに現地で被害に遭った人はお氣の毒です。

私は、情報は極力、1次情報とか2次情報とか、オリジナルに近いところから取ろうと努力しています。しかし、いろいろ見ると、昔の画像を使い回したりしていますね。そういうのがわかってくると、どうでもよくなるんです。

神　ウクライナ戦争が始まったときも、最初にいろんな識者がいろんなことを言っていました。そのときは情報の統制があまりとれていませんでした。そこで何を言ったかといったら、ウクライナが勝つわけがないと日本ではみんな言っていましたよね。国力も、軍事力も、兵隊の数も、テクノロジーも、全然違う。

みんなが言っていたのは、電氣系統、通信系統を全部破壊して、制空権をとっちゃえば、そっちが勝ちということです。ロシアはすぐそれができるのに、やってないじゃないですか。ずっと引き延ばしてるんですよ。もちろんNATOがたくさん武器を送ってウクライナに戦争をさせている一面もあるけど、ロシアもそれに乗っかって、長引かせて、その間にBRICSを大きなものにしていく。そしてペトロダラーのシステムをなくす。

こういうシステム変更をなぜするのでしょうか。これはグローバル・リセットですよね。なぜやりたいかといったら、西欧社会の企業が牛耳っていたが、成長の限界が見えているからです。もっと成長するために、いわゆるグローバルサウスに資金を移すために分断をしていて、BRICSはすごいよと言って、資金をいっぱい導入しようとしているわけですね。

これはいつもそうで、発展し切ったところでは5%ぐらいしか実入りがない。しかし、発展途上国に投資すれば30%、50%返ってくるということで、今、世界を挙げて資金の流れを変えているだけの話です。そういうところも見たほうがいいですよ。そうすると、プーチンはすごいとか、インドのモディさんはすごいじゃないという単純なものではなくて、今世界はこういうふうに動いている、こういうふうにコンフリクトをつくって分断させて、資金の流れを変えていって、こっちでもっと儲けようとしている、ということが見えてきます。

核爆弾は世界を恐怖に陥れるための捏造

リーシャ　私はプーチンについては、オイルは無限だとわかったときにピンときましたね。水もオイルも無限ですが、原子爆弾や核についても……。

神　核爆弾をどうやってつくっているのか。空から落として爆発する核爆弾というのがあるかというと、ほとんどないだろうなという感じですね。

リーシャ　捏造でしょうね。

神　つまり、核爆弾は運べないんですよ。宇宙線に反応して爆発しちゃうので、緩衝材を入れなきゃいけないんだけれど、それには水が一番いい。水で20キロのものを包もうとすると、2トンとかになっちゃって、船じゃないと無理なのです。

主流の解説にのっとって言っても無理です。その後で核爆弾の実験はいっぱいありましたけれども、全部地上とか地中とか水中爆破であって、空から落としているのはないんですよね。

リーシャ　空から落としたように見せているんですね。

——では、どうして広島は地面に穴があいていないんですか？　現地に見に行ったことありますか？

リーシャ　はい。

——あんなに地中でボンといったのに、どこも掘れていませんよ。

神　クレーターができていないということでしょう。

リーシャ　核爆弾を落としたんじゃなくて、そのころ使っていた通常のナパーム弾（焼夷弾の1種）とマスタードガスであのような状況をつくり出せるようです。

神　原爆症というのも、ほかの毒物でも発症させることができる。遺伝子に関してはどういうふうに受け取っていいかわからないけれど、遺伝子の損傷もほかの毒物でも起きるから、あれだけのナパーム弾を落とされたベトナムでは奇形児がいっぱい出てきている。

リーシャ　『HIROSHIMA REVISITED』という本を執筆したマイケル・パーマーというドイツ人がいます。彼は医師で、スチャリット・バクディの研究所で長い間、研究していた科学者でもあります。彼はドイツを去って、現在カナダのオンタリオ州在住です。今回の騒動になって、マスクから始まって、ワクチンも絶対打たないということで、教職を追われたんです。

『HIROSHIMA REVISITED』は最近、ドイツ語版も出ました。彼が英語とドイツ語ができるからでしょうね。相当リサーチしたと思います。彼によると、私たちが教えられてきた広島と長崎での症状は、ナパーム弾とマスタードガスによってでも起こせる、と。

――それでキノコ雲ができるのですか？

リーシャ　画像も多いと言ってましたよ。

――閃光とか爆風はそれでは説明できないのではないでしょうか。

リーシャ　まだ全部を読んでいませんが、それについても（本の後半に）詳しく書かれていますね。

神　読んで、技術者とかエンジニアの観点からまた反応していただけるといいと思います。

私は原爆症についてずっとおかしいと思っていたことが2つある。

1つは、カウワンも言っていたけど、犠牲者の影が木の壁とかに焼きついて残っているわけですね。だけど、そんなに強いものだったら、何で木の壁も一緒に燃えないのかという疑問です。

もう1つは、原爆が爆発したときに、外にいなくて、壁1枚、日本の木と紙の家の中に入っていたから助かったという人がいるんですよね。それで70歳とか80歳とかまで生きている方が結構いらっしゃる。原爆症というのはそれなりにあるんだけれども、家の中にいたから助かったという人がいる。そんなに放射能をまき散らされたんだったら、たくさん吸うだろうと思います。最初にヤケドはないかもしれないけど、その後、放射能で臓器が全部ダメになって死んでしまうだろうと思うわけですよね。だから、何か変だなと思っていたんです。

爆風とか閃光とか、ピカドンというから、絶対光っているわけですよ。光っているのをみんな見ているわけだから、パーマーさんの本をちゃんと読んで何が光っていたのかを知る必要がある。

リーシャ　パーマーの本の中にエビデンスがたくさん載っています。とても分厚い本なので、全部読むには時間がかかりますが、もう一冊、Akio Nakatani という人が英語で書いた『Death Object』と言う本があるんです。カウワンが勧めていたので、私はそれを入手しましたが、そのp．10に神さんが指摘した「犠牲者の影が木の壁に焼きついて残っている」写真が掲載されています。

神　地上爆破に関する本は、ヒカルランドさんで1つか2つ出版されていますので、どうぞお買い求めください。

あとは、他社から、『原爆と秘密結社』という平和教育協会というところが翻訳している本があります。経歴から見るとちょっと怪しくて、コントロールオポジションじゃないかなという疑問がありますが、元米国陸軍の情報将校の話や、秘密結社の話が全部出ていて、それが原爆とつながっている。やっぱりヤラセなんです。

人類を破滅させるような兵器ができたということを世界中に知らしめる必要があったんですよね。核爆弾のことで同盟国がまとまったり、持っているだけでほかの国が委縮してしまう。これは呪いと同じだから、「すごい兵器を持っている」と言っている人と持ってない人が同じようにこれは怖い兵器だと信じたら、それで成立しちゃうんですよね。

日本製のｍＲＮＡワクチンをアジアにばらまく計画

リーシャ　例えば月面着陸とか、今おっしゃったような核爆弾とか、そういった壮大なウソで圧倒する。小さい目に見えないウイルスを「ある」と言って脅す。結局手法は同じで、脅し作戦ですよね。心理的に怖がらせる。

――これから日本にｍＲＮＡの工場が乱立し、独走してワクチンを打ち続けている状態です。お二方は、この日本の状態をこれから先どういうふうに見詰めていらっしゃるの。

リーシャ　私が今カナダから日本を見ていて心配だなと思っているのは、情報がかなり遅いことです。それは仕方ないのかもしれません。というのは、翻訳したものを見る場合、どうしてもタイムラグが生じるからです。私もできる限り早く、翻訳してツイッター（現・X）に投稿しようとしていますが、手いっぱいです。あと、論文を読めない医師が多過ぎる。論文とまで言わなくても、英語をもう少し理解できれば、それがいい意味での武器になると思いますね。

神　ただ、mRNAワクチンを日本でつくってアジア全体にばらまこうというのが計画の一部なのは間違いないので、どんどんつくるでしょう。

それから、はしかだろうが、ジフテリアだろうが、全部mRNAに置きかわりますよね。インフルエンザもそうだけど、これに対するワクチンをつくるにも前は卵を使っていたわけですね。卵の値段が高くてコストがかかるので、安くしたい。これからは「mRNAが入ってます」と言えばみんながそのワクチンを信じるようになります。そして、簡単につくれるやつにして、大量供給できてよかったなどと言うようになります。

それを信じ続ける人はしようがないです。私の周りには私を含め10人の教員がいて、私はワクチンを打っていません。9人は打っていて、そのうちの2人は3回目で脱落したんですよ。はっきり言わないので、ほかにも脱落した人はいるかもしれないんだけど、打ち続けている人は、私が知る限り2人いるんですよ。多分7回目もやるという人がいると思います。

やめた2人は、3回目の副反応が強過ぎた。こんなのを毎回やるのはバカバカしいということで、もう打たないそうです。インフルエンザも、「そんなの打ってもどうせかかるときはかかるでしょう」みたいな感じになっているんですね。こういうように「ワクチン嫌だな」という人はふえてくると思う。

リーシャ　ふえてくるんじゃないかなと思いますね。私は、日本の状況を心配はしているけど、大きな意味で世界全体で見るとどちらかというと楽観していますかね。

神　あと、飽きちゃう（笑）。私はオミクロンで止まっているんですけど、何株、何株と、今はEG・5（通称エリス）とか出てきて、結局そんなたいしたことある？　みたいになって、だんだんとあまり氣にしない人がふえてくる。

リーシャ　そんなもんですよ。

神　人間っていいかげんですよね。最初は三重マスクをしていた人も、別に一重でいいんじゃないとか、人が来るときだけとか、あごマスクでいいみたいになってきて、今ほとんどの方が外しているわけですよ。

リーシャ　今回日本に来てびっくりしたのは、マスクを外している人が結構多いということです。

神　マスクをしているのは2割くらいですよね。

リーシャ　これはすごいと思った。いわゆるパンデミックの最中、私は日本にいましたけど、夏中みんなマスクをしていましたからね。飽きるというのはあると思いますよ。支配者は頭が悪いなと思うのは、同じようなシナリオばかり出してくるでしょう。おもしろくないとかじゃないけど、飽きるというのは大きいと思うな。

カナダなんて、マスクの強要であんなにひどかったエアカナダが何にも言わなくなりました。私が5月に来日した際、「感染症対策のために、他の乗客に迷惑をかけないように一応マスクはしてください」と、やんわりアナウンスしてましたが、今回はそんなことは何にもなかった。

神　日本人は、子宮頸癌ワクチンが喫緊の課題のような氣がするんです。

リーシャ　それはカナダでも男の子対象に推奨していますよ。メチャクチャです。

質疑応答②

神　質疑応答に入ります。

――世界中で約80％の人が今回のワクチンを打っています。特に若者も打っていて、スパイクタンパクの毒が男性も女性も体にたまる。そうすると、出産できなくなるカップルがこれからどんどんふえるんじゃないかと疑問に思っています。mRNAがDNAに組込まれて、人間でなくなって子どもが産めなくなったというのではなかったら、解毒をどんどんしていって体にたまっている毒を出していけば、もとに戻り、ちゃんと子どもが産めるような若者になると思っていいのでしょうか。楽観していていいのでしょうか。

リーシャ　どんな毒が入っているかにもよりますが、ちゃんとした解毒をやったつもりでも、完全に除去できたかどうかはわからない。私もいろんな波動機器を持っていますが、本当に解毒できたかどうかはわからないです。

何が指標になるかといったら、自分の体調ですよね。元氣かどうか。朝起きたときに、寝たはずだけどしんどいのはなぜか？　それは睡眠の質が問題なのかもしれないですけど、ひょっとしたら何か別の問題があるかもしれない。その問題が何なのかと考えたときに、有害物質が体の中に入って、排出し切れなくて体調が悪いのかもしれませんし、（ネガティブな）感情や考え方によるものかもしれません。

私は、ある程度きちんとした解毒をして、日々毒を入れないように心がければ、体はかなりのレベルまで戻ると考えています。

神　私もそう思います。添加物の入った食物をとり過ぎなので、そういうのをやめて解毒に励む。私は砂浴はすごくいいと思っていて、まだやっていないんだけど、やりたいと思っています。指宿《いぶすき》とか砂浴の施設は、いっぱいありますね。あとはベントナイトクレイとか、ひまし油を飲むとか、いろんな解毒の方法がある。

リーシャ　コリアンダーやパセリはキレート作用があるので、有害重金属の解毒に使えます。ポイントは有機栽培のものを摂ることです。レストランなどでは使い回ししているから食べないほうがいい、というよりも、むしろ有機栽培かどうか、生産者がどのような土を使って、どんな水をあげて育てているかのほうが重要なんです。それは、キレート作用によって、土壌に有害重金属が含まれている場合、それも取り込んでしまうからです。

体内の毒を排除するためにそういうものを摂っているのに、もともと毒をいっぱいためたものを体に入れたら本末転倒ですよね。コリアンダーとパセリに関しては氣をつけてください。解毒には、ベントナイトクレイや、モンモリロナイトもいいですね。

手軽に解毒ができることからＤＭＳＯを特にお勧めしたいのですが、純度１００％のものは、日本ではなかなか手に入らないと思います。ＤＭＳＯはマツとは限りませんが、樹木のリグニン（植物の細胞壁の構成に重要な成分）が原料で、クラフト法（＝硫酸塩法）

によるパルプ・紙製造の副産物です。解毒はもちろん、痛み、歯や眼の健康、頭皮の問題など、用途はさまざまあります。

神　マツそのものもいいんですね。

リーシャ　究極の健康法は日光浴ですかね。カナダは日照量が少ない。私は家に太陽光を模した特殊な赤ランプを使ったサウナがあって、発汗量もすごいので、それで健康が保てているのかもしれません。

神　大人が解毒できるのだから、子どもだって解毒できると思います。だけど、そういうことに全然氣づかないで、インフルエンザワクチンを打ったり、アメリカでRSウイルスのワクチンが承認され、日本でも承認されたので、コロナ、インフルエンザ、RSの3つ打ちになったんですよ。そんなことをやり続けたらダメです。

リーシャ　それと、解毒によって若返ることもできると思います。

——ワクチンを打たないと決めた若者がその後、運命的な相手との出会いをした。でも、その相手がワクチンを打っていた。それで悩んでいるカップルを最近よく聞くんですけど、それはあまり氣にしなくてもいいですか。

神　解毒を勧めたうえで、運命の相手と結ばれたほうがいいと思います。

リーシャ　トム・カウワンは違うことを言いますよ。

神　未接種同士でカップルになった方が良いって言いますよね。

リーシャ　そうですね。彼はまず、接種しないのはなぜなのか、そこから話をしないといけない、と言っていましたよ。

神　それはそうだよね。

リーシャ　新しいペアではなく、昔からの連れ合いとの夜の営みができなくなったというケースがありました。それに関して私はカウワンに直接聞いたんです。彼の答えは、「そもそも考え方が違うでしょう」ということでした。

神　でも、若い人はわからないまま打っちゃっている人が多いから、考え方を変える必要があります。

――　教育するということですね。

リーシャ　お話しする。それは必要だと思います。

神　男性に関しては、ガールフレンドとか奥さんによく教育されていますよね。だから、それはあり得るかもしれない。

――　先ほどプーチンの話が出ました。そこでお聞きしたいのは、国際政治とか、あるいは世界の対立構造で画策者という話が出ています。今、国際政治だと、欧米対中ロみたいな対立構造があります。画策者というのは、例えば欧米の上のほうにいると考えて、それ対中ロという二元的な対立構造なのか、あるいは欧米と中ロが対立しているように見えても、その両方にあるいは、その上に画策者がいて、全体を操っていると見るのか。そのあたりについて、お2人はどういう見方をされているのか教えていただきたいのですが。

リーシャ　支配者とは、ロイヤルファミリーとバンキングファミリーだと考えています。「カネ」の操り方を見ていたら、そうかなと。実際に逃げている人たちを見ていたら、そうかなとだんだんわかってきた。

中ロに関しては、私がまだ日本にいる2021年に、それぞれの政府のサイトに全く同じ内容を出しているんですよ。

神　見ていました。結局、全部一緒です。

リーシャ　ほぼ世界的に全部一緒にやっている。さっきお話ししたように、それはもうちょっと下のレベル、個人のレベルで、怖がってやっている人もいるし、本当は抜け出したいけど仕方なくやっている人もいるし、知らないでやっている人もいるかもしれません。

神　中国は相当前から操られている国ですよね。

リーシャ　中国は派閥があるのでね。

神　派閥があるので、一筋縄でいかないように見えても、官僚制度とかでは、上の言うことを聞く一方で、権威を笠に着て下を従わせるのが好きな人たちが多いんですよ。なので、上意下達がわりとうまくいっている国です。

リーシャ　だから今回のセッティングに、中国が使いやすかったというのもあるでしょうね。あとはイタリアでシナリオをつくりやすかった。

神　食い込んで、本当に上のほうのパペットになっている人が昔から中国には多いと思う。宋家の三姉妹（宋靄齢《あいれい》、宋慶齢、宋美齢）は変だと思っていて、3人とも、財務大臣（孔祥熙）、孫文、蔣介石という権力者に嫁いだ。普通、あんなことはあり得ません。考え方が違う家に嫁がせるということも考えられないので、それは全部食い込むためなんだなと思いました。宋家はキリスト教徒なんですよね。

これだけちょっと言わせてもらっていいですか。宗派による対立というのは、ほかの宗教にはあまりないんですよ。かんかんがくがくの論争をしたり、宗派で対立するというのはもちろんあるんだけれども、人を殺し合うようなことを大々的にやった宗教はほぼないです。皆さんの中には仏教の方もいらっしゃると思うんだけど、日本は大乗仏教であり、上座部仏教というのは東南アジアの宗教です。上座部仏教と大乗仏教はどこが違うか、よくわからないと思うけれど、それでも上座部仏教は本当の仏教じゃないと言って攻撃をしかけて殺そうとか、そういうふうには思わないじゃないですか。

イスラムも、シーア派とスンナ派の対立をずっと言っている。跡目争いみたいなものだから初期は殺し合いもしているけど、違いは何ですかと普通のシーア派の人あるいはスンナ派の人に聞いても、「ちょっとよくわからない」という状況です。憎み合ってけんかするということは、国と国の争いでは起こるけれども、宗教ではあまり起きないですね。
その点でキリスト教はすごくおかしいです。世界の中枢にいて動かしている人たちの多くがキリスト教徒です。日本の日銀総裁の植田さんは調べてもわかりませんでしたが、これまでの歴代の総裁は、多分8割以上がキリスト教徒です。それもちょっとおかしいですね。渋沢栄一にしてもフランスのロスチャイルド系だし、坂本龍馬もグラバー、マセソン商会など、あの辺とつながりがあるし、何だかんだいって、結局キリスト教徒の秘密組織に牛耳られているところがある。それは中国もロシアも同じなのかな。
でも、ロシアはちょっとわからないところがある。プーチンが好きなわけじゃないんだけど、ロシアは不思議ですね。

リーシャ　バイブルにも最終的に共食いすると書いているから、今は一緒にやっているように見えるけど、自分たちが覇権を握りたいと思っている人たちがいるんでしょうね。
さっき中国のことで思い出しましたけど、周恩来はいい人だとずっと思っていました。実は違うと知ったときのショックはなかったですね。

神　周恩来はいい人キャラで通ってますよ。

――話を戻すと、中ロの中にパペットみたいな人たちが食い込んでいた、歴史的に傘下に入っていたということもわかるんですが、個人的にはプーチンとか習近平はその枠組みからちょっと外れているのかなという印象を持っています。そのあたりはお2人はどのように考えていますか。トップから全部、画策者のもとに入っているのでしょうか。

神　一枚岩にならない。中国は無理ですよね。

リーシャ　プーチンはWEF（ワールド・エコノミック・フォーラム）でジャスティン・トルドーと同じレベル、マネージャークラスというか、その部分を見たら、プーチンは、何だこんなのかと思いますよ。

――画策者のもとに入っているんじゃなかろうかと。

リーシャ　ちゃんと教育されてますよ。

神　習近平はそうかもしれないけど、中国は一枚岩ではないから、ちょっとわからない。ロシアもそうだと思う。

リーシャ　ロシアもそうでしょうね。

神　中国の大躍進政策とか、あのあたりを見ていると、今ワールド・エコノミック・フォーラムが言っていることそのままなんですよ。つまり、家族を破壊して、ごはんも各家庭ではなく、集団でつくって、集会所みたいなところで全員で一斉に食べなきゃいけない。

ノルマを超えた人しか1人分のごはんがもらえなくて、ちょっと働けなかったら半分になっちゃう。子どもたちも早くから親から引き離して、男女とも働かせて、子どもは洗脳教育するとか、そんなことをやっていた。相互監視になるんだけど、完全監視で家族を破壊させた。60年前にこのままやってたんだなと思ったんですけど。

――毛沢東も何らかの影響下にあったということですね。

神　そうじゃないとおかしい。もう1つは、大躍進政策の結果、何千万人死んだかよくわからないけど、飢えて死んだ人がいっぱいいる。そうすると、その後、普通は人口をふやしたいじゃないですか。だけど、70年代の終わりから1人っ子政策を入れているのです。それもおかしいんですよ。どうして人を減らすようなことをするのかな。隠しているみたいですけど、今、中国は人口減に入っている。昔から操られているなということです。

リーシャ　人口の数自体も本当かどうかわからないですからね。国連が公表している数字も実際に本当かどうかわかりません。

今改めて、大躍進政策がバカバカしいなと思うのは、よく親の世代からも聞かされたんですが、釘とかを集めてた、と。

神　釘を集めて製鉄する。

リーシャ　バカバカしくてしようがない。あれがまともに歴史の教科書に載ってるから学ぶわけですけど、そういうところからも、中国は昔からやっていたんだなと思います。

—— 今日はとても興味深く、ずっと聞きたかったお話を聞かせていただいて、ありがとうございます。

お話を聞きながらいろいろ感じることはあったんですが、逆にお2人が、今日聞いている私たちメンバーに、こういうものを持っていてほしいとか、こういう意識で何かをやってほしいとかいう思いがありましたら、聞かせていただきたいと思います。

神 これも話したけど、私や誰かを信じるとかじゃなくて、自分を信じてもらいたい。誰かが言っているから信じるんじゃなくて、自分で調べてわかった、自分はこう考える。その考えはみんな違っていて構わないんですよ。自分はこのように知って理解しました、だからこういうふうに考えます、だからワクチンは拒否しますとか、ワクチンは打ちますとか、それでいい。権威が言っている、メディアが言っているというので動くことはやめるということです。そういう人は多分この中にはいないんだけど、そういう価値観のほうがいいよということを、家族とか周りの1人1人に伝えていければいいと思うんですよ。つまり自分で考えたの？　と聞いてみてください。何回聞いてもスルーする人はしようがないんだけど、立ち止まって考えてくれる人もいると思う。自分で何を見たの？　何を考えたの？　どうやってその結論に行ったの？　という質問はしてみてもいいと思う。いろんな人から10回ぐらい聞かれると、ちょっと考える人が出てくると思うんですね。

――頭がよくて調べられる人はそれでいいけれども、あまり調べる力のない人は、自分の考えが間違ってしまうかもしれない。

神　調べる力がないのはしようがないですよね。

――情報収集能力が低い人たちをどうやって守ればいいでしょうか。

神　本は出ているだけで権威があるので、本を勧めるというのはいいと思う。サイトも動画もいいけど、人によりますよね。若い人だったら動画でいいかもしれないけど、年配の人には、こういう本があるよと勧める。自分を信じる、自分で理解することを勧めたいです。

――それを続けるということですね。

神　はい。

リーシャ　私は似たような感じなんですけど、自分の体を信じてほしいですね。ここにいらっしゃる人たちはいろんな情報を集めて実践されていると思うんですけど、笑顔は、それだけで場（フィールド）を上げるというか、よくする。例えば私がよくやるのは、マスクしている人とすれ違うとき、思いっ切り笑顔でニコッとする。そうしたら、結構笑い返してくるんですよ。マスクしていると、相当笑わないと、笑っているかどうかわからないじゃないですか。あっちもつられるんですよね。感染じゃなくて伝染というんですかね。それはマスクしてない人にもします。

笑顔をつくるというか、笑顔が無意識に出ると一番いいですよね。笑顔が普通になると、周りの人も寄ってきますね。それもさっきの見えない力、波動じゃないけれど、同じような感じの人が、同期するんですよね。怒っていたら寄ってこないけど、笑ってたらいい感じですもんね。そういう感じで、自分の体の声を聞いて信じて自信を持つ。そうすると、「何でそんなに健康なの？」と、必ず聞かれます。そこからしゃべれるようになったら、こういう本（『ワクチン神話　捏造の歴史』）があるよと見せる。

あと、サンライズとサンセットのウォーキングは必ずやります。自分の体をまず信じて何かをやる。例えばグラウンディングをやってみるとか、裸足で歩いてみるとか、冷たいシャワーを浴びるとか、何でもいいので、いいと言われていることを1つずつ実際にやってみるのがいいと思います。

――身近なところの話ですが、政府がゴリ押ししているマイナンバーカードは何を企んでいるのかな。

リーシャ　いい質問です。日本はすごく遅かったのでラッキーです。私がアメリカに住んでSSN（ソーシャル・セキュリティー・ナンバー）をもらったとき、アメリカに属したと思ってうれしかったんです。

カナダに移民して、今度はＳＩＮ（ソーシャル・インシュアランス・ナンバー）をもらいましたが、実際は奴隷紐づけナンバーですよ。日本もいつかやるのかなと思ったら、今ごろマイナンバー制度を導入し始めている。日本は印鑑を使うし、キャッシュレスが進んでいるものの、まだまだキャッシュが通用するし、マイナンバーに関しても、導入が遅かったというのはいいことですよ、支配者の思うつぼにはまるような監視ナンバーですから。

神　日本のマイナンバーも、何か嫌だと思っている人がいるのかな。

リーシャ　日本では結構多いんですか。

――２万５０００円とか２万円のエサにパクッと食らいついて、また戻ってくるとかありますね。

神　そういう人はいるんだけど。

リーシャ　カナダではほぼ全員が持っています。

神　マイナンバーは全員付与されている。だけど、銀行口座、保険証、運転免許証との紐づけがされてないんですよ。マイナンバーカードがあると、マイナ保険証といって、保険証と一体化することになっちゃったんだけど、それを１回やると後戻りができない。その人のデータが１枚のカードに入っちゃう。

だけど、その紐づけがうまくいってないとか、誤情報が入っているとか、そういうのがリークされているでしょう。マイナンバー制度で国民総監視社会はよくないと思っている人がもしかしているのかな、なんて思ったりして。

リーシャ　ないほうがいいに決まっているし、導入しないほうがいい。

神　これはダメでしょうとみんながわかったら、あっても使わなくなっちゃう。住基ネットとかもそうなんですよね。パスポートを申請するときぐらいしか使わない。

——ちょっと知り得た情報で、例えばマイナンバーカードをみんなが持つようになった後、なくしたら危ないよねということで、人体にマイクロチップを埋め込んだら万全でしょうという画策があると耳にしました。それと5Gを連動させて、何かあったらいっちゃえという情報もあります。

神　支配者はそういうのが好きだから、その計画はあるんじゃないかと思います。

リーシャ　やりたい（と支配者が妄想している）だけだと思いますよ。

神　マイクロチップを埋め込ませようとするのは、今はペットの段階でしょう。その後は、多分、認知症で徘徊する老人だと思うんですよ。そうすると安心でしょう。その後は、ある一定の年齢を超えた人全員になって、次は小さい子も全員対象になる。小さい子に埋め込んだら一生とれない、そういう方向で進むと私は予想しています。だから認知症の方に入れようという段階になったときに抵抗したほうがいいかなと思うんですよね。

リーシャ　今カナダの状況を見ていると、マイクロチップ云々というのは少し無理ですね。そこまでいかない。それは別にエビデンスがあるとかじゃなくて、実際、生活するなかでの観察では、支配者はやりたいんでしょうけど、全員にマイクロチップを入れるというのは不可能だと思いますね。

神　抜け道はあるのかな。

このあたりで終わります。今日はありがとうございました。

貴重な記録
Day 2
(2023年10月27日)

実は計画されていたコロナパンデミック

（スライド1）

リーシャ　私はSNSを好みませんが、促されてツイッターをやり始めました。今はXという名前になっていますが、慣れないですね。アカウント名は「purplepearl」です。もしよかったらフォローしてください。基本的には、海外の動画を翻訳して自分で字幕をつけたものを投稿しています。

（スライド2）

プロフィールを簡単にご紹介いたします。私の講演会に来てくださった方は既にご存じだと思いますが、私は日本に1年4カ月いて、去年の4月にカナダに戻り、今はカナダのブリティッシュコロンビア州に住んでいます。もともとは自然医療に携わっていましたが、今は翻訳業にフォーカスしている感じです。

自然療法に興味を持ったきっかけは、航空会社の客室乗務員として、体調管理の重要性を感じたことでした。そのころはオーストラリアに住んでいたのですが、9・11同時多発テロの影響により、勤めていたエアラインが倒産し、どういう身の振り方をしようかと考えていたところ、家族がいた関係で、カナダに移住することを決断したんです。カナダでは、慣れ親しんだエアラインではなく、中医学の学校に通い、鍼灸師の資格を得て、その他、操体法や波動療法、自然食による健康法などを勉強しました。

現在展開中のWorldwide Waveを主催するインパワー・ムーヴメントには、2020年に参加し、サポートチームメンバーでもあります。

また、元精神科医のアンディ・カウフマン医師をご存じの方がいらっしゃると思いますが、私は、彼がこの9月に立ち上げたTrue Living Fellowshipの創設メンバーでもあります。今後どのようにしてホンモノの生き方ができるかを考えるという志ある仲間たちが集まった組織です。

さらに、New Biology Curriculumはトム・カウワン医師が立ち上げたカリキュラムで、New BiologyというよりもReal Biology（ホンモノのバイオロジー）と言ったほうがいいかもしれませんが、ここでは、私たちが騙されてきた疑似科学・医学に留まらず、歯科学、歴史、金融、法律といった幅広い分野について学び直し、意見交換をします。私はこの第一期生で2023年10月11日に修了しました。

（スライド3）

さて、こちらのスライドをご覧ください。

Twitter - purplepearl

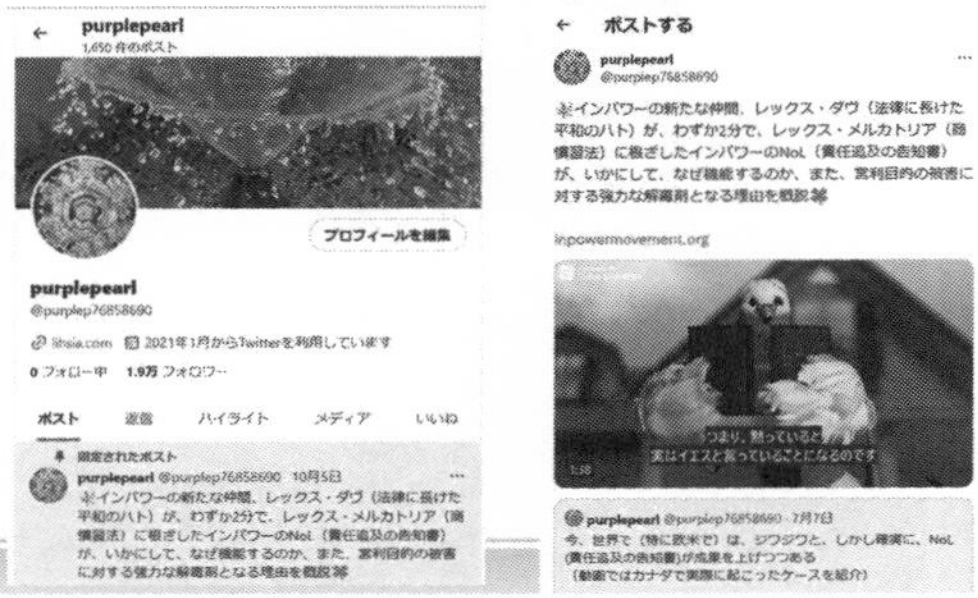

スライド1

プロフィール

- カナダ・ブリティッシュコロンビア州在住
- ナチュラルヘルス・コンサルタント＆翻訳者
- 航空会社の国際線機内通訳を経て客室乗務員
- 健康維持のため自然療法に興味
- 中医学を勉強し、鍼灸師の資格を取得
- 操体法、波動療法、食事療法
- カル・ワシントン共同主催InPowerメンバー（サポートチーム）
- アンディ・カウフマン医師“True Living Fellowship”の創設メンバー
- トム・カウワン医師“New Biology Curriculum”修了

スライド2

真実を追求すれば、やがて安らぎを得られるだろう
ただ楽を求めるだけでは、安らぎも真実も得られず
お世辞でうまく丸め込まれたり、希望的観測に流されたりして
結局は自らを追い詰めることになるのだ

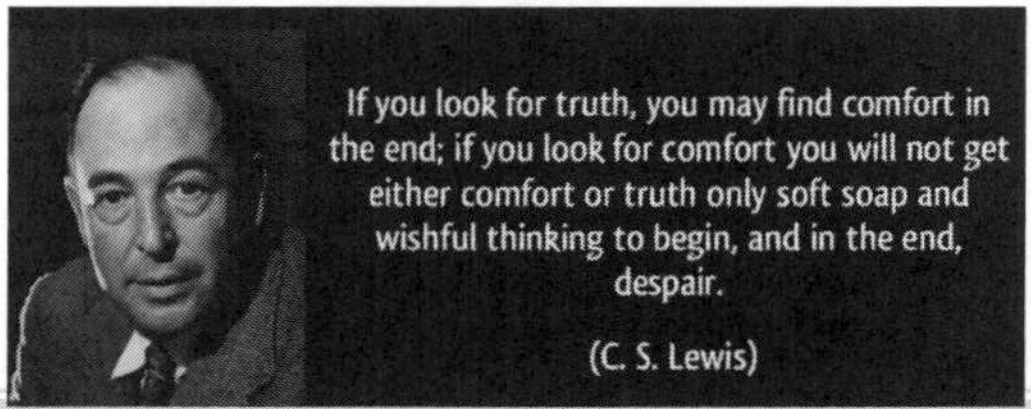

スライド3

「真実を追求すれば、やがて安らぎを得られるだろう／ただ楽を求めるだけでは、安らぎも真実も得られず／お世辞でうまく丸め込まれたり、希望的観測に流されたりして／結局は自らを追い詰めることになるのだ」

今日のお話しにピッタリなのでご紹介させていただきました。

（スライド４）

今日は、こういったテーマでお話ししようと思います。

・欺瞞に満ちた科学・医学・歯科学
・すり替えられた歴史
・私たちに隠された法律と金融システム
・ニューバイオロジーと真の健康
・手軽にできるデトックス

トム・カウワンのニューバイオロジーに対する考え方、どのようにホンモノの健康を目指すかというところをお話しして、最後に、健康維持や、デトックスの話もさせていただきたいと思います。

（スライド５・６）

まず、ここにいらっしゃる皆さんは「イベント２０１」をご存じですよね。

➢欺瞞に満ちた科学・医学・歯科学
➢すり替えられた歴史
➢私たちに隠された法律と金融システム
➢ニューバイオロジーと真の健康
➢手軽にできるデトックス

スライド4

Event 201

スライド5

イベント201

- コウモリからブタ、そして人に感染し、やがて人から人へ効率よく感染
- 深刻なパンデミックに至る新型人獣共通感染症コロナウイルスの発生をシミュレーション
- 病原体とそれが引き起こす病気は、SARSを大きくモデル化したもの
- 症状が軽い人ほど地域社会で感染しやすくなっている

スライド6

今起こっているコロナパンデミックという騒動は、実はプランされているということをお聞きになった方はいらっしゃると思います。

イベント201というのは、ビル・ゲイツなどがかかわっていて、2019年に既にシミュレーションをしているんですね。コウモリからブタ、そして人に感染し、パンデミックになったときにどのようにメディア対応するかという話を円卓でしている。イベント201についての情報は今でも削除されることはないので、英語ですが、もしご興味があれば、10分間の円卓会議の動画をご覧ください。この数年間のことがそのとおりに進められています。

（スライド7）

もう1つ、今回のパンデミックはシナリオが既にあって、これはロックフェラー財団が2010年5月に発表したレポートで、全54ページあります。

（スライド8）

特に18ページが非常に重要なので、時間がなければ18ページを見るだけでも、私たちが経験した、2020年3月からのロックダウンなど、いろんなことが全て事細かく書かれているのがわかります。びっくり仰天です。

私は2020年春にこれを見つけて、英語がわかる現地の人には、「時間がないと思うけど、易しい英語なので18ページだけでも見て」と伝えた結果、氣づきを得た人は結構多いのです。

「Scenarios for the Future of Technology and International Development」という文言を検索エンジンに入れたら、いろんな人がこの文書をアップしているので上がってきます。それをダウンロードする。私もそのようにしました。もしよかったらご覧ください。驚きの内容です。

（スライド9）

こんなのは後づけできるだろうと言う人がいますが、2014年の時点で、この2010年に発表された文書について説明している動画が存在するんですよ。

（スライド10）

また、「フレクスナー・レポート」というものもあります。これも、ロックフェラーがかかわっている医療文書です。これが世に出ることによって、大きく医療の流れが変わった。1910年ごろまでは自然医療と今でいう現代医療がせめぎ合っていて、どちらかというと自然医療のほうが民間には人氣があった。というのは、安いし、自然だし、何よりも治るからです。

ところがロックフェラーは、それでは儲からないという考え方から、策を講じて、AM

今回のパンデミック
全てここに書かれている！

Scenarios for the Future of Technology and International Development

今後の科学技術と国際開発のシナリオ

ロックフェラー財団が
2010年5月に発表したとされるレポート

スライド7

ロックステップ p.18（全54ページ）

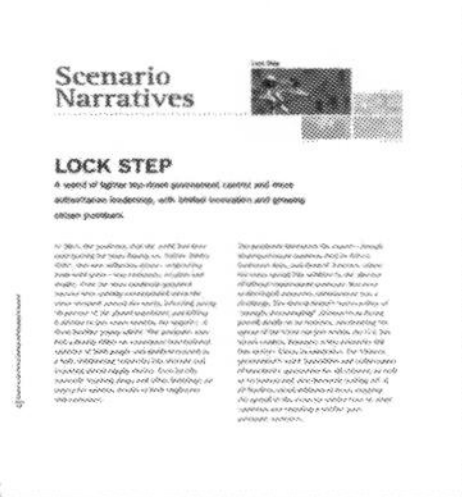

- **ロックステップ＝足並みをそろえる**
- **2020年にパンデミックが発生**
- **野生のガチョウ由来の新型インフルを想定**
- **中国政府の対策に「効果」**

スライド8

Harry Vox
ハリー・ヴォックス

- **調査報道ジャーナリスト**
- **2014年投稿のビデオ**
- **ロックフェラー文書について**
- **画像はロックステップ(p.18)について**
- **このビデオは何度も削除される**
- **これはオリジナル、アーカイブから**

Investigative Journalist Harry Vox Filmed 2014: Covid-19 is a Plandemic for Globalism & the Great Reset
by VoxNews

Publication date 2014-10-21

スライド9

A（American Medical Association　アメリカ医師会）を創設して、医師を自分たちで抱えて洗脳するというやり方で、まずこのレポートを出したんです。

（スライド11）

それが医学教育に及ぼした影響は多大でした。例えば、自然医療をやっていた医学部の50％が閉鎖、アフリカ系アメリカ人の卒業生も激少したし、女性の卒業生も大幅に減少した。いろんな面で悪い影響がありました。

「細菌仮説」は間違い

（スライド12）

こちらのスライドをご覧いただくと、ちょっと遡って19世紀の中ごろ（1850年ごろ）に、今、私たちが、「えっ、こんなのも」と思うようなものも発見されたことになっています。例えば遺伝学、進化論、細胞説、これは私から言うと細胞「仮説」ですね。細菌（病原体）仮説、精神分析（精神医学）、ビタミン、放射能とX線、ホルモンも、それまではそういう概念がなかったのに、突然このあたりからさまざまなことがポッと出てきた。

フレクスナー・レポート

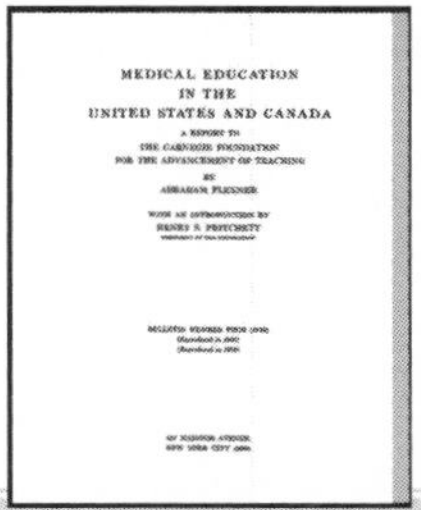
MEDICAL EDUCATION
IN THE
UNITED STATES AND CANADA
A REPORT TO
THE CARNEGIE FOUNDATION
FOR THE ADVANCEMENT OF TEACHING
BY
ABRAHAM FLEXNER
WITH AN INTRODUCTION BY
HENRY S. PRITCHETT

- 医療教育制度を乗っ取る目的でロックフェラーらにより考案
- AMA（アメリカ医師会）を創設し1910年フレクスナー・レポートを発表
- 製薬産業複合体による独占体制の基礎を構築
- それまで親しまれていた自然療法を排除、治療師らを弾圧

スライド10

フレクスナー・レポートが医学教育に及ぼした（悪）影響

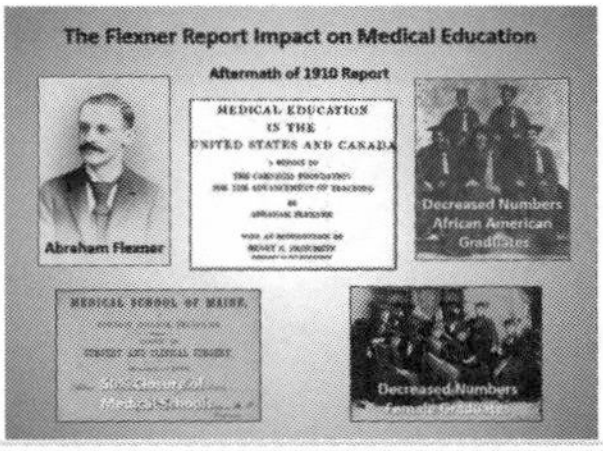

1910年レポートの余波

- 自然医療関係の医学部の50%閉鎖
- アフリカ系アメリカ人卒業生の減少
- 女性卒業生の減少

スライド11

1850年ごろに「発見」された！

- 「遺伝学」
- 「進化論」（正確にはダーウィンではない）
- 「細胞説」ルドルフ・ウィルヒョー
- 「細菌（病原体）仮説」ルイ・パスツールやロベルト・コッホ
- 「精神分析（精神医学）」
- 「ビタミン」
- 「放射線とX線」
- 「ホルモン」

スライド12

今日は、「細菌（病原体）仮説」、ルイ・パスツールやロベルト・コッホのお話をしたいと思いますが、ほとんどの人はこれらの写真を見たことがありますよね。見たことのない人はいますか？　皆さん大体知っていますか？

（スライド13）

左側がルイ・パスツール、右側がアントワーヌ・ベシャンで、どちらも微生物学の歴史に大きくかかわっている人です。ただし、ベシャンは知らない人が多い。それにも理由があります。

（スライド14）

まず、ルイ・パスツールの経歴をざっとここに挙げました。フランスの化学者ですが、実際は化学者というよりも政治屋、あるいは、単刀直入に言うと詐欺師ですね。「細菌仮説」の父の1人とされています。後で金魚鉢の水の画像をお見せしますが、基本的に彼は、体の中は無菌状態で、外から菌が侵入することによって体が悪くなったり、菌と戦って追い出すという考え方の持ち主です。

ところが、晩年、彼はそれが間違っていることに氣づいた。彼が動物嫌いというのもちょっとびっくりですが、スライドにあるように、アントワーヌ・ベシャンの研究を盗んだことでも知られています。

パスツール vs ベシャン
微生物学の歴史

スライド13

ルイ・パスツール（1822-1895）

- フランスの化学者（実際には完全な詐欺師）
- 「細菌仮説」の父の1人と称される
- 健康な体は無菌
- 健康な組織には微生物は不存在
- 微生物は空気中に拡散
- 微生物は外部から侵入し病気の原因
- 細菌は特異的・非変化的（単形性）
- アントワーヌ・ベシャンの研究を盗作
- 動物嫌い

スライド14

アントワーヌ・ベシャン（1816-1908）

- フランスの医学者、生物学者
- 微生物は多形で、どこにでも存在し、その増殖は完全に環境の影響
- 微生物幹細胞を発見、「ミクロジーマ」と呼ぶ
  → ガストン・ネーセンスにより「ソマチッド」と改名
- 発酵に関する多くの実験
- 微生物は内部からもやってくることを示す
  → これは非常に重要な研究
- 健康な体内環境は、“有害な細菌”の影響を受けないという考え方
- 性格はパスツールと対照的、まじめでシリアス

スライド15

（スライド15）

対して、アントワーヌ・ベシャンはホンモノの医学者、生物学者です。彼は主に発酵に関する研究をしたことで有名です。「健康な体内環境は、〝有害な細菌〟の影響を受けない」という考え方は、確かにパスツールのとは違っていて、体内の環境が全てと言っています。その時代は、ベシャンと言えども、細菌でも悪いのがいるんだろうと思っていたんですね。

ところが、実は細菌には、良いも悪いも日和見もないんです。細菌というのは体の死滅した、あるいは死にかけている組織を食べてくれる、ありがたいお掃除係なんです。ベシャンはまじめでシリアス、パスツールとは対照的でした。

パスツールの実験は全て失敗

（スライド16）

ではまず、パスツールの話をします。

今日参加してくださっている神瞳さんが今、『ウイルスマニア』という大著を翻訳中でいらっしゃるので、出版された暁にはぜひお勧めしたい1冊です。

この中で書いていることを挙げてみました。パスツールは何度もベシャンの研究を盗んだ。健康な動物にその組織と化学薬品を注射して病氣にさせた。本当にひどい人ですね。

（スライド17）

別の本『The Blood Poisoners』（タイトルの意味は、血に毒を盛る）、これは日本語訳がありません。結構古い本です。この中に書いてある内容をご紹介すると、

「パスツールがウサギの頭蓋骨に穴を開けて、汚物を脳に挿入して狂犬病にした」

やっていることは完全なペテンですね。

（スライド18）

その当時、フランスにパスツール研究所が設立され、その結果、狂犬病とされる症例が続出した。彼のやっていることが非科学的なことに氣づいた人は結構いたみたいですね。例えばノルウェー、スウェーデン、オーストラリア、ニュージーランド、デンマーク、オランダ、ベルギーなど世界の多くの国々は、自国内にパスツール研究所があることをすごく嫌がったということです。

（スライド19）

パスツールの実験は全て失敗でした。彼は実験とその詳細が記されたノートを、絶対に公開するなと言っていたが、何代か後の甥っ子がプリンストン大学の教授に送って、不正

詐欺師、政治屋、動物虐待者

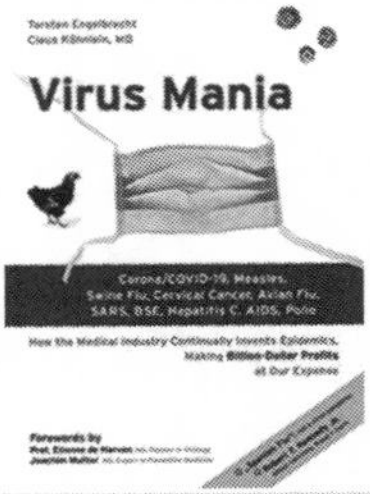

『ウイルスマニア』より

“アントワーヌ・ベシャンの研究を何度も盗み
盗用してフランス科学アカデミー送った”

“病氣の動物の組織から作った製剤を使い
その組織と化学物質を健康な動物に注射した”

“健康な動物にその組織と化学薬品を注射し
病氣にさせた”

スライド16

The Blood Poisoners（＝血に毒を盛る）
by リオネル・ドール

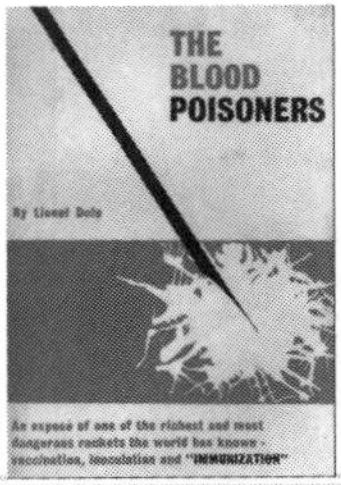

- 「パスツールがウサギの頭蓋骨に
穴を開け、汚物を脳に挿入し
『狂犬病』にした手法というのは科学ではなく、
単なる残忍なペテンである」
- 「パスツールは多くの人を殺し、
誰も救わなかった」

スライド17

狂犬病の例

- パスツールは、狂犬病を引き起こす細菌が見つからなかったため、「狂犬病ウイルス」を仮定
- 狂犬病の犬の脳/脊髄を採取し、縛った犬の脳にドロドロの注射
→ 犬が口から泡を吹いて死ぬと、病原性ウイルスの証明に成功したと主張
- ブルエット博士やウッズ博士のような複数の専門家は、狂犬病ワクチンの使用に反対
ジョージ・ウィルソン博士はこのワクチンを「欺瞞」と批判
- ホレス・ジャドソンは、ワクチンは狂犬病の予防ではなく、狂犬病を引き起こしたと言及
- フランスにパスツール研究所が設立された結果、症例が増加
- 6,000人以上が犬に噛まれ、狂犬病予防注射を受けた人だけが死亡
→ 複数のパスツール研究所は、欧州委員会がこのワクチンを調査した時点で閉鎖
ノルウェー、スウェーデン、オーストラリア、ニュージーランド、デンマーク、オランダ、ベルギーなど、多くの国々が自国にパスツール研究所があることを希望せず

スライド18

が公になったという経緯があります。

（スライド20）

死の床でパスツールは、「ベルナールは正しかった、細菌は無関係、環境こそが全てだ」と告白します。このベルナールという人物は、体内環境（の重要性）の提唱者の1人で、生理学者であり認識論者でもあります。ベシャンが間違って引き合いにされることがよくありますね。しかし、パスツールがこの問題で長年論争を繰り返していた相手は、実はベルナールなのです。そして、そんなパスツールも、健康の鍵を握るのは体内の環境であり、細菌によってヒトに感染させることはできないことを死の床で認めています。

（スライド21）

その当時のパスツールのノートから明らかになった不正行為は、『サイエンス』という科学雑誌の記事になっています。

（スライド22）

パスツールは研究の中で、細菌は環境によってその姿を変えることに既に氣づいていたらしい。これはすごい話ですね。ここまでわかっていたけど、後戻りできなかったんでしょう。今でもそういう化学者は結構いらっしゃいます。自分の研究がちょっとおかしいと氣づいている人たちでも、後戻りができない。自分のこれまでの研究を否定することは、

パスツールの実験は全て失敗

- エドワード・ジェンナーの足跡を追ってワクチンを製造
  ⇒ 鶏コレラ、狂犬病、炭疽病ワクチンは全て失敗
- 実験とその詳細の記録は非公開
  ⇒ 後に大甥が彼の手帳をプリンストン大学の教授に送り
  1995年彼の不正が公に

スライド19

死の床での告白

- クロード・ベルナール（仏）は、当時の生理学者、認識論者で、"Terrain Theory"（＝体内環境の重要性）の提唱者の1人
- パスツールは長年この問題でベルナールと論争
- 死の床で「ベルナールは正しかった、細菌は無関係、環境こそが全てだ」と告白

スライド20

パスツールのノートから明らかになった不正行為

Pasteur Notebooks Reveal Deception

In 1878, Louis Pasteur told his family never to show anyone his laboratory notebooks. For nearly a century, those instructions were followed. But Pasteur's last surviving grandson donated the documents to the Bibliothèque Nationale in Paris in 1964 and a decade later a few historians were granted limited access to them. Now one of those historians, after deciphering hundreds of pages of Pasteur's tiny, crabbed handwriting, has found a possible explanation for the great scientist's recalcitrance: evidence of potential scientific misconduct and ethically dubious human experimentation.

In a speech at the AAAS meeting, Princeton University historian Gerald Geison revealed evidence that in at least three instances, Pasteur broke what were even in the mid-1800s standards of scientific and medical conduct.

■ In one highly publicized 1881 trial, Pasteur inoculated half a flock of sheep with an experimental anthrax vaccine, then exposed the entire flock to the disease. The vaccinated half survived, a result that brought Pasteur international accolades. But Geison discovered passages in Pasteur's notebooks showing that the vaccine used in the trial was not created by Pasteur's own method of oxygen inactivation, as he had claimed at the time and in later published work. Instead, he used a method of chemical inactivation invented by a competitor, a veterinarian named Toussaint. A few months after the trial, Toussaint suffered a nervous breakdown and died.

■ As Pasteur was developing a vaccine against rabies, two patients who already appeared to be suffering from advanced symptoms of the disease came to him for help. Although he had not yet tried the vaccine in symptomatic animals, he nevertheless injected it into both patients. "Even his experiments trying to prevent rabies [with that technique] were inconclusive at the time," Geison said. One patient, a young girl, quickly died, while the other, who recovered, may not have actually had rabies, according to Geison.

■ In 1885, when two young boys came to him shortly after being bitten by rabid dogs, but before exhibiting any symptoms of rabies themselves, Pasteur injected them with a new experimental vaccine, based on virus grown in the spines of rabbits. Again, he had not conducted animal trials with the vaccine. "As it turned out," Geison said, "Pasteur had guessed right about the safety of the method." Both boys survived and neither exhibited any symptoms of rabies. But that's not surprising: Some five out of six unvaccinated people who are bitten by rabid animals don't come down with the disease. Given the possible risk of the untested treatment and the fact that the patients were not even known to have the disease, Pasteur's own assistant, Emile Roux, refused to participate on the grounds that the trials were unethical.

Misconduct? Louis Pasteur comes under fire.

After reviewing more than 100 laboratory notebooks stored in the Paris library, Geison concluded that "Pasteur's research often failed to adhere to the standard scientific method" of his time. Pasteur himself advocated scientific and medical ethics, including the need for animal trials before human trials. Although Geison argued that Pasteur's conduct, at least in the case of the symptomatic rabies patients, reflected desperation in the face of a uniformly fatal disease, he said that doesn't excuse the other cases. "The ethical standards he violated," Geison said, "were his own."

—Christopher Anderson

SCIENCE • VOL. 259 • 19 FEBRUARY 1993 1117

スライド21

かなり勇氣の要ることだと思います。

（スライド23）

パスツールの科学実験は綿密なものではなく、ことごとく失敗に終わりました。

「コッホの原則」はあくまで仮説

（スライド24）

まさかこの人も詐欺師だと思っている人は少ないと思うんですが、ロベルト・コッホも、実際、パスツールとよく似たことをしているのです。ドイツで自分の研究所を後押しするようプロイセン州に要求した。不正手段を使って、結核菌の研究を推し進めようとしたのです。


結核にもさまざまな原因があります。結核というのは、ヒーリングのセカンドステージの結果、体にあらわれる状態なので、そこで抑えてしまうと余計に悪くなります。その部分をよく知らない人が多い。実際は体のデトックスであり、治ろうとする過程だということがわかれば、あまり怖くない。でも、血を吐いたりすると、やっぱり怖くなりますね。

（スライド25）

パスツールのノートより

- 後年、細菌やバクテリアは病氣の原因ではないと言及
- それまでの「細菌仮説」の信念を捨て、病氣が先で細菌が後であると確信
- 「病原体が体内に存在することは、必ずしも感染症と同義ではない」発酵は傷ついたもの、死んだものにしか起こらないこと細菌は発酵の自然な結果であり、原因ではないことを認識
- 後に、細菌は環境によってその姿を変えることに氣づくしかし時既に遅し、現代医学の基盤はこの時既に整っていた

スライド22

パスツールの「科学」は実際にはそこまで綿密ではなかった

- パスツールの「細菌仮説」は科学的に証明されたと医学界では信じられている
- 米国人歴史家のジェラルド・ガイソン博士が1995年に『ルイ・パスツールの私的科学』を出版
- 本の中で、パスツールの仕事について、彼の日記と論文とを比較しながら調査したことに触れる

スライド23

ロベルト・コッホ（1843-1910）

- ドイツの細菌学者
- 結核に注目、ツベルクリンで何千人もの人が死亡
- ツベルクリンの有効性を喧伝するも証拠は未提出
- 歴史家のクリストフ・グラードマンは、コッホはツベルクリンの発売を「巧妙に演出した」と言及
- 全ては事前に計画、ツベルクリンの研究のためパリのパスツール研究所をモデルにした自分の研究所をプロイセン州に要求

スライド24

「コッホの原則」に疑問を抱く人はそういないかもしれませんが、実はこれはあくまでも仮説にすぎず、ウイルスは存在しない、細菌は体のお掃除係ということが腑に落ちれば、そもそも「コッホの原則」を満たしているかどうかの議論は成立しないことがわかるはずです。

体内環境を改善すれば健康になる

（スライド26）

こちらの画像は、パスツールの細菌仮説とベシャンの体内環境モデルです。金魚鉢の中の水は、体内環境を表しており、左図は汚れた水が、右図は澄んだ水が満たされています。以前は体内環境論と言っていたのですが、実際には「論」でも何でもない。つまり腎臓や肝臓、心臓は確実に体内に存在する。これらは「論」ずることではありません。体内環境も実際に存在するので、今後は体内環境と呼び、「論」は省くことにしました。

（スライド27）

逆に、細菌仮説は、英語でGerm Theoryと言いますが、これは「説」や「論」ではなくて、完全なる仮説ですね。パスツールは、体は無菌状態であり、外から悪いものが入っ

「コッホの原則」

1. その微生物は、罹患している全ての生物に豊富に存在し、健康な生物には存在しない
2. その微生物は、病氣にかかった生物から分離され純粋培養されたものでなければならない
3. 培養された微生物が健康な生物に持ち込まれると病氣を引き起こす
4. 微生物を接種された実験宿主から再度分離し元の特定の原因菌と同一であることを確認する

スライド25

細菌仮説 vs 体内環境

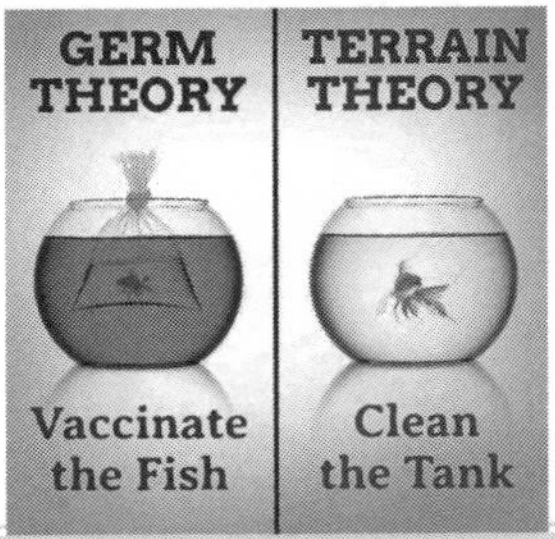

スライド26

Germ Theory：細菌仮説

- 体は無菌状態が前提
- 病氣とは、外部から侵入した病原体が無菌状態の体を攻撃すること
- 健康状態とは、全ての病原菌やウイルスとの接触を避けること
- 最終的には、全ての病原菌やウイルスを死滅させることが必要
- 現代医学の基本

スライド27

てきたら戦うと考えたわけで、これはあくまでも「仮説」なのです。

（スライド28）

それに対して、体内の菌のバランスが崩れているほど病氣になりやすい。体内環境（Terrain）を改善すると健康になるという考え方です。

（スライド29）

つまり、タンクの中の水がきれいなら健康になるということです。

（スライド30）

これはイチゴを使って実験したおもしろい動画です。私が翻訳字幕を付けて2年半前に投稿したものですが、かなり拡散され、今でもそれについてのコメントが入ります。今日は時間の関係でご覧いただけませんが、これはお勧めの動画です。

この動画のポイントは、細菌というのは死んだ、あるいは死にかけている組織の掃除係ということです。

（スライド31）

それがわかれば全然怖くないんですよね。パスツールが自分の過ち、つまり、研究の限界に氣づいたものの、時既に遅しでした。

Terrain：体内環境

- 体内の菌バランスが
  崩れているほど
  病気になりやすい
- 体内環境を改善すると
  健康になれる

スライド28

タンクの中の水が
自分の体内環境

体内環境が整うと
健康になる

スライド29

細菌＝死んだ組織の掃除係

スライド30

プロパガンダによる洗脳

（スライド32）

これはあまりご存じないかもしれませんが、こんなプロパガンダもしていたようです。1937年の第9回アカデミー賞にノミネートされた『科学者の道』（原題は『The Story of Louis Pasteur』）は、スライドに書かれているように、脚本が完全にフィクション化されていて、主演の男性のムニはアカデミー賞主演男優賞を獲って、ヴェネチア国際映画祭でも最優秀男優賞を受賞しています。ワーナー・ブラザースなど、ハリウッドが全て関係している。見事な洗脳です。

（スライド33）

医療に関して言うと、医療システムのパラダイムは戦争モデルです。私たちは常に体の中に入ってくる侵入者と戦うというイメージを植え付けられている。私たちは生まれてからずっとそういう考えのもとで育ってきましたから、病氣になったらお医者さんに診てもらい、薬を飲んで何とかしてもらおうとする。自分の体を自分で何とかするという考え方が、全くなくなったわけです。ここにいらっしゃる方はいろんなことにお氣づきになって

「細菌仮説」は有効なツール

19世紀後半にルイ・パスツールが提唱した
細菌仮説が広まると、病氣の原因物質としての
細菌の考え方は、さまざまな「感染症」に
対抗するために、異なる「ワクチン」の導入を
正当化するための極めて有効なツールとなった

スライド31

1937年第9回アカデミー賞にノミネートされた『ルイ・パスツール物語』

- 原題：The Story of Louis Pasteurは、ワーナー・ブラザース製作、ヘンリー・ブランケ製作、ウィリアム・ディーターレ監督による1936年の米国モノクロ伝記映画
- 映画の脚本は、パスツールの生涯を高度にフィクション化
- 脚本賞、ストーリー賞の他、ルイ・パスツールを演じたポール・ムニはアカデミー賞主演男優賞（作品賞にもノミネート）
- ムニは1936年のヴェネチア国際映画祭でも主演男優賞受賞

スライド32

医療システムのパラダイムは戦争モデル

- 私達は常に体の中に入ってくる侵入者と戦う
- 病氣や癌と戦う、さまざまな分野で戦いのメンタリティ
- 現代医療はそれが中心
- 石油化学医療を通じて商業戦略的に大成功
- 細菌仮説は科学に基づいていない
- 細菌仮説 VS 体内環境

スライド33

いると思いますが、普通は何かあると病院に行きますよね。

（スライド34）

カナダにキャロライン・ディーンという西洋医学と自然医学両方の免許を持つ医師がいるのですが、彼女は自身の著書『Death by Modern Medicine』（訳：『現代医学による死』）の中で「医学部で習わないことをやる医者は、ヤブ医者に違いないと何度も言われた」と記しています。

ウイルスで感染拡大はしない

（スライド35）

さて、ここまで、細菌の話をしてきましたが、時が経ち１９３０年前後になると電子顕微鏡が開発されました。ですが、実際に実用化されたのは１９４０年代に入ってからと言われています。そのころは、細菌よりもっと小さいものがあるかもしれないと、科学者たちが本氣で一生懸命調べていました。

（スライド36）

「ウイルス」という言葉が出てきたのは、このころのようです。ウイルスというのはラテ

キャロライン・ディーン博士
著書『現代医学による死』

「医学部で習わないことをやる医者は
ヤブ医者に違いないと何度も言われた」

スライド34

顕微鏡の発明から
「ウイルス」の存在

- 1929年～1930年頃、電子顕微鏡が発明されて初めて細菌よりも小さな粒子の観察が可能になる
- 電子顕微鏡が実用化されたのは1940年代以降
- 小さい粒子が「ウイルス」として知られるようになり細菌に起因しない全ての病氣の原因物質であると考えられるようになった

スライド35

「ウイルス」の語源

- ラテン語が由来
- 元々は「毒」を指す
- 「感染拡大」の意味はない

スライド36

ン語で「毒」という意味で、「感染」とか「拡大する」という意味は全くない。しかしなぜか今は、「ウイルス」と言ったら「感染拡大する」だから怖い、というイメージが定着してしまっていますね。

（スライド37・38）

スライド37に挙げた英語はウイルスの名前がついているものの一覧ですが、実際にはもっとあります。

スライド38は日本語訳で、よく知られているものです。アデノウイルス、水痘（みずぼうそう）、コロナウイルス、エボラ出血熱、ＨＩＶ、ポリオ、天然痘、ジカ熱。帯状疱疹に関してもウイルスと結びつけますよね。最近で言ったらSARS-CoV-2ですかね。

これは全て同定されていない、あるいは、全て確認されていないことを、皆さんご存じですか。実際にこれらの存在証明が一切ないんです。

（スライド39）

例えば、はしか。スライドはすごく有名なはしかの裁判です。スライドにある左の画像の背の高い方が、ドイツ人のステファン・ランカ博士です。彼はもともとウイルス学者として研究していましたが、今はウイルス学を完全に否定しています。

（スライド40）

- Adenovirus
- Chickenpox
- Coronaviruses
- Ebola
- HIV/AIDS
- HPV
- Influenza- A, B, C, Avian Flu, Swine Flu
- Marburg "Virus"
- Measles
- MERS
- Monkeypox
- Norovirus
- Polio
- RabiesP
- Rhinovirus
- SARS-CoV-1
- SARS-CoV-2
- Shingles
- Smallpox
- Zika Virus

スライド37

- アデノウイルス
- 水疱（みずぼうそう）
- コロナウイルス
- エボラ出血熱
- HIV/AIDS
- ヒトパピローマウイルス
- インフルエンザ-A、B、C、鳥インフルエンザ、豚インフルエンザ
- マールブルグ "ウイルス"
- 麻疹（はしか）
- マーズ
- モンキーポックス
- ノロウイルス
- ポリオ
- 狂犬病
- ライノウイルス
- SARS-CoV-1
- SARS-CoV-2
- 帯状疱疹
- 天然痘
- ジカ熱

スライド38

悪名高い「麻疹裁判」
シュトゥットガルト高等地方裁判所
バーデンス 対 ランカ 2016/2/16

2017年1月16日、ドイツ連邦司法裁判所第一民事上院は
シュトゥットガルトの判決を確定

スライド39

彼は２０１１年に自分のウェブサイトで、はしかのウイルスの存在を証明できた人に10万ユーロの賞金を提供すると発表しました。それに対して、翌12年、スイス人のデイビッド・バーデンス医師が６本の論文を提出しました。

（スライド41）

しかし、その６本の論文全てが、証明どころか、手順もめちゃくちゃでした。結果的に、ランカはバーンズに対して賞金の10万ユーロを支払わなかったため、それに対して裁判を起こされ、１回目はランカが負けた。しかし、彼は上訴して、２０１６年２月16日に高等裁判所で勝訴したんですね。

（スライド42）

ところが同時期に、「はしかのような症状が流行している」とメディアが報道したことで、ランカの勝訴が注目されなかった。これも意図的だろうと思います。いまだに彼にはペテン科学者などといったレッテルが貼られています。

２０１７年、シュトゥットガルトの判決によって彼は勝訴しました。この勝訴によって彼は、裁判に勝ったのはいいのですが、メディアによってこの裁判が賞金の未払いにフォーカスされてしまって、本質的なはしかのウイルスの存在証明から注意をそらされた。非常に残念ですね。とにかく、裁判所も認めているんです。

「麻疹裁判」ランカ勝訴

- 2011年11月24日、ランカ博士は自身のウェブサイトで、「麻疹ウイルス」の存在を証明できた人に10万ユーロの賞金を提供することを発表：
  “麻疹ウイルスの存在を主張するだけでなく、証明し、特に麻疹ウイルスの直径を決定した科学的な出版物が発表された場合、賞金は支払われることになる”
- 2012年1月デイビッド・バーデンス医師は、60年にわたる6つの論文を提出し、それらを合わせて「麻疹ウイルス」の存在を証明したと主張し、10万ユーロを自分の銀行口座に振り込むようランカに依頼
- ランカは、必要な証拠を全て提供する1つの出版物を特に要求したため、支払いを拒否
- バーデンスは訴訟し、2015年3月12日、ドイツ南部の地方裁判所は、発表の基準を満たすと判断
  ランカに支払いを命じる
- ランカは上訴し、2016年2月16日、シュトゥットガルト高等地方裁判所は、最初の判決を再評価
  バーデンスの論文が「麻疹ウイルス」の存在に関する証拠の基準を満たさないと判断
  ランカは賞金を支払う必要はなくなる
- 同時期、はしか様症状相次ぎ、メディアは上訴の報道せず
- 現在もランカには詐欺のレッテルが貼られ、下級審敗訴の情報がネットに溢れ勝訴の記事は削除

スライド40

バーデンスが提出した6本の論文

1. Enders JF, Peebles TC. Propagation in tissue cultures of cytopathogenic agents from patients with measles. Proc Soc Exp Biol Med. 1954 Jun;86(2):277–286.
2. Bech V, Magnus Pv. Studies on measles virus in monkey kidney tissue cultures. Acta Pathol Microbiol Scand. 1959; 42(1): 75–85
3. Horikami SM, Moyer SA. Structure, Transcription, and Replication of Measles Virus. Curr Top Microbiol Immunol. 1995; 191: 35–50.
4. Nakai M, Imagawa DT. Electron microscopy of measles virus replication. J Virol. 1969 Feb; 3(2): 187–97.
5. Lund GA, Tyrell, DL, Bradley RD, Scraba DG. The molecular length of measles virus RNA and the structural organization of measles nucleocapsids. J Gen Virol. 1984 Sep;65 (Pt 9):1535–
6. Daikoku E, Morita C, Kohno T, Sano K. Analysis of Morphology and Infectivity of Measles Virus Particles. Bulletin of the Osaka Medical College. 2007; 53(2): 107–14.

スライド41

2017年1月16日、ドイツ連邦司法裁判所
第一民事上院はシュトゥットガルトの判決を確定
ステファン・ランカ勝訴

この判決を批判する人たちは
ランカの勝利は彼が賞金の支払いを
どう定義付けたかに焦点

本質的な問題（麻疹ウイルスの存在証明）から
注意をそらすもの

スライド42

（スライド43）

今回の「パンデミック」中に、ランカは麻疹の実験で行った対照実験を「SARS-CoV-2」で再現することにしました。

（スライド44）

スライドが示すように、対照実験は3段階に分けて行われました。端的に言うと、ウイルス学者が「感染物質」としているものを使わなくても、同じような実験結果が得られることをランカが示したのです。

（スライド45）

「ウイルスは存在しないと言うが、実際に症状があるじゃないか」とよく言われます。みずぼうそうや、はしかで言うと、その症状は何なんだろうという疑問です。例えば、子どもは成長期なので、皮膚のコラーゲンなどがしっかりしていなくて、そういうところからブツブツが出てくるようです。体の代謝が活発なため、栄養不足だったり、いろいろな毒が入ってくると、最近の子どもはワクチンもいっぱい打っているので、体は不要なものを排除しようとし、それが皮膚などにいわゆる「症状」としてあらわれる。ウイルスに感染したからそうなったのではなく、体に備わった解毒のプロセスです。

（スライド46・47）

ステファン・ランカの対照実験

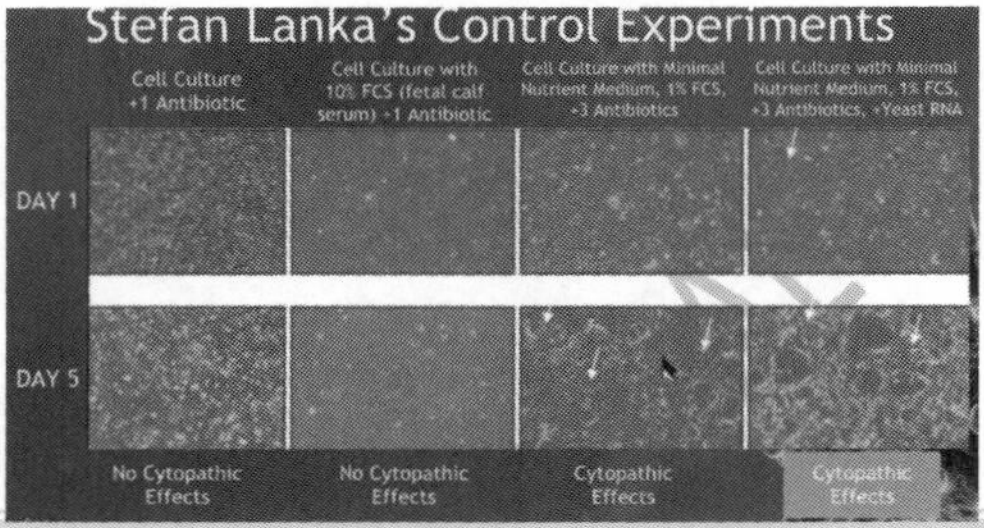

スライド43

3つの対照実験

- 第1段階 - 細胞変性効果(CPE)
  ↳感染性物質無しでもウイルス学者の言う「病原性ウイルス」の存在を達成できることを示した
- 第2段階 - SARS-CoV-2ゲノムの構築
  ↳ウイルス学者の言う「ウイルスの遺伝物質」が、実際には健康なヒトの組織から得られることを示した
- 第3段階 - ウイルス学における配列データの構造解析
  ↳ウイルス学者と同じ手法で、感染性物質とされるものではなく、健康なヒト組織、動物、植物由来の核酸を用いて、あらゆる「ウイルス」のゲノムを構築できることを示した

スライド44

麻疹・水疱の症状は ウイルス感染ではない

- フィブリン障害
- 塩化カリウムと鉄不足
- ストレスなど
- 解毒プロセス

スライド45

ＨＩＶウイルスも実際には存在しないんですよ。これも完全にでっち上げなんです。

ＨＩＶは同性愛者の間でうつるという話ですけれども、実際にはエイズ問題が起こる数年前に、初の腎臓移植患者に新薬アザチオプリン（免疫抑制薬）に対する拒絶反応が見られ、カポジ肉腫を発症させる原因となり、これがエイズの症状だとされてきました。

静脈内薬物乱用や生活習慣、退廃的なライフスタイルなど、そういうものがいろいろ相まって出てくる症状なんですよ。最終的にエイズという診断がついてしまったら、治療薬と称してものすごく毒性の強い癌治療薬を投与されるので、それがとどめだと言われています。

ＨＩＶも他のウイルス同様、同定されていない、確認されていない、存在証明がないのです。つまり、エイズも、ウイルス感染ではなく、薬害によって引き起こされた病氣です。

（スライド48）

アフリカ豚熱ウイルスについてももちろん同じです。画像左側は、カナダの住民に送られてきたビラで、私の家にも届きました。画像右側は、カナダ政府のウェブサイトです。こんな感じで洗脳するんですね。「怖いよ。だからアフリカに行くときは氣をつけてください」みたいな。わからない人はまともに受けちゃったり、豚肉を買わないとか、そんなこともあるんでしょうね。

HIVは存在しない
エイズはでっち上げ

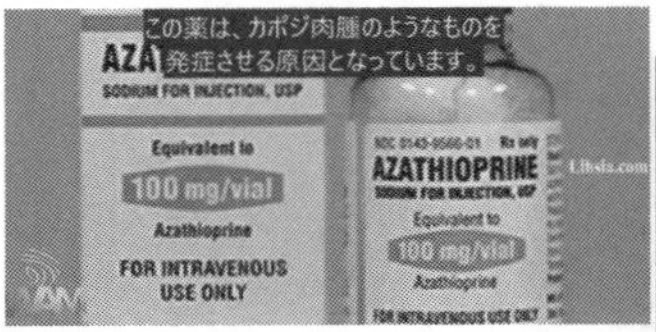

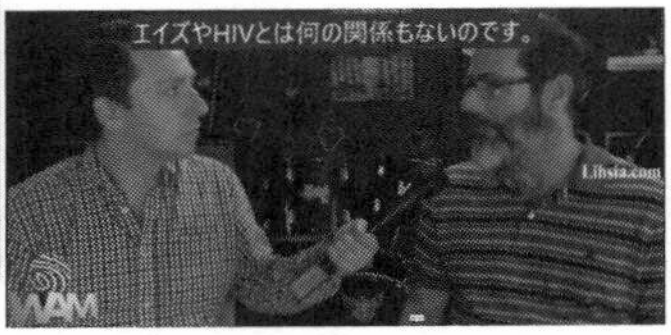

スライド46

エイズやHIVとは全くの無関係

- エイズ症状は、突然流行したわけではなく、それ以前から多くの書物で知られていた
- ゲイに多くみられると言われるが、エイズ問題が起こる数年前に、初の腎臓移植患者に新薬アザチオプリン（免疫抑制薬）に対する拒絶反応が見られ、カポジ肉腫を発症させる原因となる
- エイズの拡大をもたらしたのは、さまざまな要因、地域や人口によって異なる
- カリフォルニア州北部では、同性愛者の間では、非常に退廃的で、自己中心的な行動が見られ特に静脈内薬物乱用が問題（体内に異物を入れることで、既に弱っていた体が、切り傷を負ったときのように、侵入してきた異物に対処しなければならない）
- 抗生物質の予防的服用も原因（e.g.バクトリムで、アザチオプリンと化学的な関係があり、同様の免疫抑制を引き起こす可能性）
- スキンポッパー（亜硝酸アミル）の使用（性的機能向上と免疫抑制作用（アザチオプリンの症状）
- エイズの原因は、ライフスタイル、多数の性的パートナー、薬物、予防措置が組み合わさった病氣で、とどめは、毒性の非常に強い「癌治療薬」

スライド47

「アフリカ豚熱ウイルス」から守る

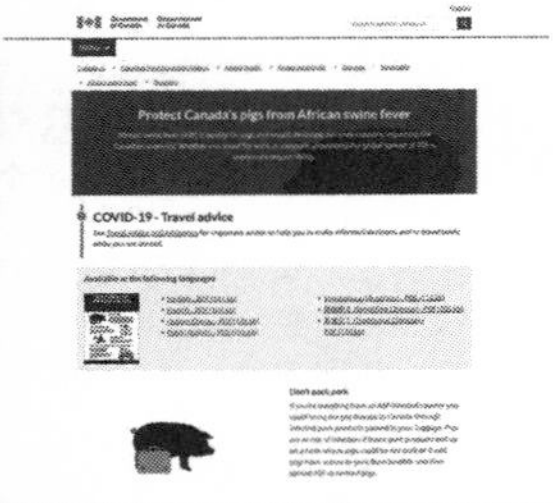

スライド48

（スライド49）

狂犬病も完全にでっち上げなんですよ。トム・カウワンが言っていたんですけど、ある論文から、狂犬病と診断された62症例のうち54例が、過去6カ月、他の動物と一切接触していなかったことが判明したのです。だから、これもつくり話ですが、論文を見ないと、一般にはなかなかわからないですね。

（スライド50）

ポリオは完全に農薬による被害ですね。最初はヒ酸鉛を使って、後にＤＤＴに変わっていくわけですが、どちらも前角細胞に特異的な神経毒です。

左側の画像は、ちょっとわかりにくいかもしれませんが、マイマイガです。外来種のマイマイガがやってきて、アメリカ各地の初夏の果物、イチゴなどが食い荒らされるので、それに対して農薬を散布した。その当時、神経毒とかそういうのはわからないから、子どもは、もぎ取って洗わずにそのまま口に入れる。成長盛りだから、子どもが一番やられやすかったみたいです。夏に食べて、秋ごろになったらポリオの症状が出るというのがわかるまで繰り返されていたようです。

（スライド51）

これはトム・カウワンがナレーションをしている『Terrain』（テレイン）というドキュ

狂犬病も作り話

「狂犬病」と診断された62症例のうち
54例が過去6カ月間
他の動物と一切接触していなかった

スライド49

ポリオの原因はヒ酸鉛、後にDDT ①

- この現象はヒ酸鉛を散布する時期と季節がピッタリ一致するように起こった
- ヒ酸鉛に特異的な神経毒神経系の前角細胞に特異的な神経毒であり正にポリオの発症部位

- それまで化学農薬を使ったことがない当時の人は予防策と取らなかった
- 春に全てのものにこの薬剤をかけ夏になると「ポリオ」が発生
- 夏の果物、例えば6月のイチゴなどを食べた子どもが神経毒により麻痺症状を呈するようになる

スライド50

ポリオの原因はヒ酸鉛→DDT ②

スライド51

メンタリー映画の抜粋に私が字幕をつけたものです。彼が生まれ育ったデトロイトは、「ポリオの発生」で有名だったそうで、映画ではそのころのことを回想しています。バブルガムのような甘い香りのするガスが、戦車のようなものからいっぱいまき散らされて、その周りで子どもが走り回ったり、自転車に乗ったりしていた。健康にいいわけないですよね。

（スライド52）

これまでに、数多くの論文が出ていますが、諸悪の根源とも言えるのがジョン・エンダース医師が１９５４年に発表した論文です。これに関する動画に私は翻訳字幕をつけています。諸悪の根源という理由は、後に非常に多くの研究者がこの論文をコピペしているからです。

（スライド53）

簡単に言うと、ジョン・エンダースはこの論文によってノーベル生理学・医学賞を取ったのですが、これは「細胞培養法」についての論文であり、ウイルスの分離とは全く無関係の内容であることが問題なのです。

（スライド54）

やっていることが全くいい加減で、実験に使用されたいわゆる「遺伝物質」が、牛乳や

ジョン・エンダース1954年問題論文

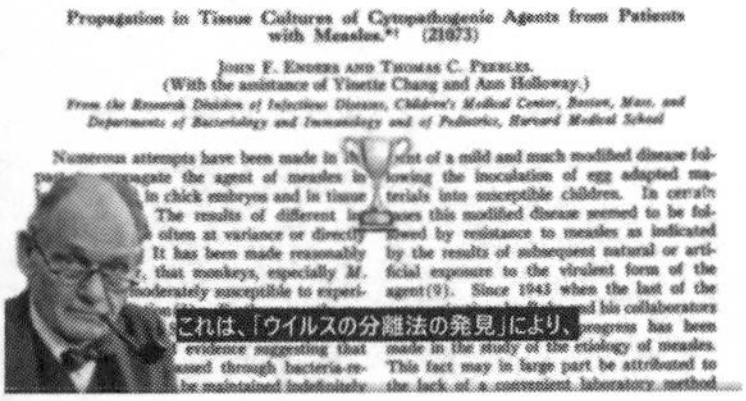

TIME
THE WEEKLY NEWSMAGAZINE
MEDICINE GAINS ON VIRUSES
VIROLOGIST JOHN ENDERS

Propagation in Tissue Cultures of Cytopathogenic Agents from Patients with Measles.*† (21073)
JOHN F. ENDERS AND THOMAS C. PEEBLES.
(With the assistance of Yinette Chang and Ann Holloway.)
From the Research Division of Infectious Diseases, Children's Medical Center, Boston, Mass. and Departments of Bacteriology and Immunology and of Pediatrics, Harvard Medical School
これは、「ウイルスの分離法の発見」により、

「現代ワクチンの父」と呼ばれたエンダースの「1954年論文」をベースに世界中の科学者がコピペをして拡散

スライド52

ジョン・エンダース（米国・医師）は
いわゆる「細胞培養法」の開発により
1954年 ノーベル生理学・医学賞を受賞

「麻疹ウイルス」を発見した決定的証拠とされ
ワクチン製造の基礎となったが
論文は「ウイルス」の分離とは全く無関係

スライド53

実験に使用された5つの「遺伝物質」

1. 牛乳
2. 牛の羊水
3. 牛の胚抽出液
4. 牛の血清
5. 猿の腎臓組織

← ペニシリン
ストレプトマイシン
アムホテリシン
ゲンタマイシン

全て強力な
腎毒性物質

大豆トリプシンインヒビター

スライド54

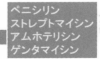

牛の羊水など5つあって、それに対して腎毒性が非常に強い抗生物質、ペニシリンとストレプトマイシンを加えている（現在、科学者はゲンタマイシンやアンフォテリシンを使うことが多い）。

そういうものを加えると何が起こるか？　想像がつきますよね。強い腎毒性物質を入れるわけです。毒を入れたら組織はぐちゃぐちゃになって破壊されます。

（スライド55）

つまり、組織が破壊されて、バラバラになった状態を「分離」と論文では言っているんですね。トム・カウワンもこの点について指摘していますが、分離の意味が全く違う。例えば、筆箱の中にいっぱいペンがあって、1つだけ消しゴムがある。消しゴムを取り出して筆箱の中のペンと分ける、私たちはそれを分離と理解します。とてもシンプルなことです。しかし、どうやら「ウイルスの分離」というときには、全く意味が違うようです。話をすり替えているわけですね。

伝染病ではなくビタミンC不足の壊血病

（スライド56）

「分離」の意味が全く違う！

全ての物質を入れた結果
全体がバラバラになり砕け
無数の「遺伝物質」の断片に分解

⇩

それを「ウイルスの分離」と呼ぶ

スライド55

同じ場所にいた人（や動物）が似た症状を呈することが「何かが伝染する」という証拠になるのか？

スライド56

数百年もの間、謎だった破壊的な「大航海の流行り病」の原因とは？

体外：
・血豆がやがて大きな潰瘍に
・歯茎は黒く骨折部が再び折れ古傷が開く
・コラーゲン不足

体内：
動脈や毛細血管が壊疽し始め血液が筋肉へ漏出
動脈内で凝固し心臓血管に損傷
悪化すると脳に障害を起こし発作や動脈瘤を引き起こす

スライド57

誰かからうつる、誰かにうつす、みたいなことをよく言うじゃないですか。それは果たして本当に存在するのでしょうか。

（スライド57）

これは結構引き合いに出される話ですね。大航海時代の破壊的な流行り病の原因は何なのか、数百年もの間ずっと謎でした。

血豆ができたり、歯茎がグラグラになって歯が抜けたり、体内では血管系の問題が出やすかったり、船員がバタバタ倒れて死に追いやられたりするということで恐れられていて、感染対策が何百年も続いていました。隔離されていて栄養もままならなければ死ぬのは当たり前の話で、原因がずっとわからなかった。それがScurvy（壊血病）が原因であることがわかったんですね。

（スライド58・59・60）

ビタミンCが豊富なライムとかレモンを与えると、壊血病がよくなった。別に伝染するとか、うつるとか、そういう話ではなくて、たったそれだけのことなんです。

（スライド61）

それなのに、私たちは感染症に対して過去も現在も隔離対策を取ってきた。長いことわからなかった壊血病について、今はわかっています。レモンかライムを摂取すれば治るの

船乗りを隔離する
「感染対策」は何百年も続いた

スライド58

Scurvy・壊血病

スライド59

ビタミンCの欠乏

スライド60

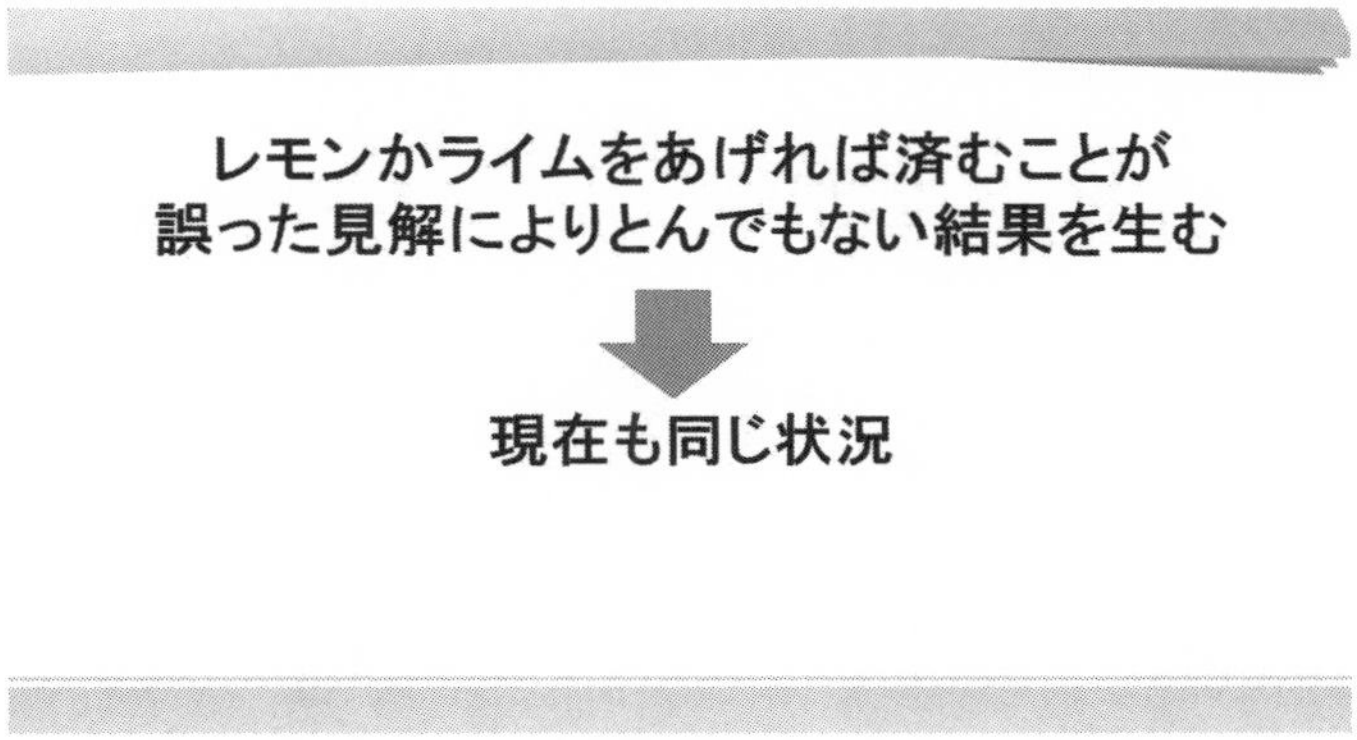
レモンかライムをあげれば済むことが
誤った見解によりとんでもない結果を生む
現在も同じ状況

スライド61

に、誤った見解によってとんでもない結果を生んでしまった。しかし、現在も同じようなことをやっていますよね。

正しい情報を入手するには

科学実験もいい加減なことをやっています。ウイルスがあるから、あるいは体内に細菌があるから人にうつすと皆信じてますよね。ハーッと吐いた自分の息を隣にいる人が吸ったら、バタッと倒れるでしょうか？　それが原因で病氣になるでしょうか？　体ってそんなにやわじゃないんですよね。まじめに考えてみるとおかしな話だけど、多くの人が思考停止状態になってしまっている。

私も、マスクしないほうがいいよとか、ワクチンを打たないほうがいいよとか、いろんな話を今までしてきたんですが、なかなか難しいですね。今でもマスクをしている人は、今後もなかなか氣づいてもらえないかもしれません。

今日ここに来る前に、坂道でマスクをしてハアハア言いながら歩いているおばあちゃんがいて、いても立ってもいられなくなった。以前は街なかでも「マスクを外した方がいいですよ」と言っていたんです。最近はそんなこと言うヒマがなかったんですけど、性分ですかね、声を掛けてしまうんですよ。

「おばあちゃん、おばあちゃん」

と呼んだら、パッと氣づいてくれて、この人は話せるなと雰囲気でわかるので、

「ずっとマスクしてたら、しんどいでしょう」

「うん、しんどい」

「周りを見たら、マスクをしてない人がいっぱいいるでしょう。私なんかしてないでしょう。何で元氣かわかる？　マスクをしてないから元氣なのよ」

時間がなかったんだけど、酸素の話をしたんですよ。

「酸素がないと脳をやられるよ」

と、ちょっと優しめに言ったんですよ。そうしたら、

「本当？」

その人は結構素直で、完全にマスクをとってバッグに入れて歩き始めました（笑）。その間、2分ぐらいなんです。おばあちゃん、かわいそうだなと思ってね。

そんなポジティブな話もありますけど、これはなかなか難しい問題ですね。

（スライド62）

さまざまな形で人に知らせることはできますよね。例えば、The Freedom of Information Act（情報公開法）という法律を使うのです。私はカナダの西のほうに住んでいますが、トロントがある東部、オンタリオ州に住むクリスティーン・マッセイは、この情報公開法を使って、ＳＡＲＳ－ＣｏＶ－２が存在するのかどうかの証明を求めた。まずは地元のトロント大学病院やオンタリオ州のＣＤＣから、その後、世界的に有名な研究所や、医療・科学機関から、今（２０２４年６月）現在２２３の「公文書不存在」の文書を入手しています。

それらの文書は全て、彼女のウェブサイトで閲覧できます。現在彼女は、ＳＡＲＳ－ＣｏＶ－２にとどまらず、ＨＩＶ、鳥インフルエンザ、ＨＰＶ、インフルエンザ、はしかなどについても存在証明の情報公開請求をしています。もちろん回答は「公文書不存在」ですね。

トム・カウワンやアンディ・カウフマン、あるいは、『ウイルスマニア』の共著者であであるニュージーランドのサマンサ・ベイリー医師や、夫のマーク・ベイリー医師らは機会あるごとに、クリスティーン・マッセイのこの活動に言及しています。

（スライド63）

日本では皆さんのほうがご存じだと思いますが、各都道府県でもウイルスの不存在を証明する動きがありますよね。私はコピーを全部入手し、それを並べて写真に収めたものを投稿したことがあります。こういう形で実はウイルスなんて存在しないんだよという情報を拡散することはできますね。

（スライド64）

スライドは第4版のウイルス学の教科書で、ここからもウイルス学の詐欺が見えてきます。例えば、「考察　なぜウイルスはコッホの原則を満たせないのか？」と題して、コッホの原則についてネガティブな見解を示しています。これは、コッホの原則をやんわり否定することによって、ＰＣＲ検査の導入を事実上、正当化する狙いがあるのでは、という意見もあります。私もそれには同意しますね。ここには書いてないんですけど、ベースにはそれがあるだろうな。

（スライド65）

レスリー・マヌーキアンもそのことに触れていました。彼女は変わった経歴の持ち主で、

The Freedom of Information Act
情報公開法

- 最初はカウフマンの話が本当か確かめるのが目的
- SARS-CoV-2の存在証明に関する情報公開請求
- 現在、世界中の医療・科学機関から215の「公文書不存在」文書
- HIV、鳥インフルエンザ、HPV、インフルエンザ、はしか、なども「公文書不存在」回答

カナダ・オンタリオ州の
クリスティーン・マッセイ

スライド62

日本でも各都道府県で

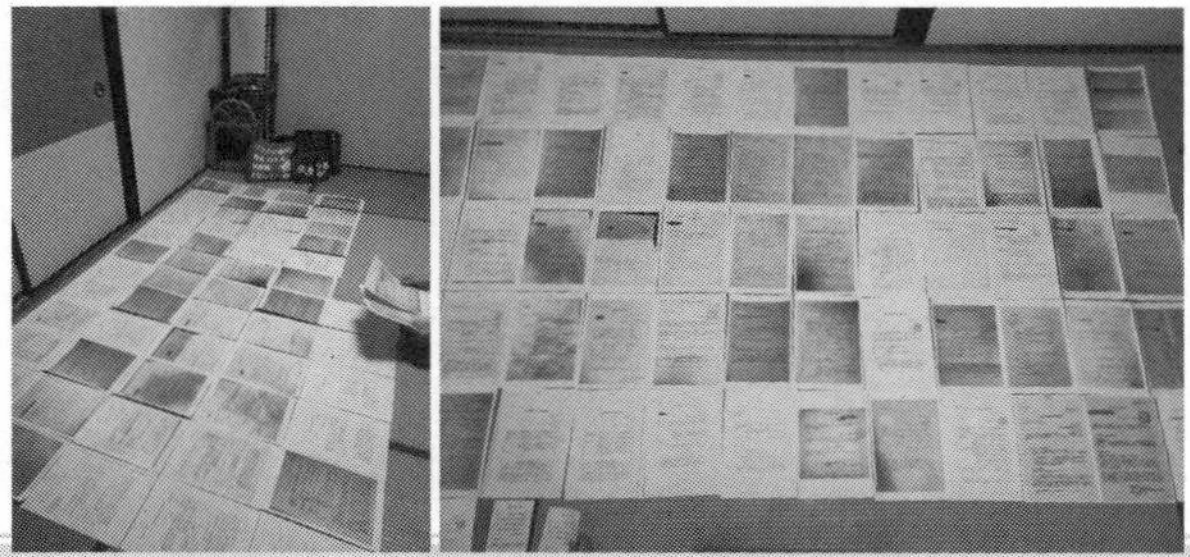

スライド63

第II巻 病原と制御
ウイルス学の原理
第4版

考察
なぜウイルスはコッホの原則を満たせないのか？

- コッホの原則は、病原体が特定の疾患の原因であることを明確にする枠組みを示したが、ウイルスを含むいくつかの感染因子は、疾患を引き起こすにもかかわらず、原則の全てに当てはまるわけではない
- 実際、ウイルス病原体に対して、こうした基準を厳格に適用したことが、ウイルス学という分野での初期の進歩を妨げたとも言われている
- コッホが、自身の原則の限界に気づいたのは、コレラの病原体であるコレラ菌が病人からも健康な人からも分離できることを発見した時であった

スライド64

もともと金融界で大成功を収めた人なんですが、ホメオパシーや自然医療の分野でも、相当深く勉強したようです。トム・カウワンが副会長を務めるウェストン・A・プライス財団という、伝統食を推奨する財団があるのですが、彼女はそこのローカル支部長です。彼女が言っています。「権威ある学術誌は、全部でないにせよ、ほとんどが飼われている。reprint（別刷り）をつくって、世界のお医者さんを洗脳するツールにしている」と。

別刷りってわかりますか。簡単に言うと、例えばここに論文があって、ファイザーが新薬を売りたいとします。そのために、新薬の関連記事だけ抜き取って表紙をつけて、別刷りとして世界中の医師にばらまく。医師は表紙つきの冊子を見て、すごいと思うのではないでしょうか。そういう形で世界中の医師を教育し、洗脳し、自分たちは儲かる。例えばランセットはそれが41％の収益になっている。また、米国医師会の雑誌ＪＡＭＡの収益の53％は別刷りによるものだと言われています。私は別刷りというものを彼女のビデオを見て初めて知ったんですけど、本当にひどいなと思いましたね。ほとんどの医師は真に受けてしまいますよね。

（スライド66）

スタンフォード大学のジョン・ヨアニディス教授は、世界で最も多くの論文を発表して尊敬されている人物です。彼は「さまざまな論文、特に医学研究の9割は正確でない、プラシボを使わないでコントロール実験（対照実験）も行われていない、だから信用できない、有効ではない」と言っています。

（スライド67）

ところで、皆さんは今までどれぐらいワクチンを打ったか、わかりますか？

こうやって見たら、びっくりしませんか。これだけじゃないかもしれませんが、アメリカはもっと多いでしょう。カリフォルニア州はひどいと聞いています。

『ワクチン神話　捏造の歴史』の翻訳者（神瞳）がこの会場におられますが、スライドはこの本から引用させていただきました。私も含めてほとんどの人はこんなに打っているんですよ。これを子どもに打てますかということです。

ぜひこれを参考になさって、もし今でも何も知らずに「ワクチンを打て」と言っている医師がいたら、これを見せるのもいいですね。「これを読んでから、どうするかを決めてください」と伝えてください。これは素晴らしい本で、英語ではかなり有名です。これを翻訳するのはとても時間がかかって本当に大変だったと思いますよ。私だったらやらないな（笑）。誰かやってほしいなと思っていたんですよ。この本はお勧めします。

学術誌は完全に飼われている

レスリー・マヌーキアン（米国）

受賞歴のあるドキュメンタリー映画プロデューサー、作家、講演者。金融業界でキャリア絶頂期にウォール街を去る。ウェストン・A・プライス財団の支部長を務め、栄養価の高い伝統食品を提唱。ホメオパスの資格を持つ。

- 製薬業界は権威ある学術誌(『ニューイングランド・ジャーナル・オブ・でディシン』誌や『ランセット』誌)の編集者に資金提供
- 製薬会社は論文の" re-prints（別刷り）"
  →世界中の医師に発送
- 医師が支払う200ドル程度の年間購読料で学術誌が成り立っているのではない
  → ランセットの収益41%、JAMA（米国医師会雑誌）の収益の53%は別刷りだけによるもの

スライド65

ジョン・ヨアニディス教授
スタンフォード大学

世界で最も多くの論文を発表し
尊敬されている科学者の1人

「特に医学研究の90%は正確ではない。
また、適切なプラセボを使わず
きちんとした対照実験も行われていないため
信用できない、有効ではない」

スライド66

あなたはこれまでどれだけのワクチンを接種しましたか？

[1]四種混合ワクチン(DPT－IPV:ジフテリア・百日せき・破傷風・ポリオ)
[2]DTワクチン(D:ジフテリア T:破傷風)
[3]MR(麻しん風しん混合)ワクチン
[4]日本脳炎ワクチン
[5]BCGワクチン
[6]ヒブワクチン
[7]小児用肺炎球菌ワクチン(PCV：13価ワクチン)
[8]ヒトパピローマウイルス(HPV)ワクチン
[9]水痘ワクチン
[10]B型肝炎ワクチン
[11]経口弱毒生ヒトロタウイルスワクチン
又は5価経口弱毒生ロタウイルスワクチン
[12]インフルエンザHAワクチン
[13]成人用肺炎球菌ワクチン(PPSV：23価ワクチン)

スライド67

医学・科学のウソ

（スライド68）

トム・カウワンは、「癌はワクチンの合併症」だと言っていますよ。冒頭でも触れましたが、「フレクスナー・レポート」が1910年ぐらいに出ましたよね。あのあたりからワクチンが始まったと言われています。1847年にAMA、1930年ごろにFDAという組織が立ち上げられて、ワクチン接種がどんどん増えていった。そのころから変な病氣が出てきた。

要するに癌は毒をいっぱい詰め込んだ、ただのゴミ箱ですが、「癌」と言われたら、みんなお先真っ暗になりますよね。後でデトックスの話もしますが、自然療法で癌が消えたというのは、当たり前のことなんです。ミラクルでも何でもなくて、デトックスすれば体はよくなるんですね。

（スライド69）

トム・カウワンはまた、病氣の7～8割は医療介入によるものだ、とも言っています。本当にそのとおりだと思います。病院に行くと病氣にさせられる。

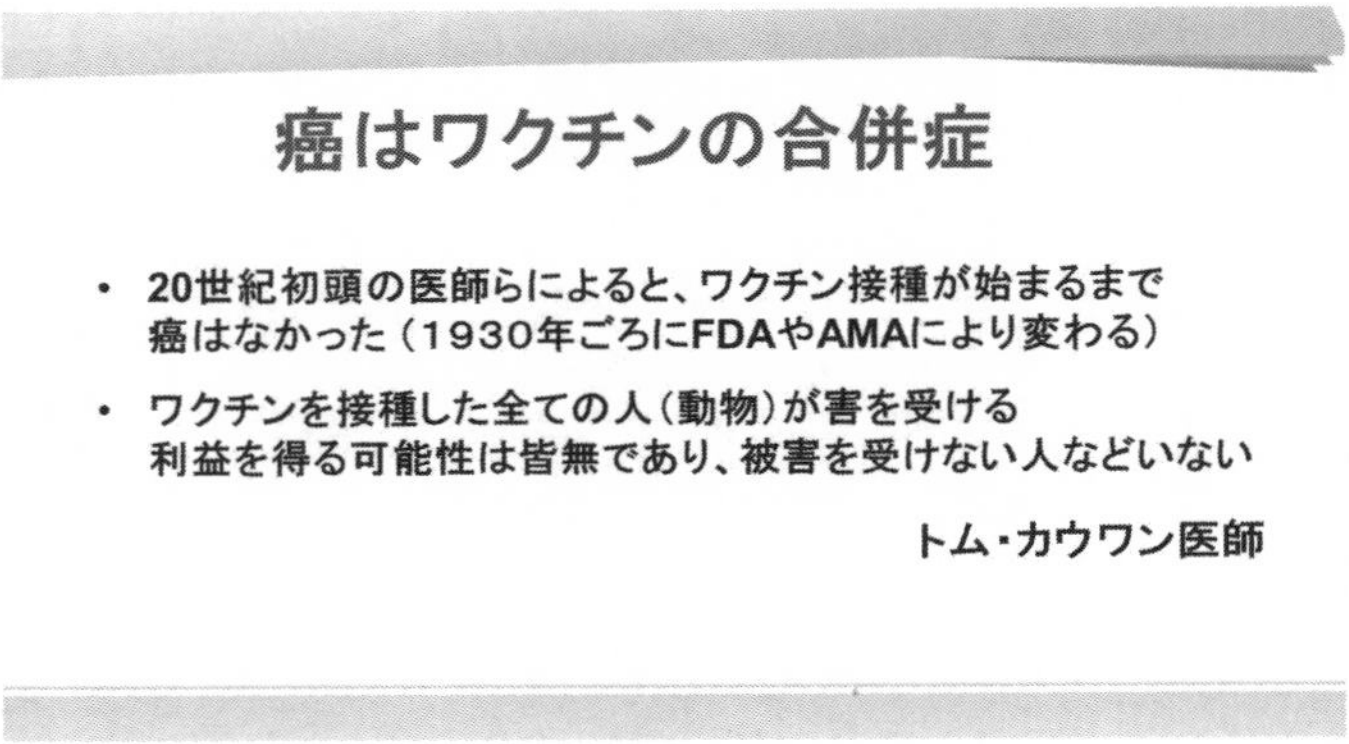
癌はワクチンの合併症
• 20世紀初頭の医師らによると、ワクチン接種が始まるまで癌はなかった（1930年ごろにFDAやAMAにより変わる）
• ワクチンを接種した全ての人（動物）が害を受ける
利益を得る可能性は皆無であり、被害を受けない人などいない
トム・カウワン医師

スライド68

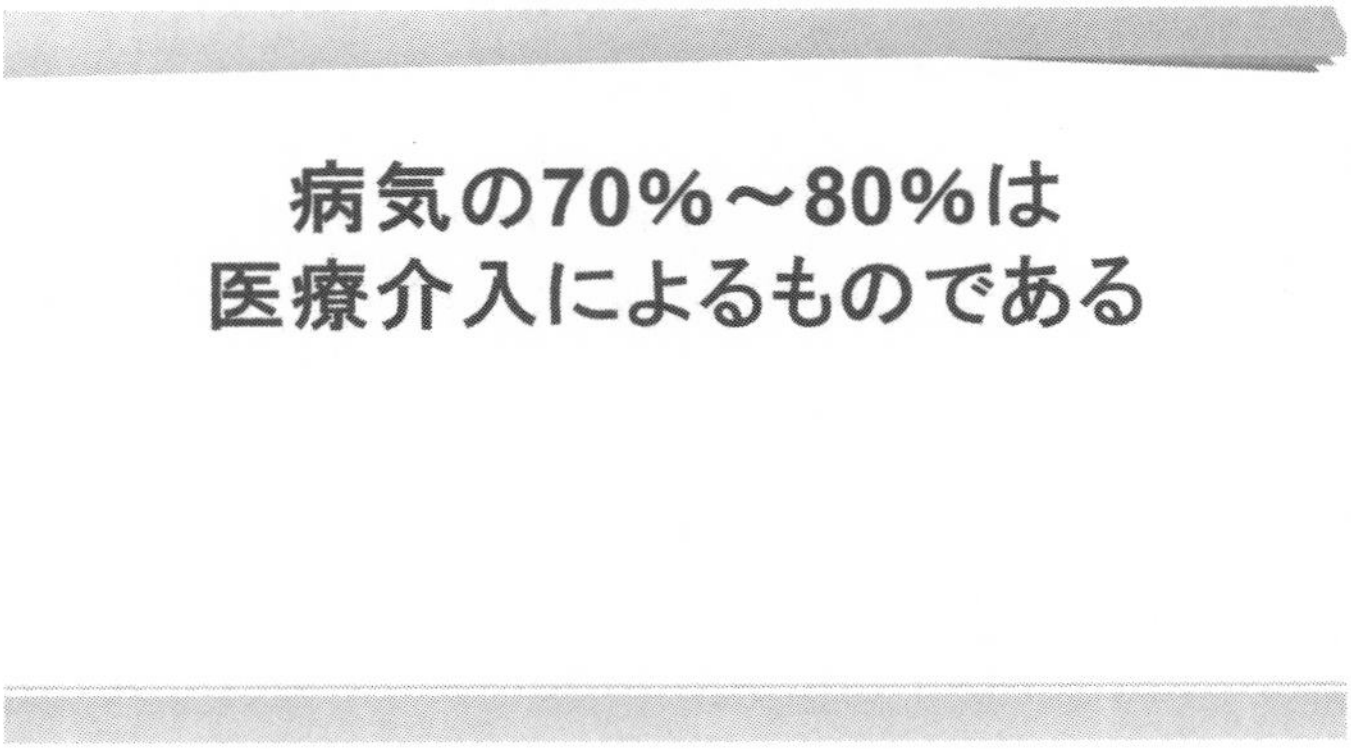
病気の70%～80%は
医療介入によるものである

スライド69

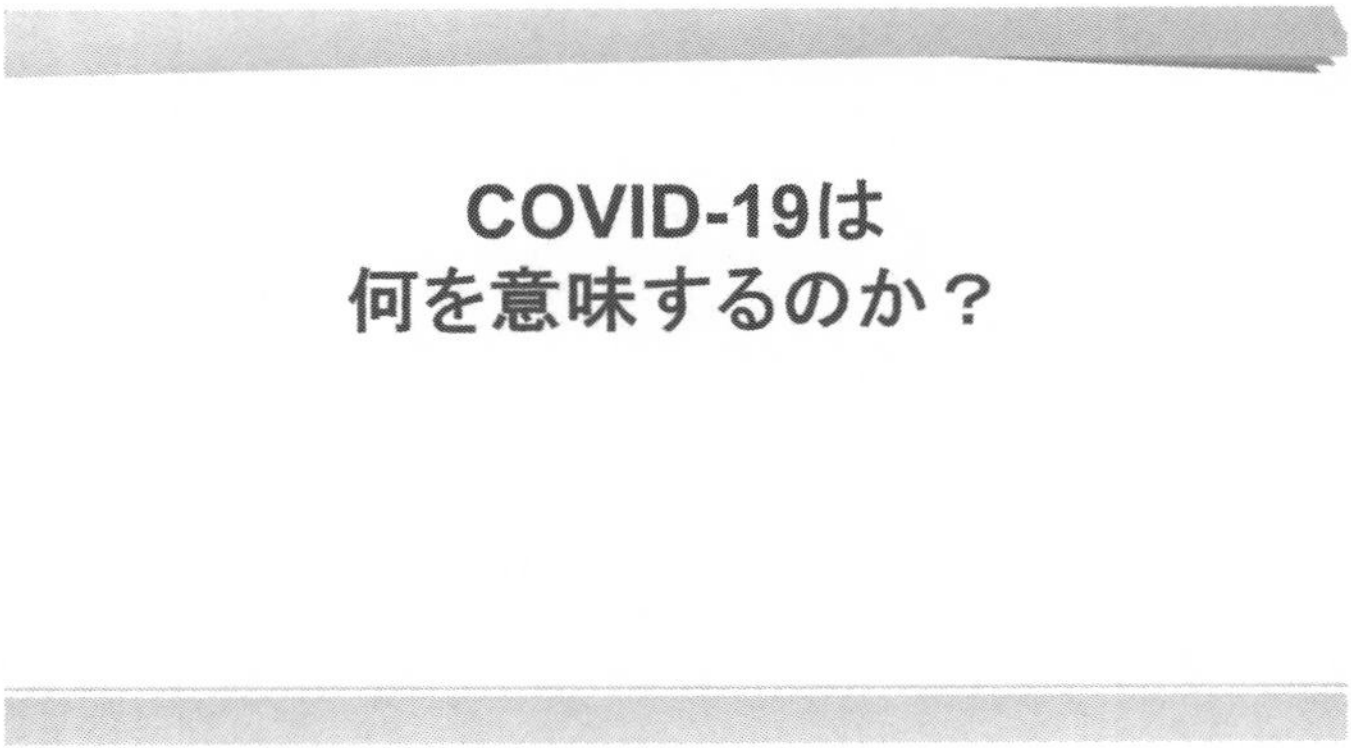
COVID-19は
何を意味するのか？

スライド70

（スライド70）

ＣＯＶＩＤ－19が何を意味するかわかりますか？　これもトム・カウワンが言っていたんですが、私は聞いてびっくりしました。

（スライド71）

See a sheep surrender（訳：羊が降伏するのを見届ける）。ＣＯＶＩＤの最初の頭文字はＣで、それは英語の see（見る）という意味でもあります。Ｃを抜いた Ovid はラテン語で羊という意味だそうです。19というのは、古代における降伏の数とのことで、なるほどな、と思いました。

（スライド72）

例えば、今回は「ｍＲＮＡワクチン」と言われてますが、それを疑問視する医師や科学者もいるんですよ。それはさておき、ｍＲＮＡについて見てみると、「ｍＲＮＡはリボソームによってタンパク質に変換される」、また「リボソームはタンパク質合成の場」という説明がなされています。しかしよく調べると、実はリボソームは存在しません。

（スライド73）

Ribosome（リボソーム）の Rib は肋骨、Some は体、体幹という意味です。

（スライド74）

“See a sheep surrender”
羊が降伏するのを見届ける

- C＝see ＝見る
- Ovid ＝ ラテン語で羊
- 19 ＝ 古代における「降伏」の数

スライド71

言葉遊びで馬鹿にする

スライド72

mRNAは細胞内の「リボソーム」上でタンパク質になると言われている

「リボソーム」
意味は体の肋骨

- Ribosome = ribo + some
- Rib = 肋骨
- Some = soma = 体、体幹、細胞体

スライド73

聖書には、イブはアダムの肋骨から創られたという話があります。支配者らは、リボソームが人工物であり、存在しないことを知っているので、言葉遊びで私たちを馬鹿にしている感じがします。しかし、馬鹿にしているだけじゃなくて、実は真剣にやっているのではないでしょうかね。

ここまでは医学・科学のウソ、捏造の部分をお話ししました。

歯科学のウソ

（スライド75）

歯科学に関してもちょっとお話ししたいと思います。

歯科学も結構いろいろな面でウソが多いことがわかってきました。私は海外に住むようになってからフロスを始めましたが、実はフロスは絶対にしないほうがいい、とナチュラルヘルスのコミュニティでは常識となっています。フロスがバイオフィルムを取ってしまうからです。

さらに言うと、歯を磨かないほうがいい。それを聞いて以来、私はすごく柔らかい歯ブラシで就寝前にサッと磨くだけにしています。それでも歯には全然問題ないんですよね。

歯の定期チェックは、ただのカネ儲けでしょうね。以前は年に1回、それが半年に1回になって、そして今では（カナダでは）3カ月に1回連絡してくるから、とんでもないですよね。歯が削られるし、レントゲンを撮られるのも、もちろんよくないですよね。私が行っていた歯医者さんは、極力レントゲン撮影はしない方針で、一定期間内に別の歯科医で撮ったレントゲン写真があればそれを受け付けてくれます。そこまでやってくれる歯医者さんでも行かないに越したことはないですね。特にフッ素を歯に直接塗布するトリートメントはやらないでください。フッ素は神経毒です。

（スライド76）

ウェストン・A・プライス財団の話を先ほどしましたが、ウェストン・A・プライスというのは100年前の歯科医で、カナダ出身ですが、アメリカに拠点を移し、世界中を旅して先住民の暮らしを観察し、歯と栄養の関係を記録し一冊の本にまとめました。

（スライド77）

『Nutrition and Physical Degeneration』（日本語版：『食生活と身体の退化』

アダムとイブ

「人間は肋骨からできた」
「イブはアダムの肋骨から創られた」
という聖書の話

「支配者」は「リボソーム」が人工物であり
存在し得ないことを知っている

スライド74

歯科学のウソ

- 実は歯磨きはする必要がない
- フロスは言語道断(バイオフィルムを取ってしまう)
- フッ素は神経毒
  → フッ素加工歯磨きは処分する
- 定期チェックはカネ儲け
  → 歯をダメにする

スライド75

ウェストン・A・プライス
(100年前のカナダの歯科医)

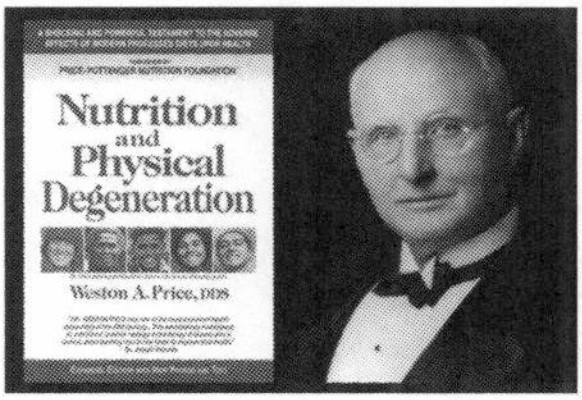

THE WESTON A. PRICE FOUNDATION®
for Wise Traditions
IN FOOD, FARMING AND THE HEALING ARTS
Education ◆ Research ◆ Activism

- トム・カウワン医師は、財団創設理事
  現在も同財団の副会長
- 『ヒューマンハート・コズミックハート』
  でもプライス医師に言及

スライド76

（スライド78）

スライドの画像は、この本について解説しているビデオの一コマで、私が翻訳字幕を付けたものです。

ここに出てきている先住民たちは、歯がきれいで、歯ブラシも見たことがないような人たちです。この人たちは顎の形もしっかりしているし、すごく健康なんですね。歯医者にもほとんど行ったことがない。

（スライド79）

ところが、同じ地域の同じ民族でも、食べ物が違うと、こうも違う。左はネイティブの伝統食を食べてきた人、右は西洋の食事を食べてきた人です。同じところに住んでいる同じ民族なのに、全く違いますよね。

（スライド80）

もっとすごいのはこちら。この2人は兄弟です。スコットランドの沖合のハリス島という孤立した村に住んでいる兄弟にウェストン・プライスが出くわしました。Brothersと書いてあるだけなので、どちらが兄で、どちらが弟かわかりませんが、左はひどい。右のほうは伝統食を食べていたようで、皮膚にも張りがある感じです。日本でいうと、旬の食材を使って郷土料理を頂く、という考え方でしょうか。

ウェストン・A・プライス医師の名著
『Nutrition and Physical Degeneration』
日本語版『食生活と身体の退化
- 先住民の伝統食と近代食
その身体への驚くべき影響』

- 世界中を旅し先住民の暮らしを記録
- **世界的に非常に高い評価**

スライド77

歯ブラシも見たことがない 先住民の歯が美しい！

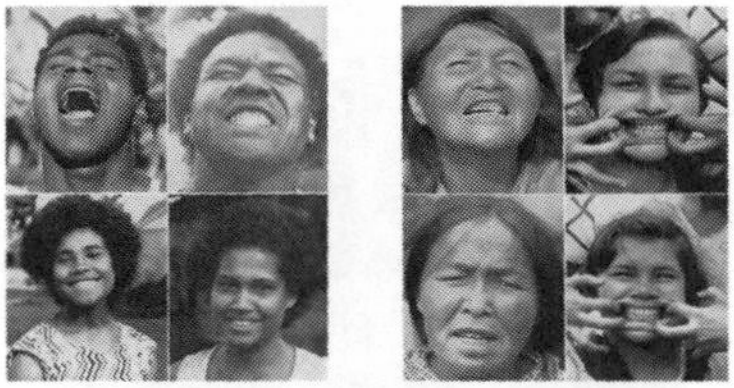

そのほとんどが歯医者に行ったことがなく

スライド78

同じ地域の同じ民族での 歯の状態の違い

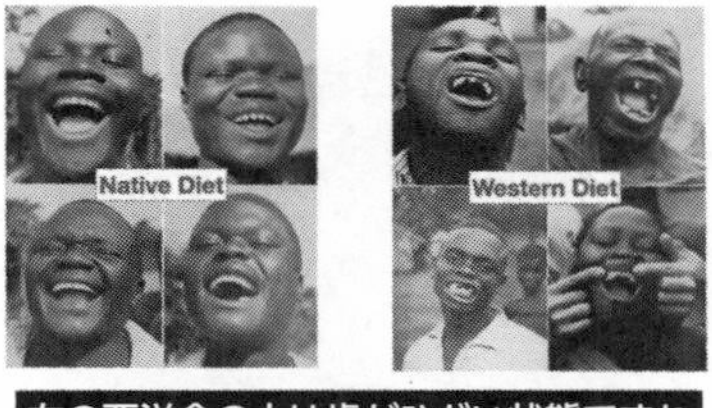

右の西洋食の人は歯がひどい状態ですね

スライド79

（スライド81）

先住民の食事はミネラルが3倍以上、脂溶性ビタミンが10倍以上ある。グラフを見れば一目瞭然です。

こんな形で、歯に関しても、カネ儲けのために私たちはウソを信じ込まされてきた。歯を磨かないというのはなかなか難しいかもしれませんが、毎食後に歯磨きをしている方がいらっしゃったら、例えば1日1回に減らすとか、あるいは口をゆすぐだけでもかなりいろんなものが取れます。それもちょっとやって、コンビネーションで少しずつやめてどうなるかという実験をやってみたらいいかなと思います。

（スライド82）

これはデンマークの歯科医、ドーテ・ブレッドゴーの『Teeth Don't Lie（タイトルの意味：歯はウソをつかない）』という、歯科学の常識を覆す本です。

（スライド83）

彼女はもともと普通の歯科医でしたが、あることがキッカケで、今まで学んだことの見方が一転して、歯科学の治療法を完全にやめたんです。現在は健康な歯のためのコースを設けて積極的に指導にあたり、執筆活動もしています。

スコットランド北西海岸の沖合
ハリス島の孤立した村に住む兄弟

右が伝統食を、左は西洋食を食べていたことです

スライド80

先住民の食事はミネラルが3倍以上
脂溶性ビタミンが10倍以上

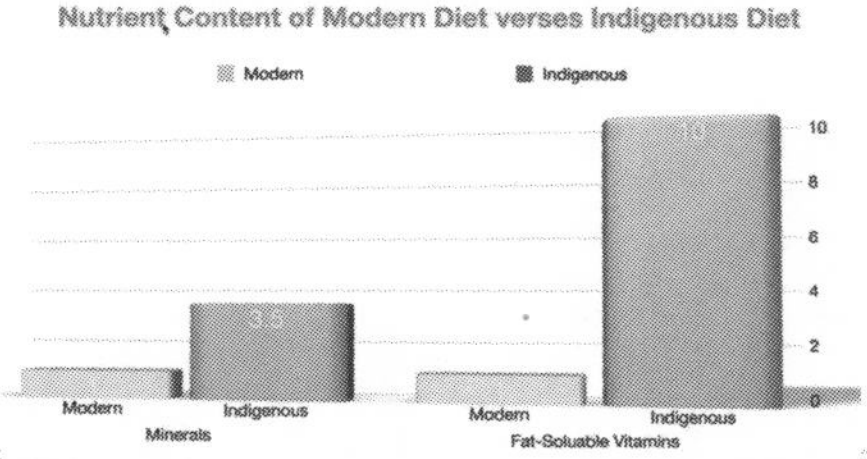

スライド81

歯はウソをつかない

スライド82

ここまでは医学・科学・歯科学として皆さんにお話ししました。

歴史を塗りかえ、何かを隠蔽した人々

（スライド84）

さて、ここからは歴史の改ざんについてです。

（スライド85）

ここにジョージ・オーウェル『１９８４』の一部を挙げました。

「記録はことごとく破棄され、あるいは改ざんされ、書物は一冊残らず書き換えられ、絵画は新たに描き直され、像や建物はみな改名され、年代は全て変更されてきた。そして、そのプロセスは、日々刻々と続いている」

これを今年（２０２３年）１月、ツイッター（現・X）に投稿しましたが、この本を読んだことがある人は結構いらっしゃるのではないでしょうか。

（スライド86）

さて、こちらのスライドは、１８９３年のシカゴ万博についてです。これは、名目上、

ドーテ・ブレッドゴー
（デンマーク・歯科医）

- 25年間、普通の歯科医だった。が、あるきっかけで物の見方が一変
- 原因が解決されれば病氣が自然に消えていくのを目の当たりに
- 真実を語らないことが歯に問題を引き起こす原因につながることを発見
- 歯は内面を映し出す鏡
  → 歯のトラブルは口腔内の衛生状態や砂糖の摂り過ぎが原因ではない
- 身体・心・精神を1つのユニットとして捉え始めると、自分を「攻撃」するのはバクテリアではなく、すべて自分自身であることに氣づく
- 怒りはため込まず、前向きな方法で発散させることが健康の秘訣
  → そうしなければエネルギーは内側に向かい、病氣を作り出す

スライド83

歴史の改ざん

スライド84

「記録はことごとく破棄され、あるいは改ざんされ、
書物は一冊残らず書き換えられ、絵画は新たに描き直され、
像や建物はみな改名され、年代は全て変更されてきた。
そして、そのプロセスは、日々刻々と続いている」
ジョージ・オーウェル 1984 (1949著)

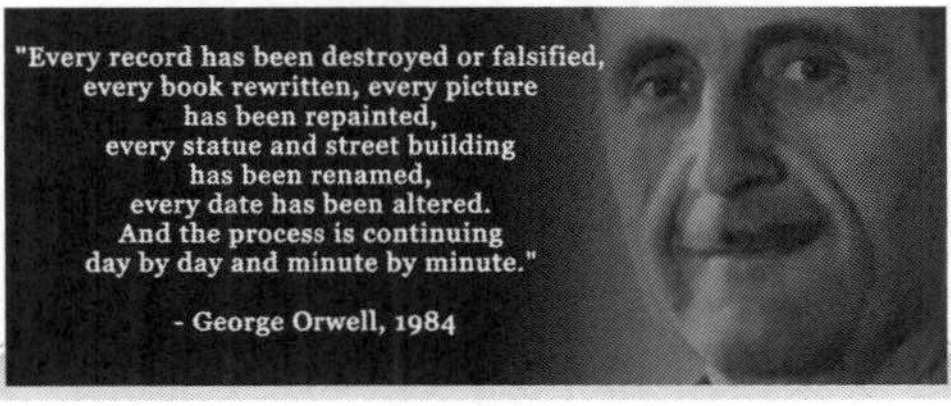

スライド85

コロンブスの米大陸発見400周年ということになっています。シカゴ、すごい人ですね。確かに万博は開催されたようです。が、びっくりするかもしれませんが、「米大陸発見400周年」を記念してやったんじゃない。それは作り話であることが明らかになっています。

（スライド87）

World Fair は、19世紀後半～20世紀初頭にかけて世界中で開催された万博のことで、「見本市の一時的な建物」とされるグレコローマン様式の美しい建築物が、万博終了後に破壊されてしまいました。場所によってはダイナマイトで破壊されたようです。

（スライド88）

それにかかわっているのが、フリーメイソンではないかと考えられます。Free Mason フリーメイソンという言葉を皆さんもご存じでしょうけど、これを分解してみると、Free は自由、ただ、無料、Mason は Masonry という言葉に由来しているのですが、Masonry というのは石で建てた建物、それに携わる職人という意味もあって、皆さんがご存じなのはフリーメイソン団の主義やその考えを持つ人たちのことだと思います。万博の後にそういう美しい建物をことごとく破壊していった。それにフリーメイソンが関係していると言っている人もいます。今私たちには、なぜ破壊したのか、その真相はわかりません。

World's Columbian Exposition
シカゴ万国博覧会 (1893年)
コロンブスの「米大陸発見400周年」を記念

スライド86

"World Fair"
「万国博覧会」

19世紀後半～20世紀初頭にかけての
「万国博覧会」は全ての開催地で
その直後にほとんどの美しい建築物が
（場所によってはダイナマイトで）
破壊されている

その目的は？

スライド87

Free Mason フリーメイソンの
名前の由来

Free = 自由、無料、ただ
Mason = Masonry（メイソンリー）
Masonry = 石造建築、組積造、
石工術、石工職、
フリーメイソン団の主義

スライド88

ただ、何かを隠したい、歴史を塗りかえたい、つくりかえたいという意図は透けて見えます。

（スライド89）

西部開拓はでっち上げというのを聞いたときは、私も驚きました。スライドの右側の画像は1850年に存在したとされるサンフランシスコの建物。左側の絵は、同時期の、のどかなサンフランシスコの絵画です。とても落差を感じます。本当は、右側の画像のような立派な建造物はその前から存在していた。それをないことにしたいという意図があり、後づけで、左側の風景画を描かせて、私たちに、19世紀の中ごろまでこうだったと思い込ませた可能性はないでしょうか。

（スライド90）

実は世界的に似たような建築物があって、新しく発見されたことになっているオーストラリア大陸にもパルテノン神殿みたいな建造物があるし、全く似たような感じのものがブラジルにもある。なんと中国にもある。インドにもある。みんな似ているでしょう。

これは上海の外灘《ガイタン》といって、私も行ったことがあるんですけど、ここはどこだろうと戸惑うほど、西洋の趣です。

（スライド91）

西部開拓はでっち上げ

↑上の画像は1850年のサンフランシスコ
← 左の絵は1846～1847年ごろのサンフランシスコ

スライド89

スライド90

私が住むバンクーバーにも

スライド91

私が住んでいるバンクーバーです。これは私が撮影したんですが、左側はシンクレアセンターといって、4つの建物の複合体とされています。ネットで調べたら、1937年完成と記されていますが、果たして本当でしょうか？　戦争など世界的に大変な時期に、当時の技術で、こんなに大きな、精巧で見事な建物が造られると思いますか？　よく考えると、いろんなことが変なんですよね。

右側も私が撮った写真ですが、シンクレアセンターの斜め向かい側にある建物です。サイズ感が非常におかしい。柱がこんなに大きくて、ものすごく入り口が大きいんですよ。高さが2メートルとか3メートルの話じゃなくて、6メートルぐらいあるんじゃないかな。注意深く見ていると、つじつまが合わないことがいっぱいありますね。特にバンクーバーは、アメリカの西海岸と同じように新しい町だと、私たちは習いました。

（スライド92）

スター・シティをご存じですか。これは結構いろんなところにあるんですよ。特にヨーロッパにあるのかな。カナダではケベック州にもあります。

（スライド93・94）

私が撮影した写真で、今年（2023年）5月に日本に来たとき、札幌の講演会の前日に行ったんです。展望台から望む函館の五稜郭です。天氣がイマイチよくなかったので、

Star City
スター・シティ

スライド92

函館・五稜郭
（2023年5月）

スライド93

函館・五稜郭

スライド94

ネットで見つけたこちらの、きれいな画像をご覧ください。

日本でもスター・シティの跡が見られるのは、一体どういうことなのか。とても不思議ですよね。

タータリアって聞いたことがありますか？　タータリアが関係しているのか？　それについてはまだ調べ始めたばかりですが、世界の歴史のかなりの部分が、少なくとも1850年から1920年の間にすりかえられているのではと見ています。特にビクトリア女王の時代に大きな変更があったことがわかっています。

国の実体は「企業」

（スライド95）

こういうことを踏まえて次は国の話をします。

「世界のほとんどの『国』は企業。一見『国』に見えるが実体はビジネス」という話を皆さんは聞いたことがありますか。

（スライド96）

スライドはカル・ワシントンです。彼が共同設立したインパワー・ムーヴメントとNo

世界のほとんどの「国」は企業
一見「国」に見えるが実体はビジネス

スライド95

世界のほとんどの「国」は企業である
INPOWER

スライド96

アメリカの定義は「連邦法人」
コーネル大学ロースクール
法律情報研究所

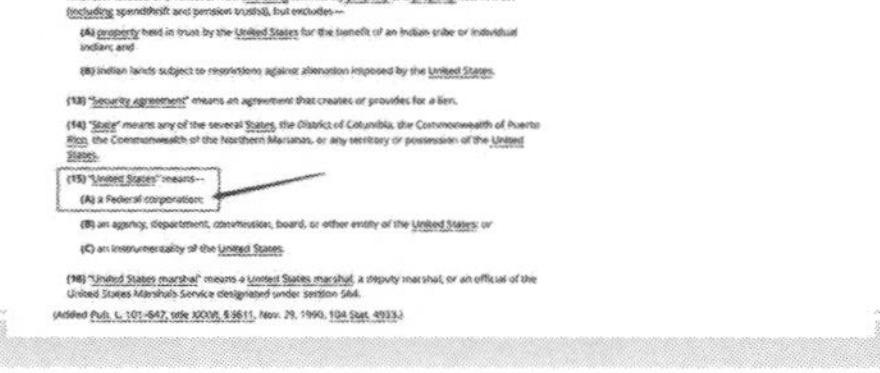

LII Legal Information Institute

(12) "Property" includes any present or future interest, whether legal or equitable, in real, personal (including choses in action), or mixed property, tangible or intangible, vested or contingent, wherever located and however held (including community property and property held in trust (including spendthrift and pension trusts)), but excludes—

(A) property held in trust by the United States for the benefit of an Indian tribe or individual Indian; and

(B) Indian lands subject to restrictions against alienation imposed by the United States.

(13) "Security agreement" means an agreement that creates or provides for a lien.

(14) "State" means any of the several States, the District of Columbia, the Commonwealth of Puerto Rico, the Commonwealth of the Northern Marianas, or any territory or possession of the United States.

(15) "United States" means—

(A) a Federal corporation;

(B) an agency, department, commission, board, or other entity of the United States; or

(C) an instrumentality of the United States.

(16) "United States marshal" means a United States marshal, a deputy marshal, or an official of the United States Marshals Service designated under section 564.

(Added Pub. L. 101–647, title XXXVI, § 3611, Nov. 29, 1990, 104 Stat. 4933.)

スライド97

L（責任追及の告知書）については後ほど詳しくお話しします。

（スライド97）

スライドは、コーネル大学ロースクールのウェブサイトです。

カル・ワシントンによると、例えばアメリカの定義は連邦法人とのことで、私もネットで調べたら、このサイトが出てきたんです。

（スライド98）

カナダも一応「国」と言われているけれども、米国証券取引委員会に登録されている企業です。

（スライド99）

日本もしっかりと登録されていますね。

（スライド100）

ひどいことにカナダは、私が住むブリティッシュコロンビア州も含めて、各州ごとに企業登録されています。

（スライド101）

カナダの「建国」はちょっと特殊です。カナダは景色が絵になるし、いいところだと思う人が多いかもしれません。確かにきれいで、すばらしいところです。

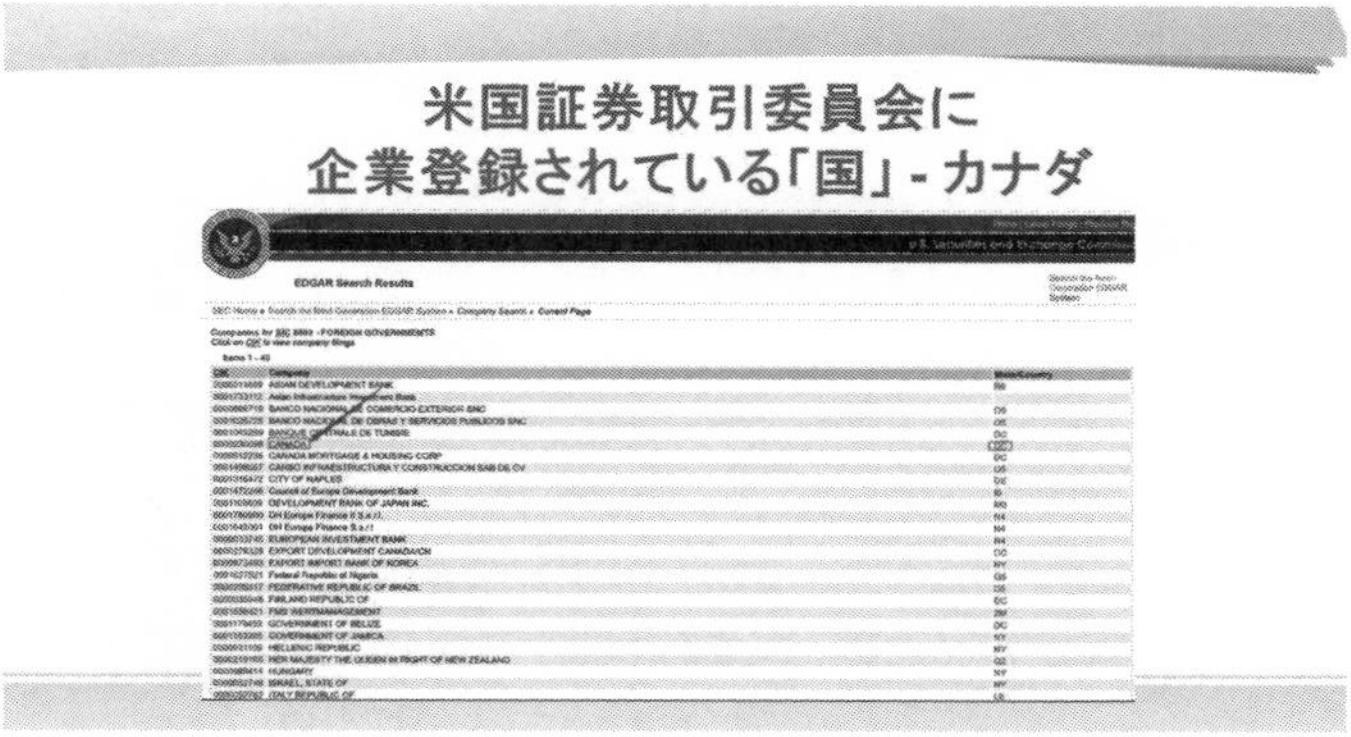

スライド98

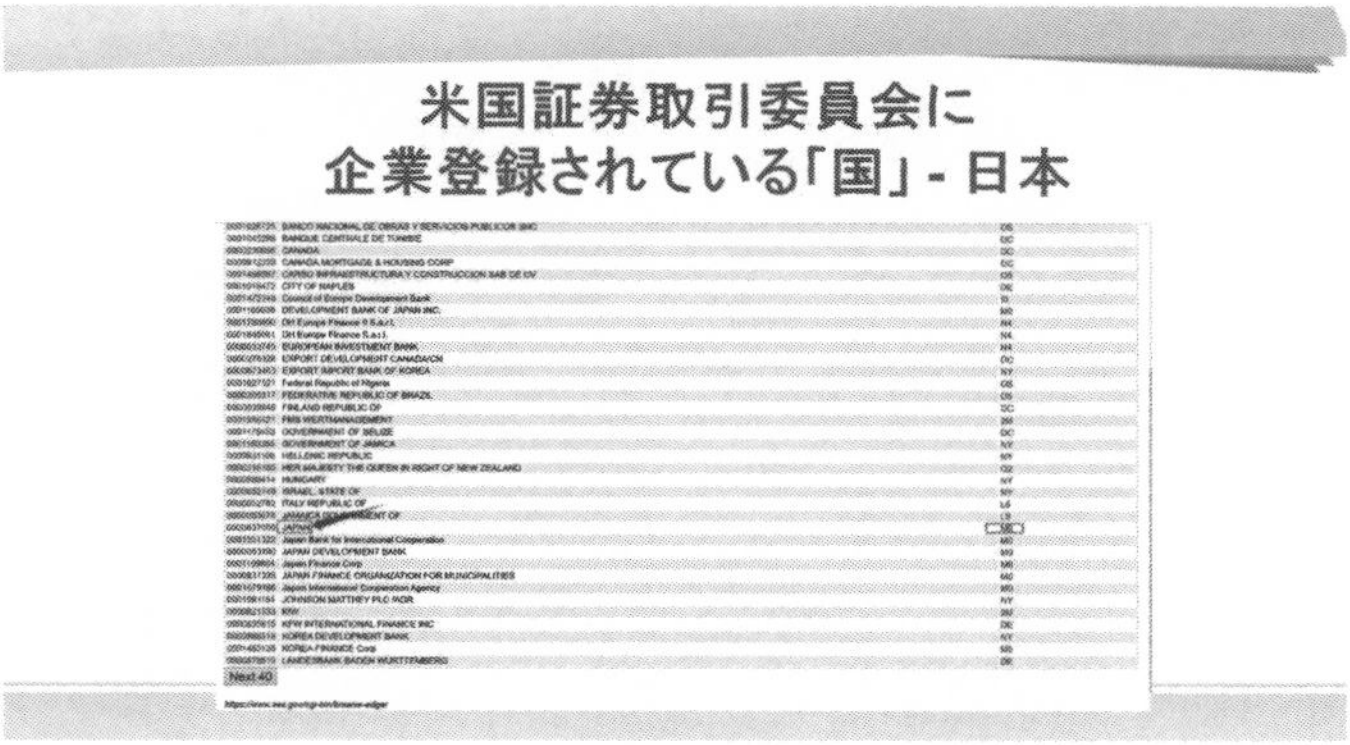

スライド99

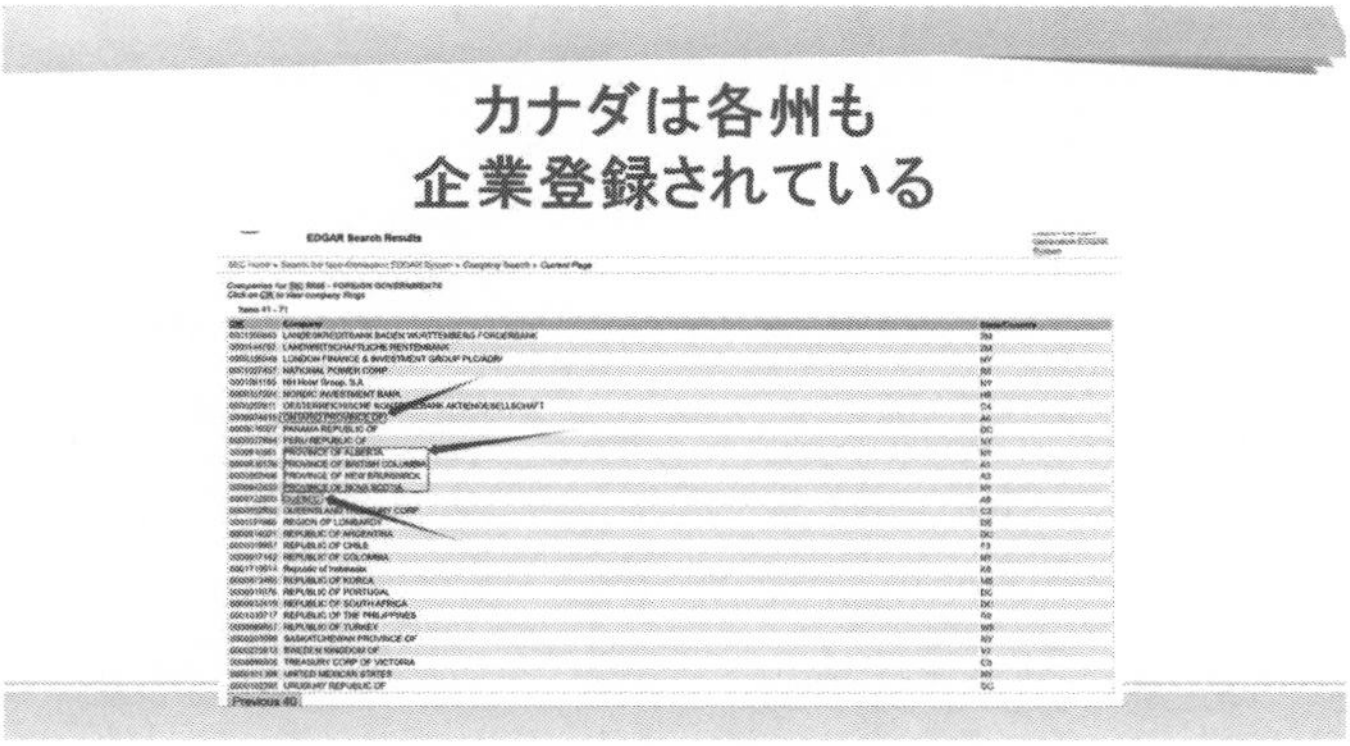

スライド100

しかし、法的にも歴史的にも実質的にいまだかつて国家になったことがない。どこの国でも憲法があると、もちろんカナダ人も思っているんですけど、実際カナダには憲法は存在しません。「自由憲章」があることを知っている人は少なくないかもしれませんが、実は「自由憲章」も表向きのものなんです。

(スライド102)

実際にあるのは、通称「ハドソンズ・ベイ憲章」です。老舗デパートを所有するハドソンズ・ベイ・カンパニーが「ハドソンズ・ベイ憲章（ハドソンズ・ベイ・チャーター）」によってカナダを運営している、そんなひどい話なんですよ。

先ほども触れたように、ビクトリア女王が相当かかわっていたようです。

(スライド103)

これはインターネットで見つけたハドソンズ・ベイのデパートの写真です。バンクーバーのダウンタウンにあって、その一帯は地元の人や観光客でいつも賑わっていますね。

いずれにせよ、カナダは「建国」当初からおかしい。イギリスの傘下にありますから、完全にそのスキームに乗っているでしょうね。

カナダの「建国」は世界でも特殊

- 1867年に制定された（とされている）BNA（英領北アメリカ法）により カナダが一つの連邦として自治を開始したのが1867年7月1日
  → それを記念し「国民」は毎年7月1日の「カナダ・デー」を祝う
- 「国」とされているが、実体はハドソンズ・ベイ・カンパニー所有の カナダ・コーポレーション
- カナダには「憲法」は存在しない
  → 「自由憲章」は表向きで、実際には「1670年ハドソンズ・ベイ憲章」により運営されている

スライド101

カナダを所有しているのは ハドソンズ・ベイ・カンパニー

- ハドソンズ・ベイ・カンパニーの正式名はThe Governor and Company of Adventurers of England trading into Hudson's Bay＝ハドソン湾での交易に携わるイングランド総督と探検家一座
- 北米大陸におけるビーバーなどの毛皮貿易のため1670年5月（英チャールズ2世）に設立された英国勅許・国策会社で現存する北米大陸最古の企業
  → 王は金や銀など他の天然資源の発見も期待
- 同湾に流れ込む全河の流域（ルパート・ランド）での毛皮独占取引権をチャールズ2世の従兄ルパート公が取得
- 1867年カナダ「建国」後の1870年ビクトリア女王が権利を取得

スライド102

スライド103

捏造されたオーストラリアの歴史

そして、オーストラリアも、同じ英連邦の傘下です。オーストラリアの歴史についてもちょっと調べました。

（スライド104）

すると、オーストラリアの捏造の歴史もひどくて、表向きは、シドニーに最初の船団が到着した1788年から、1842年までの54年間に次々と船が着いた、という話になっています。また、オーストラリアに囚人が連れてこられて、その労働力によって経済が発展したことになっていますが、これも作り話だということです。

（スライド105）

「テラ・ジャヴァの地図（ポルトガル製）1547年」と書いてありますが、これを拡大したのが次のスライドです。

（スライド106）

シドニーやブリスベンがある東海岸の、本当に小さい村まで既に名前がついているんです。1500年代にです。

オーストラリア 捏造の歴史

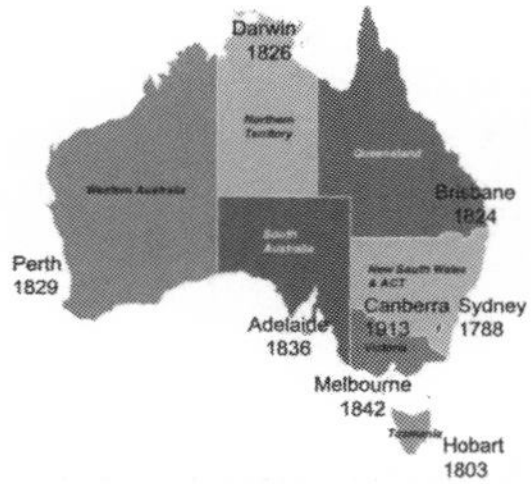

最初の船団の到着から
54年以内に、全ての
主要都市が建設された!

スライド104

オーストラリア東部の海岸線を描いた最古の地図

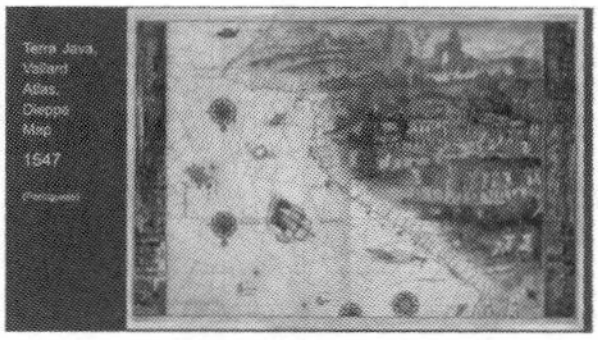

「テラ・ジャヴァの地図（ポルトガル製）
1547年」ヴァラード・アトラスによる

- バチカンもポルトガル王室も1770年のキャプテン・クックの最初の航海の220年以上前から、オーストラリアの海岸線が正確に描かれた海図を所有
- この地図の製作者は、恐らくポルトガルやフランスの機密情報を使用
- 地図は南を上にして、海岸線に沿って細部を描写
- 小さな町や都市にも既に名前

スライド105

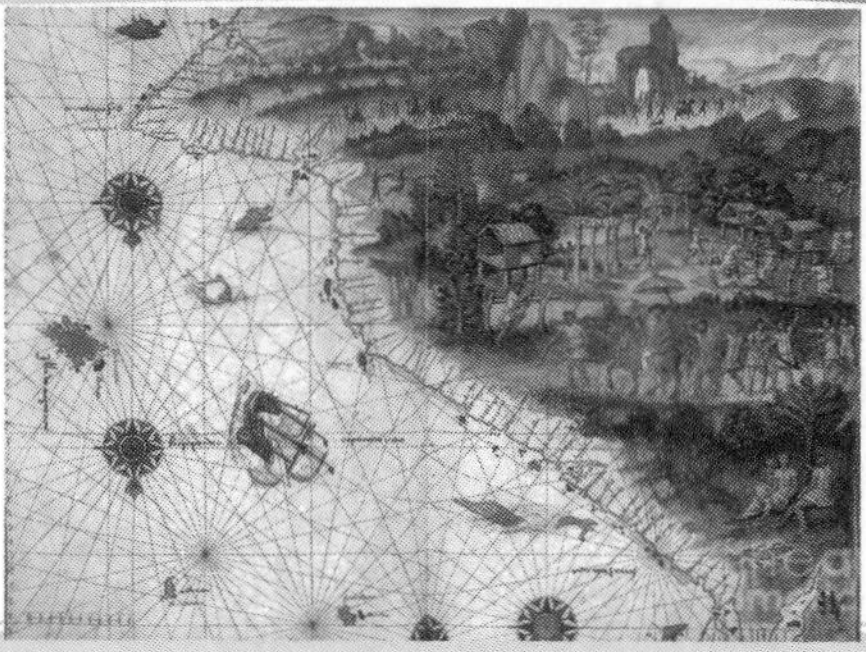

スライド106

この古地図をよく見ると、オーストラリアというところには既に人もたくさんいて、ちゃんとした町があり、立派な建築物があり、生活が営まれていた。

（スライド１０７・１０８）

ラクダに注目！　オーストラリアにラクダ？　と思うでしょう。私もオーストラリアに住んでいたこともあり、ラクダの話は信じていました。完全に洗脳されていました。

（スライド１０９）

学校では、オーストラリアのラクダの歴史は１８００年代初頭に始まった、と習います。有名なのは、ハリーというラクダが１頭だけ生き残った話です。オーストラリアの子どもはみんな、この話を知っているんです。

ところが、今オーストラリアに50万～１００万頭のラクダがいて、アラビアにも輸出しているぐらい、世界で最多のラクダ輸出国なんですよ。そもそもハリー１頭だけでどうやって50万頭、１００万頭にふえるのか。

考えてみると、本当におかしな話なんですよ。そんなつじつまの合わない話がたくさんあるのです。

（スライド１１０・１１１）

これは昔の写真です。本当の撮影年はいつなんでしょうか？

ラクダに注目！

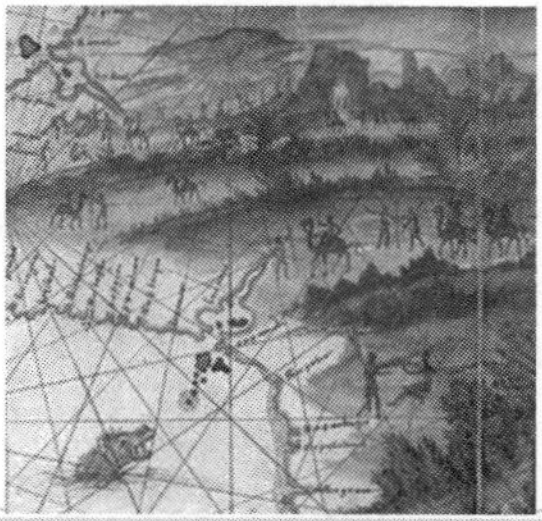

スライド107

オーストラリアにラクダ？

スライド108

「ラクダの物語は1800年代初頭に始まった」

- “アウトバック探検のため”オーストラリアに初めてラクダが到着
- 1840年、フィリップ兄弟はカナリア諸島から6頭のラクダを購入、船に積み込み、ポート・アデレードに上陸
- 生き残ったのは「ハリー」と名付けられたラクダ1頭のみ
- 現在50万～100万頭が西オーストラリア、ノーザン・テリトリー、南オーストラリアで野生化、世界最大のラクダ輸出国

スライド109

スライド110

スライド111

オーストラリアに
Inland Sea（内海）？

スライド112

（スライド112・113）

もう1つオーストラリアで興味深いのは、オーストラリア大陸にInland Sea（内海）があったんじゃないか？　という話です。マッドフラッドなどがあったのかわかりませんが、私は、オーストラリアに内海が多分あったんだろうと思います。

というのは、内陸部で貝殻が見つかっているからです。もしも内海があったとしても、貝殻がどうやって埋まったのかというのはわかり得ませんが、何かしらの隠したい意図があるんだろうなと、なんとなく想像しますけどね。

（スライド114）

これは余談ですが、ビクトリア女王の時代ゴールド・ラッシュがすごいのです。別にアメリカだけじゃなくて、カナダにもゴールド・ラッシュの話がよくあります。調べてみたら、ニュージーランドにもオーストラリアにもある。世界中一斉にゴールド・ラッシュという話があるんですよね。それも偶然なんでしょうか。

（スライド115）

ただ、今からお見せするオーストラリアの美しい建物が解体されたのは本当です。

スライドの左側の画像は、「メルボルン1860年築」と書いてありますが、明らかに1860年築のわけがない。先ほど、船が到着した時期を見ましたよね。例えば1800

内陸部で発見された貝殻

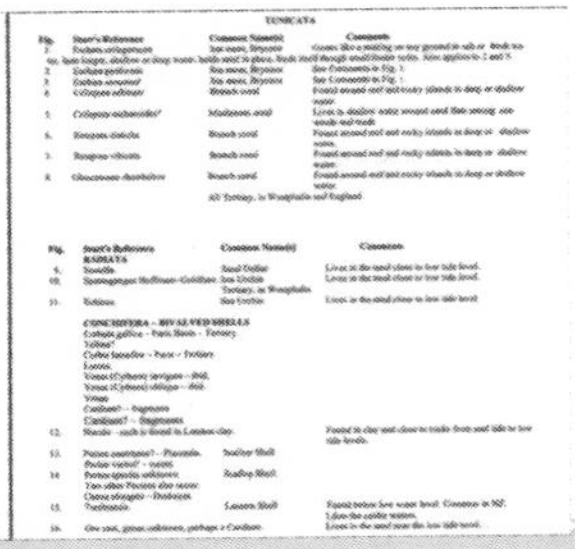

スライド113

世界同時多発的「ゴールド・ラッシュ」

- 1850年から世界的にさまざまな大転換
- ビクトリア女王の時代
- そのころ、世界中に「ゴールド・ラッシュ」
- 豪州は1851年
- 米国・カナダ・ニュージーランド、ブラジル・チリ・南アや他の地域でも

スライド114

コロニアル・ミューチュアル・ライフ・ビル、メルボルン1860年築 1960年解体

フォート・マッコーリー、シドニー 1798年築 1901年解体

スライド115

年代前半に船がやってきて、囚人が一生懸命まちづくりや国づくりをしたとしても、たった40年か50年くらいで、当時の技術でこんなに美しい建築物が建つかどうか。どうやって材料を運んだのか、美しい窓ガラスをどうやってつくったのかとか、いろんな疑問が湧いてくるんですね。

右側の画像は「１７９８年築」です。調べると、築年と解体年が必ず出てきますが、最初の船団がシドニーに着いたのが、１７８８年です。こんなに重厚で見事な建造物を、その10年後に築くことはできたのか？　また、なぜそれを壊す必要があったのでしょう？

（スライド１１６）

左側は有名なメンジーズ・ホテルで、これも解体されています。

右側は有名なコーヒー・パレスで、わりと最近まで存続していたので、結構知っている人が多いんですよ。何でコーヒー・パレスかというと、アメリカの禁酒法時代（１９２０年～１９３３年）、このホテルも同調して、うちはお酒を出しません、ノンアルコールのコーヒーを出しますということで、コーヒー・パレスという愛称がついたらしいです。こんなに美しい建物も壊されてしまった。

（スライド１１７）

これはある人が話していて、おもしろいなと思ったのですが、１８５０年にイギリスの

メンジーズ・ホテル、メルボルン
1867年築 1969年解体

コーヒー・パレス、メルボルン
1888-1890年築 1973年解体

スライド116

1850年 英国議会で公共図書館法が成立

THE SEVERAL
ACTS
OF
PARLIAMENT
MADE
BY
HEARTH-MONEY:
Abstracted also in an INDEX,
AND
Margented accordingly,
For the benefit of such persons as are or may be concerned therein.
CUM PRIVILEGIO.

図書館 library
lie（ウソ）+brary

- brary = フィクション、ノンフィクションを問わず、情報、アート、オーディオ、ビデオ、文学の保管庫
- 秘密の情報がある場所
- briary = 毛、羽、棘などで覆い保護（比喩的表現？）

スライド117

歴史 history
his（彼の）+story（話）

スライド118

議会で公共図書館法ができました。図書館は英語でlibrary（ライブラリー）といいます。それを分解するとlie（ウソ）＋braryで、つまり、ウソの情報を一般の人たちに提供する場所が公共図書館であり、その法律ができたというのです。

braryには何か特別な意味はあるのかなと思って調べてみたら、羽とか毛で覆うという意味もあるらしいです。真相はわかりませんが、先ほどのＣＯＶＩＤ－19みたいに、ひょっとしたらこれも意図的にそういう名前をつけたのかなと思ったりもします。

（スライド118）

historyも、分解すると、his（彼の）＋story（話）。「彼の話」とは一体誰の話なんだろう？

（スライド119）

history（歴史）にはいろんなウソがあるようです。例えば進化論も、チャールズ・ダーウィンがかかわっていると私もずっと思っていましたが、実際はダーウィンだけじゃないと指摘する人もいます。進化論自体、捏造だったことを知る人は少なくないでしょう。

水と石油は無限にある

（スライド１２０）

「水は限りある資源」とされていますが、実は水は無限にある。

（スライド１２１・１２２）

ヴィクトル・シャウベルガーという科学者がいました。森林官でもある彼は、「森の水を循環させることによって水は無限にある。ただ、森林伐採などで、サイクルがおかしくなると水の供給量が減っていく」と指摘し、自然な水の循環がいかに重要かについて早くから氣づいていたんです。

「水と同じように、石油も枯渇しない」

（スライド１２３）

これは驚きでした。トム・カウワンがこの本（『The Deep Hot Biosphere』）を定期ウェビナーで解説していたことがあったので、私も買ったのです。

（スライド１２４）

調べたら、その日本語版『未知なる地底高熱生物圏：生命起源説をぬりかえる』（大月

進化論はウソ

『種の起源』1859出版

1809年2月12日～1882年4月19日 英・自然科学者

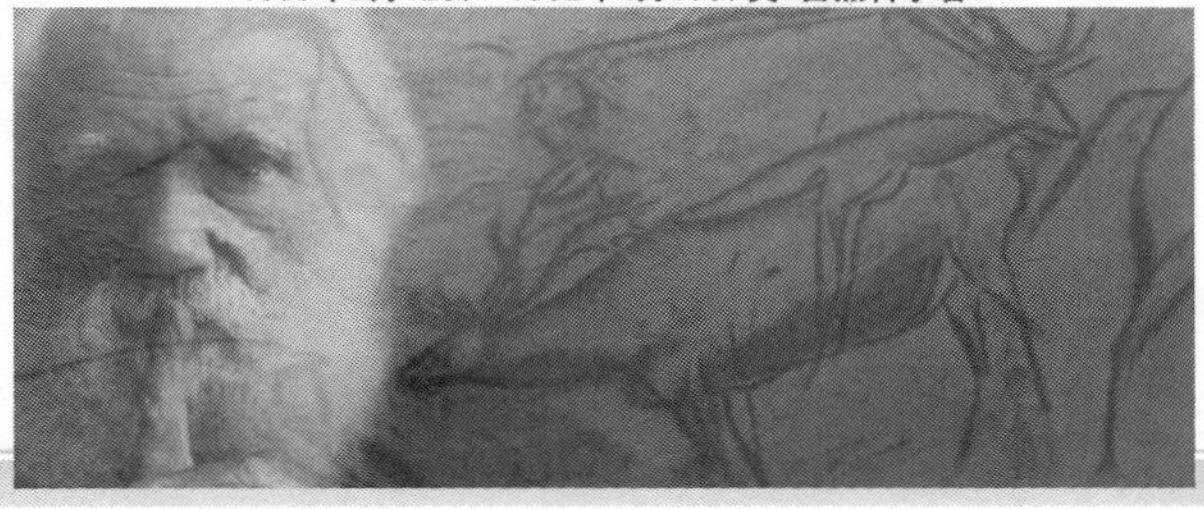

スライド119

水資源は無限

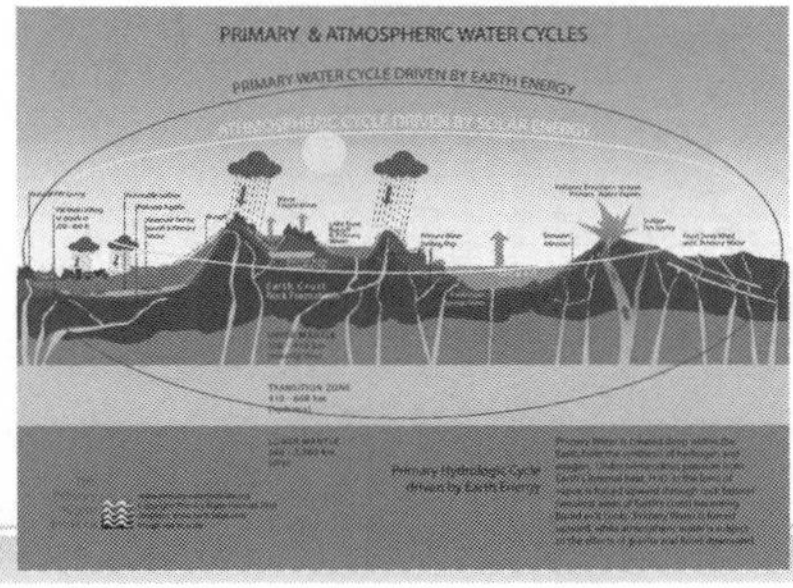

スライド120

シャウベルガーが早くから氣づいていた 絶えることのない森における水の循環

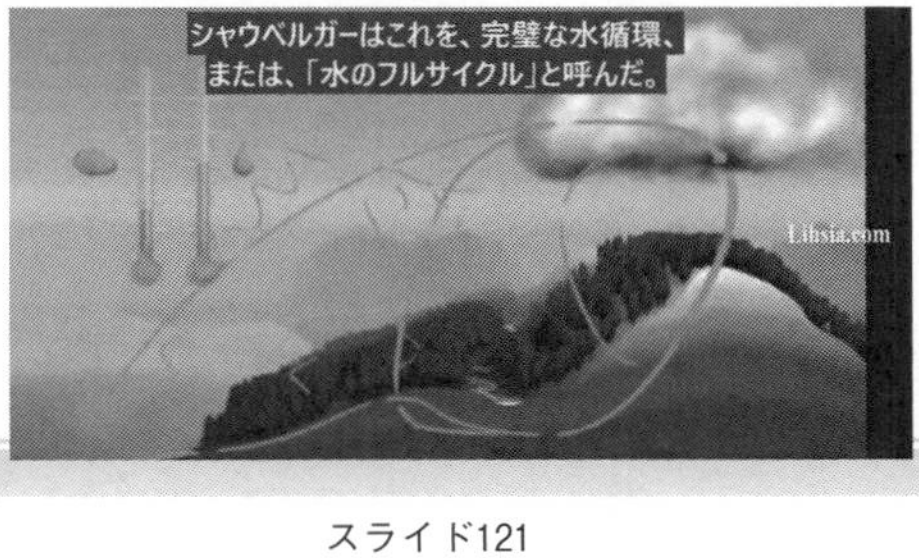

スライド121

The Deep Hot Biosphere

著者トーマス・ゴールド
（1920年～2004年）
米国科学アカデミー会員、英国王立協会特別研究員、コーネル大学名誉教授、ケンブリッジ大＆ハーバード大で教鞭をとり、コーネル大学放射線物理学・宇宙研究センター所長を20年間務めた

スライド123

未知なる地底高熱生物圏：
生命起源説をぬりかえる
翻訳：丸 武志（大月書店）

第1章 わがエデンの園
第2章 ふたつの生物圏の境界の生命
第3章 地下深層ガス説
第4章 地下深層ガス説の証拠
第5章 石油パラドックスを解く
第6章 シルヤンでの試掘
第7章 地下深層ガス説を拡張する
第8章 地震再考
第9章 生命の起源
第10章 次に何をすべきか

スライド124

有機起源説
「化石燃料」説・「ピークオイル」説

「化石」燃料と思わせたのは
19世紀の石油メーカーが
供給量が限られているため非常に価値がある
という概念を作り上げたから

スライド125

書店）が出版されていました。

（スライド125）

化石燃料というのはウソだったということです。私たちは石油は化石由来だと思っていたけれど、実際それは石油メーカー、ロックフェラー一族がカネ儲けのために、供給量が限られているから非常に価値があるという考えを、私たちに植えつけた偽りのコンセプトだったんですね。

（スライド126）

Abiotic oil（非生物オイル）という言葉を聞いたことがありますか。

これは旧ソ連や、旧東側諸国では、当たり前の学説だったらしいです。

（スライド127）

化石は深さ1万6000フィート（約4900メートル）以上で発見されたことがない。ということは、1万6000フィートぐらいまでしか有機物は存在しない。一方で、石油の採掘は、もっと深いところでも日常的にやっていたのだそうです。ある時、ソ連がもっと掘ってみたら、ものすごくあるじゃないかと。それで、ソ連は石油燃料は化石由来ではないことを知った。ある時点で、その情報は消され、特にアメリカでは、ロックフェラーが入ってきて消された。私たちの世代は石油は化石由来だと信じてきた。ここでも洗脳で

abiotic oil
非生物オイル

- この説は1870年代に元素の周期律表を発表した
メンデレーエフによって唱えられたのが最初
- 旧ソ連地域を中心に継承され、旧東側諸国では
当たり前の学説
- 水と同様に、再生可能資源として生成され続けている

スライド126

Fletcher Prouty
フレッチャー・プラウティ大佐
（1917年～2001年、米国軍人、作家、実業家、外交評論家）

- 19世紀初頭、石油は単なる潤滑油から価値ある燃料へ
- ロックフェラーは、石油の輸送だけでなく、その販売からも大儲け
- 石油はタダで初期費用も不要であることから、価格を上げるため
石油が不足しているように見せかけた
- 化石は深さ16,000フィート以上で発見されたことがない一方で
石油の採掘の深さが、28,000ft、30,000ft、33,000ftなどは日常的

スライド127

hiroshima & nagasaki

- マイケル・パーマー医師・微生物学者
（ドイツ出身・バクディ博士の下で10年研究）
- カナダ・オンタリオ州在住
- パンデミック中、カナダの名門
ウォータールー大学の教授職（薬理学）を
追われる
- 2021年8月、強制接種の義務化に反対、
断固として拒否する内容の公開書簡を発表
- 『HIROSHIMA REVISITED』全350ページ

スライド128

すね。

水も石油も「限りある資源」とし、価値あるものと思わせることで、「彼ら」が儲かる仕組みをつくった。そして、いつか無くなる、という恐怖心を植え付けた。

原爆の真実

（スライド１２８）

これは広島と長崎の話ですけれども、原爆に関しても、実際に私たちが聞かされているような話ではありませんでした。

写真は、医師でもあり科学者でもあるマイケル・パーマーです。彼はドイツ人ですが、今はカナダのオンタリオ州に住んでいます。ウォータールー大学で教鞭をとっていましたが、マスクの着用ややワクチン接種の危険性について訴えていたことで、職を追われました。

（スライド１２９）

その彼が『HIROSHIMA REVISITED』という約３５０ページの分厚い本を出版しました。英語ですが、ＰＤＦでダウンロードできます。私は紙の方が読みやすいので、本を買いました。最近ドイツ語版も出版されたようです。

端的にいうと、マスタードガスとナパーム弾でそういう症状をつくることができたということです。

この話を最初に私が聞いたのもトム・カウワンからなんですよ。去年（2022年）彼がコミュニティの中でその話をしていました。

（スライド130）

この8月に、彼は今度は定期ウェビナーで、ヒロシマ・ナガサキについて話しました。そのときに「この本（『DEATH OBJECT: EXPLODING The NUCLEAR WEAPONS Hoax』）はお勧めしたい」と言っていたので、私は今回日本に来る直前に買いました。英語の本ですが、著者はAkio Nakataniという日本人です。内容が内容だけに、意図的に英語で書いたのかもしれませんね。

本のサブタイトルの最後の単語、Hoaxは詐欺、ウソという意味です。最後まで読めていませんが、掲載されているたくさんの写真だけでも、非常に説得力のある本だと思いました。

（スライド131）

要するに、壮大なウソほど騙されやすい。ここに挙げたものだけではありませんが、代

『HIROSHIMA REVISITED』
全350ページ（英語・ドイツ語）

- マスタードガスとナパーム弾
- マスタードガス＝化学兵器の1つ
  遅効性で、被害を受けても気づくのが遅れる
- ナパーム弾＝焼夷弾の1つ
  増粘剤をナフサに混ぜたもの
  M69焼夷弾が特に有名

スライド129

DEATH OBJECT

EXPLODING
The NUCLEAR WEAPONS Hoax
Akio Nakatani

https://roobsflyers.com/wp-content/uploads/2023/05/Death-Object-by-Akio-Nakatani.pdf

スライド130

壮大なウソほど騙されやすい

- 進化論は作り話
- 水・原油は無限
- 地球温暖化はウソ
- ジオエンジニアリングで氣象改変
- 9.11は偽装
- 月面着陸はフェイク

スライド131

表的なのは進化論。水と石油は無限だった。地球温暖化はもちろん捏造ですし、ジオエンジニアリングで氣象改変しようとしている。9・11で世の中が一変しました。月面着陸はフェイクですよね。これについては、受け入れられない人が結構多いですね。「人類初の月面着陸」で、2人のうちの1人がバズ・オルドリン。その彼がビデオの中で、8歳ぐらいの女の子に「行ってない」と思わず明かす部分に私は翻訳字幕を付けて投稿しました。それには何十万回のアクセスがあったんですが、これだけ拡散するとさすがに反対意見も少なくない。フェイク・ムーンランディングだけは信じられない人が多いようです。

（スライド132）

国が悪いわけがない、政府がウソをつくわけがない、NHKが誤情報を流すわけがないと、みんな思っているでしょう。

（スライド133）

でも、MKウルトラ計画やMKナオミ計画など、実際にこんなことをやっているんですよ。前者は洗脳実験のほうで、後者はその後継で、食べ物やワクチンといった生物兵器剤を開発するような計画とされています。他にもTavistock Institute of Human Relations（タビストック人間関係研究所）という施設がありますが、それはイギリスの洗脳機関と呼ぶ方がいいでしょうね。こんな形で随分前から、洗脳プログラムは始まっていたんですね。

国が悪いわけがない
政府がウソをつくわけがない

スライド132

MKUltra & MKNAOMI
MKウルトラ計画 & MKナオミ計画

- MKウルトラ計画とは、中央情報局(CIA) 科学技術本部がタビストック人間関係研究所(Tavistock Institute of Human Relations)と極秘裏に実施していた洗脳実験のコードネーム
- 米加両国の国民を被験者として、1950年代～1960年代末に行われていたとされる
- MKウルトラ計画の後継
- MKナオミ計画は、1950年代～1970年代の国防総省とCIAの共同研究プログラムのコードネーム
- 生物兵器剤(被験者を無力化するか死亡させることができる物質)の貯蔵、拡散装置の開発

スライド133

私たちに隠された法律と金融システム

スライド134

法律と金融の邪悪なシステム

（スライド１３４）

ではここからは、「私たちに隠された法律と金融システム」についてお話しします。法律と金融といっても、私は別に法律を専門にしているわけではありません。法律といったら、わあ大変と思うし、金融なんて難しそうでとんでもないと思っている人間ですが、実は私たちに隠されていることはこの分野にもあります。

（スライド１３５）

先ほどちょっと触れましたけれども、インパワー・ムーヴメントという組織があり、その共同設立者がこの2人です。左はドキュメンタリー映画製作者のジョッシュ・デル・ソル、右がキーパーソンでもある、カル・ワシントンです。

カル・ワシントンについて簡単にご紹介すると、彼は離婚をキッカケに、カナダの法システム、つまり、裁判所の邪悪なシステムのドツボにはまってしまい、20年もかかってやっとそこから自力で抜け出すことに成功した人物です。

彼は自身の壮絶な体験から、私たちには隠された法律・管轄権があることを見出し、最終的には裁判所を介さず、悪事を働く個人に対して責任を追及するＮｏＬ（Notice of Liability）を編み出したんです。

（スライド１３６）

私はＮｏＬを「責任追及の告知書」と訳しました。

（スライド１３７）

インパワーではＮｏＬを個人に送るにあたり、４つの理由に限定してます。それは、スマートメーター、全てのワクチン、５Ｇ、そしてジオエンジニアリング（ケムトレイル）です。

これら４つを推奨している政府や企業のトップに送るのです。

インパワーがこの４つの理由に限定しているのは、４つとも私たちに害をもたらす兵器であり、世界規模で展開されていることが明白だからです。

（スライド１３８）

最近、世界の高官が退陣し始めているんです。有名どころでは、顔は知らなくても、ＣＤＣの所長といったら、わかる人は結構いるのではないでしょうか。ＣＤＣ（アメリカ疾病対策センター）の所長で、ロシェル・ワレンスキーが5月に、理由は公にしていませんが、６月末で辞任することを発表し、実際に辞めました。インパワーのアメリカ在住メン

InPower Movement
インパワー・ムーヴメント

同設立者
左）ドキュメンタリー映画製作者のジョッシュ・デル・ソル
右）キーパーソンのカル・ワシントン

スライド135

Notice of Liability（NoL）
“責任追及の告知書”

スライド136

InPower（インパワー）のNoLは以下の4つのアジェンダを推奨している政府や企業のトップに送る

- ワクチン（Vaccines）
- ケムトレイル（Geoengineering）
- 5G
- スマートメーター（Tresspathing）

スライド137

政府高官らが相次いで辞任
politics SCOTUS Congress Facts First 2024 Elections
Walensky leaving post as CDC director
米コロナ対策率いたCDC所長が退任へ　緊急事態解除「大きな転換」
ワシントン＝合田禄　2023年5月6日 6時30分
2022年6月、米議会の公聴会で話をする米疾病対策センターのワレンスキー所長＝AP
米疾病対策センター（CDC）は5日、新型コロナウイルス対策を主導してきたロシェル・ワレンスキー所長が6月末で退任すると発表した。米国の公衆衛生上の緊急事態宣言は今月11日に解除される予定で、新型コロナの対応に一定の区切りがついたと判断したとみられる。

スライド138

オージー快挙！
BUSHFIRE WARNING
Mark McGowan stands down as WA premier in shock announcement, citing exhaustion
Posted Sun 28 May 2023 at 9:52pm, updated Mon 29 May 2023 at 2:38am
「消耗した」と州首相辞任　オーストラリア西部
2023年05月29日18時37分
２９日、パースで記者会見する西オーストラリア州のマッガーワン首相（ＥＰＡ時事）
【シドニー時事】オーストラリア西部、西オーストラリア州のマーク・マッガーワン首相（５５）が２９日の記者会見で、「疲れた。消耗した」として辞任を表明した。州議会議員も任期を２年弱残して辞職する。不祥事や病気以外での突然の辞任は異例。
パワハラ疑惑、副首相辞任　スナク政権に打撃―英
労働党のマッガーワン氏は２０１７年３月の州議選勝利に伴い州首相に就任。２１年選挙も圧勝して再選されたが、新型コロナウイルス禍対応や経済対策に一定の道筋が付いたとして「今が辞め時」と判断した。後任も多数派の労働党から選出される見通し。

スライド139

独裁者ダンの辞任に湧くメルボルン
Daniel Andrews resigns as premier of Victoria
Labor's longest-serving premier in the state made the announcement at a snap press conference on Tuesday
Follow our Australia news live blog for latest updates
Get our morning and afternoon news emails, free app or daily news podcast
Victorian premier Daniel Andrews announced his resignation in a press conference outside parliament on Tuesday, more than eight years since his Labor government was voted into power. Composite: AAP/Getty
2023.09.27
お気に入り追加
VIC州首相　突然の辞任発表
【VIC26日】　VIC州のアンドリュース首相が州首相を辞任すると突然発表した。同氏は2002年にメルボルン南西マルグレーブ選挙区で初当選後、2010年から州労働党党首を13年、州首相を9年務めた。
アンドリュース州首相は26日午後、臨時の記者会見を開き、27日午後5時をもって州首相を辞任すると発表した。辞任の理由は、「州首相を9年務めて次の人に手渡す時期」「州首相の仕事を不快に感じ始めるのを恐れ、数日前に辞任を決めた」と話した。
同氏は今後について、「少し休みをとって家族との時間を大切にし、ゴルフや読書をしたい」「起きている時間はすべてVIC州が直面する問題について考えていた。（辞任後の）適応は大変だと思うが、自分のことをしたい」と加えた。また、妻のキャスさんと息子2人に対し、長年の支援を感謝した。

スライド140

バーが送っているＮｏＬによって辞任したのが、追跡によって明らかになっています。

（スライド１３９）

オーストラリアは快挙です。まず、西オーストラリア州の首相が、インパワーのオーストラリア在住メンバーからＮｏＬが送られた直後に辞任しました。しかも、彼は政界から完全に引退したのです。

（スライド１４０）

もっとすごい話があります。ダン・アンドリュース、この人は皆さん知っているんじゃないでしょうか。いろんな意味で世界的に弾圧がひどかったのは、カナダとオーストラリアのメルボルンです。メルボルンがあるビクトリア州の首相、ダン・アンドリュースが9月27日に辞めたんです。私はオーストラリアにも長く住んでいたことから、ある程度事情がわかるので、これほど大きいニュースはないと、聞いた瞬間跳び上がりました。

（スライド１４１）

ＮｏＬが送られることによって何でみんな辞めるのか。

（スライド１４２）

私がＮｏＬについての動画に字幕をつけたので、ちょっと見ていただけますか。インパワーのボランティアメンバーが作ったのですが、本当によくできているんです。

Notice of Liability（NoL）
“責任追及の告知書”とは？

インパワーのNoL“責任追及の告知書”は
レックス・メルカトリア（商慣習法）の基礎に根ざし
バイブル（特に1611KJV）を取り入れた文書
欽定訳聖書（きんていやくせいしょ）

スライド141

InPower（インパワー）では
複数の国で、すでに成功を収めています

スライド142

インパワーのNoL
“責任追及の告知書”のキーポイント

1. **Lex Mercatoria（商慣習法）**
2. **tacit agreement（黙契）**
3. **counter offer（逆提案）と**
   conditional acceptance（条件付き承諾）

スライド143

インパワーのＮｏＬを受け取って、「これはヤバいな」と思う人は隠されたシステムについて知っています。

（※デンマーク女王は、２０２３年12月31日の大晦日テレビ演説にて皇太子へ譲位する意向を表明、在位52年となる２０２４年1月14日に退位。これも、インパワーのＮｏＬによるもの）。


（スライド１４３）

ＮｏＬにおいては幾つかのキーポイントがあります。
① Lex Mercatoria（商慣習法）
② tacit agreement（黙契）
③ counter offer（逆提案）と conditional acceptance（条件付き承諾）です。

（スライド１４４）

まず①はラテン語でレックス・メルカトリアといい、「商人法」という意味です。制度自体は成文法ではなく、商人同士の合意に基づくルールや慣習からなります。インパワーのＮｏＬ文書は、このレックス・メルカトリアの基礎に根ざした文書で、さらにバイブルの要素も取り入れており、これがキーポイントとなります。

次に②ですが、tacit agreement、つまり暗黙の了解ということで、私たちも日常的にこれを知らずにやっています。例えば、届いた郵便物がビジネスか何かの勧誘だと思ってポイとゴミ箱に捨てたりする。黙っていることでノーと言っているつもりですが、実はイエスと言っていることになるのです。法律では沈黙は同意と見なすからです。「彼ら」はこれを悪用し、例えば「ワクチンを打て」と言ってくる。本当は打たなくてもいいのに、私たちに強制しているように見せる。でも実はそうじゃなくて、ビジネスとして扱い、交渉することができるんです。「彼ら」は私たちにこの仕組みを隠し、私たちの無知を巧みに利用しているのです。

そして③ですが、「ワクチンを打て」と言われたら、それをビジネスオファーととらえます。それに対して条件付きでのカウンターオファーをするのです。

これらがＮｏＬにおいて鍵となる要素ですが、理解するには、隠された金融システムなども含めて、さらに詳しい説明が必要でしょう。ただし、この仕組みを「彼ら」は熟知しているからこそ、政府高官や企業のトップとして、ＮｏＬが送られてくると辞任するのです。

今後、高官らがどんどん辞任していくと、後任の人材探しがますます難しくなってくるでしょう。そういうポジションにつくには、しかるべき教育や儀式的なものを受ける必要があると思われるからです。

「彼ら」のスキームに乗っている人の中には、怖いな、本当はやりたくないなと思っている個人もいるかもしれません。インパワーでは、そのような人に自分たちがやっていることは誤りで、その考え方を改めてもらいたい、という意図でＮｏＬを送ります。これは非常に重要な点なので、強調しておこうと思います。**決してやっつけてやろうなどという姿勢でＮｏＬを送るのではないのです。**

（スライド１４５）

レックス・メルカトリアは勉強したら切りがないのですけれども、「商人法」というだけあって、商人の間で好まれ、人氣があったルールだといわれています。古くはハンムラビ法典が起源だそうです。現在でいえば、少し簡易裁判所に似ているかもしれません。というのは、極めて迅速に裁判の決着がつくからです。普通だったら3カ月ぐらいかかるところが、3時間以内に判決が出る。それはなぜかというと、昔は船で貿易をしていたので、潮の満ち引きによっては待っている間にモノが腐ったりしてしまうため、決着がつく前に船を出さないといけなくなりかねないからです。あるいは相手が勝手に船を出してしまい、

Lex mercatoria（Law Merchant）
レックス・メルカトリア

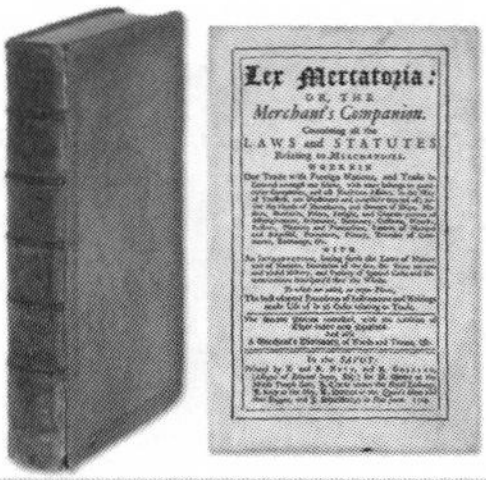

- 商慣習法、ラテン語で「商人法」の意
- 制度自体は成文法ではない
- 商人同士の合意に基づくルールや慣習
- 国際交易での「パイパウダー・コート」でオープンに使用された
- 歴史は非常に古くハンムラビ法典がその起源とされている
- 船着き場での短い時間で決着
  → 現在の簡易裁判所に似ている

スライド144

レックス・メルカトリアのメリット

- 極めて迅速
- 当時のコモンローの裁判所では3カ月以上かかる
- レックス・メルカトリアでは「被告人」は1時間に1回召喚して3時間以内に判決が下された
- 潮の満ち引きに影響される貿易商には重要な要素
- 判決前にそれぞれの「管轄区域」に「消えて」しまう可能性
- 信用に基づくため判決には遵守（商人階級で生きていけない）
- 現代版「簡易裁判所」とも言える

スライド145

レックス・メルカトリアの背景

- 中世、レックス・メルカトリアは、民事訴訟裁判所、エクスチェッカー（国庫）、王宮裁判所などの国王の管轄とは別に運営されていた
- 1700年代後半、英国法の改革で有名なマンスフィールド卿（ウィリアム・マレー、法廷弁護士、政治家、裁判官）は、正式にレックス・メルカトリアをコモンローに融合（王の指示と思われる）
- 時を経てレックス・メルカトリアはどんどんコモンローに「隠され」
  → 現在では全ての人が出生証明書取得の時点で「商人にさせられる」
- 今日、事実上、ほとんど全ての裁判がレックス・メルカトリアに該当する
  → 裁判官らはレックス・メルカトリアを裁判上「留意するよう」教えられる
  → 一般の弁護士は知らない隠された情報

スライド146

決着がつく前に自分は大損するとか、いろんな問題が考えられます。それで、商人からは厳格でも公正なレックス・メルカトリアが強く支持されていたようです。

(スライド146)

後になって、レックス・メルカトリアは、コモンローとシビルローに融合され、隠されてしまいました。なので、弁護士にレックス・メルカトリアについて聞いても、知らないのです。ただ、カル・ワシントンによると、ほんの一握りの超大物弁護士らは理解しているようです。

一方で裁判官においては状況が反対で、新米裁判官は別として、ほとんどの裁判官は知っているとのことです。つまり、弁護士と裁判官の間にはものすごく大きな隔たりがある。裁判官でも、邪悪なシステムから抜け出したいという人はいるみたいですが。

支配者に都合のいいルール

(スライド147)

Jurisdictionは、管轄、支配、領域という言葉で訳すことができます。イメージ的には、図の真ん中の濃い色の部分が「自分」だとします。「自分」がもし仕事をしていたら、職場のルールに従わないといけないけれども、その職場は、市、あるいは州（日本で言うと県）で定められた法律に従わないといけない。

ところが、図の外から2番目の枠（レックス・メルカトリア、あるいは、コモンロー）と一番外の枠（スピリチュアルロー、あるいはナチュラルロー）は私たちに隠された領域です。例えば集団訴訟などでは、門前払いになったり、審議すらされないのは、このことと関係しているようです。

私たちが戦っているのはせいぜい外から3番目の枠、青色（中央政府）、あるいはそのすぐ内側の水色（地方政府）で示された領域です。例えば白黒のチェスのボードがあったとしたら、私たちがやっているのはチェッカーで、支配者はチェスをやっている。私たちはこの世界で同じように戦っていると思っているけれども、実際には隠されている金融システム、法律、そして管轄領域があり、それらは私たちにはわかりません、知らされていない実態があるということです。

（スライド148）

一番外枠は、スピリチュアルローとかナチュラルロー（自然法）です。

私たちは国境、州境、県境などという言葉を疑問に思ったりしませんが、本当はボーダーというのはないんです。パブリックとプライベートというのも単なる概念です。公共と

jurisdiction 管轄権・管轄領域・支配権

- 中心にいる「あなた」が就職
- 企業が従うルールを定めた市も企業
- 市が従う州法を定めた州も企業
- 州が従う連邦法を定めた国も企業
- 連邦レベルでは、国はコモンローか欧州のシビルロー（i.e.レックス・メルカトリア）に従う
- さらにその上には、スピリチュアルロー（ナチュラルロー）が存在する

（近世までの日本では、市という行政単位はなく、
個々の市への実際の初施行は1889年（明治22年）4月）

スライド147

ナチュラルロー 自然法
スピリチュアルロー

- 本来ボーダー（国境や州境など）はない
  （日本では、市という行政単位の初施行は1889年/明治22年4月）
- パブリック vs プライベートも作られた概念
  → プライベートは外から内へ
  → 「公共」を守るためにルールを作り支配する
- 自然法（コモンロー）では、個人は他人を傷付けなければ何をしても自由
  → 支配者は好まない
- 渡り鳥は国境も公共もなく自由

スライド148

お金は概念
誰がお金のシステムを作ったのか？

ナチュラルローではお金は必要ない
しかしお金が存在しない世界は
私たちには想像できない
動物はお金を持たずに生きている
生きるためにお金を払っているのは
賢いはずの人間だけ

スライド149

いうものをつくってルールを定めれば、支配者層はコントロールしやすいわけです。自分の生活や命は自分で責任を持つ。ナチュラルローでは、個人は他人を傷付けなければ何をしても自由。しかし、支配者はこれを好まない。

（スライド149）

これもよくカル・ワシントンが例として挙げるんですが、渡り鳥は冬になる前にカナダからフロリダ州に行き、春先にカナダに戻ってくる。でも鳥は自由だから、チェックインもしないし、おカネも払わない。人間だけが国境を越えるためにおカネを払っている。

もっとひどいのは、アメリカとカナダは陸で行ったり来たりできるので、車のトランクに、例えば鳥を積んでいて、トランクを開けられたら、税関の職員に「何だ、これは」と言われて罰金を喰らうとか、そういう話になるけど、空では同じ種類の鳥が自由に行き来していている。そういう状況は、考えてみるとおかしいですよね。一番賢いと思っているはずの人間がおカネを払ってこの世の中で生きている。でも、細菌とかそういうのも含めて、動物、生物はおカネという概念がなく、自由に生きている。私たちは完全に洗脳されているわけです。

（スライド150）

ナチュラルローとかスピリチュアルローと言うと難しく聞こえるけれども、簡単に言うということです。例えばリンゴの小さい種からリンゴが1つだけなるのではなく、たくさんのリンゴがなる1本の木に育つ。私たちは、実は私たちの体も同じであることを信じられない。自分の体が自然治癒力のパワーハウスであることを教えられずに生きてきたからです。

（スライド151）

もう1つ重要なことを私たちは教えられてきませんでした。それは、全てビジネス、契約の世の中になってしまっていることです。

日本がある意味ラッキーなのは、マイナンバーについて今ごろやっているけれども、あまり成功していませんよね。それに相当するのが、カナダのSIN（Social Insurance Number）、アメリカのSSN（Social Security Number）ですが、昔からあります。私が学生時代にアメリカに留学したとき、SSNナンバーをもらって、アメリカ人になったみたいでうれしかったんですが、何も知らなかった。SINやSSNを持つことは、支配者にとって都合のいいJurisdiction（管轄領域）に、自動的に紐づけになるという意味なのです。

投票もまた、私たちが知らない間にそのJurisdiction に組み込まれるようにするための有効な洗脳手口といえます。投票することによって、私たちは支配者が提供する領域（法律）に同意していると見なされるからですね。

ナチュラルロー 自然法
スピリチュアルロー

- 動物はタダで自由に生きるが賢い人間はおカネを払って生きなければならない
- 自然法：リンゴの小さい種からリンゴ１個が育つのではない、たくさんのリンゴの実がなるリンゴの木が育つのである

スライド150

全てはビジネス、契約

- 画策者は私たちを「商人」に仕立て、これを悪用しカネ儲け
  SIN、SSN、マイナンバー
- “tacit agreement”（黙契・暗黙の了解）
  e.g. 投票は洗脳手口
  → 暗黙の内に制度への参加を仕向ける
- 子どもへの「将来何になりたい？」は問いかけではない
  →「この世界は不足しているから、おカネを稼ぐ必要がある」
  「収入に結びつけるにはキャリアが重要」という
  概念を植え付ける手段

スライド151

Marriner S. Eccles
マリナー・エクルズ
1890年～1977年

- 米国の実業家、銀行家
- 1934年～1948年FRB
  （連邦準備制度理事会）議長

スライド152

また、洗脳は子どものころから始まっています。例えば子どもに「何になりたい？」と聞いたら、「スケボーをやりたい」という答えが返ってくる。親は、「そんなことはカネ儲けにならないだろう」と言うかもしれない。おカネを稼ぐ必要がある、と言って。おカネのために生きていくということを小さいときから植えつけられる。本当はおカネがなくても生きていけるはずなのに、それが信じられない世の中になってしまっています。

おカネは何にもないところから生み出されている

要するにおカネは概念です。カル・ワシントンがそれを説明するのによく使う例です。今ここにカナダのお札があります。幅も長さも一緒で、違うのは色だけです。どちらの色が価値があるように見えますか？　これは過去の講演会などでもやったので、ご参加くださった方は、わかると思いますが、50ドルと書いてあるほうが、5ドルよりも価値があるように見えますよね。

これは、私たちがそう思っているだけで、実はただの概念なんですよね。ティッシュペーパーとかトイレットペーパーに「50」「5」と書いてあっても同じことなんですが、私たちはなぜか「50」と書いてあるほうが価値があると思い込んでいる。

これをもう少しわかりやすく、銀貨で説明します。1オンスと2オンスの銀貨がここにあります。1オンスのほうは幅も狭いし、重さも違う。これに価値があるかどうかは別として、物体として実体があるので理解しやすいですね。しかし、紙幣に関しては、ただ単に色と数字が違うだけです。これは完全に概念なんですね。

（スライド152）

マリナー・エクルズという人は、FRB（連邦準備制度理事会）の議長で、エコノミストでバンカーでしたが、こんなことを言っています。

（スライド153）

「私たちの貨幣システムに負債がなければ貨幣は存在しない」

どういう意味かというと、おカネは、無から生み出されているということです。私たちは「ある」と思い込んでますが、実際は概念です。

（スライド154）

例えば、新しい銀行ができたとします。ある人が車を買うための1万ドルを借りにその銀行にやってきました。銀行は1万ドルをどこかから調達してくるのではなく、コンピュータに1万ドルという数字を入れるだけ。

何となくわかりますか？　最初に銀行がオープンするときは、銀行には預金はゼロです

If there were no debts in our money system,
there wouldn't be any money.

私たちの貨幣システムに負債がなければ
貨幣は存在しない

スライド153

負からおカネを生み出すカラクリ

スライド154

Bills of Exchange
手形

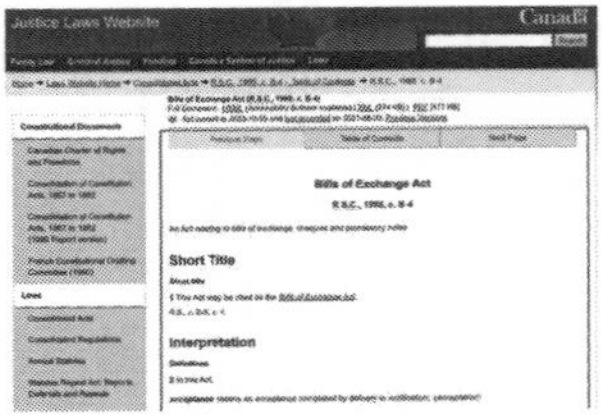
Justice Laws Website

Canada

Bills of Exchange Act

Short Title

Interpretation

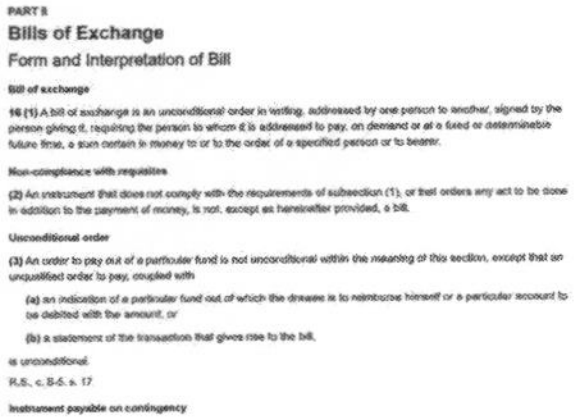
PART II

Bills of Exchange

Form and Interpretation of Bill

Bill of exchange

16 (1) A bill of exchange is an unconditional order in writing, addressed by one person to another, signed by the person giving it, requiring the person to whom it is addressed to pay, on demand or at a fixed or determinable future time, a sum certain in money to or to the order of a specified person or to bearer.

Non-compliance with requisites

(2) An instrument that does not comply with the requirements of subsection (1), or that orders any act to be done in addition to the payment of money, is not, except as hereinafter provided, a bill.

Unconditional order

(3) An order to pay out of a particular fund is not unconditional within the meaning of this section, except that an unqualified order to pay, coupled with

(a) an indication of a particular fund out of which the drawee is to reimburse himself or a particular account to be debited with the amount, or

(b) a statement of the transaction that gives rise to the bill,

is unconditional.

R.S., c. B-5, s. 17

Instrument payable on contingency

スライド155

よね。おカネは外から調達するのではなく、ローンを組む顧客の返済によって生み出されるのです。私たちが知らない、負からおカネが生まれるというカラクリですね。

（スライド155）

金融システムには他にも驚くべきカラクリがあるんです。Bills of Exchangeという仕組みが存在するのですが、日本語に訳すと、荷為替手形とか為替手形でしょうか。まるで漫画の世界なのですが、カナダでは政府公式サイトでこの情報が堂々と掲載されています。先ほど触れたレックス・メルカトリアを好んで使っていた商人らの間で、重い金や銀ではなく、Bills of Exchangeという手形が、信用に基づいて流通していた、そんな歴史的背景があります。このシステムを私たちに知らせず悪用し、私腹を肥やしてきたのが支配者です。

Bills or Exchangeについては、いきなりその全部はわからないと思いますけれども、こんなカラクリがあったのかというのが何となくおわかりになりましたか。あまりわかりませんか。

——信用供与と言われている、銀行が無から有をつくる、その仕組みですよね。

リーシャ　その仕組みをインパワーでは逆手にとっているわけです。
もう1つは、私たちをマーチャント（商人）にすることによって、ビジネスとしてやっている。だからワクチンも商品として、私たちにオファーしているだけなんです。「打て」と政府が言ってくるから、怖いというイメージがあるけど、実際は全てビジネスのオファーである、というところが肝です。
インパワーのNoLは、ビジネスとしてオファーされた、スマートメーター、全てのワクチン、5G、ジオエンジニアリングを推奨する個人に対して、条件付き承諾でカウンターオファーをする責任追及の告知書です。私たちは、これが営利目的の被害に対する強力な解毒剤となる、と考えています。

——何となく理屈はわかるんですけど、それが実際に動くものなのかどうかというところがよくわからないです。

リーシャ　私もそう思いましたよ。先ほど、オージー快挙と言ったのは、まさかこんな大物が、特にビクトリア州のダンが辞めるとは思わなかったので。でも、インパワーの中に入っていると、全体像がつかめるようになります。聞いただけではわからないですよね。

――辞めることはわかるんですけど、その先でどうやっておカネが動くのか。結局、全て仮想じゃないですか。それを逆手にとってそういう世界をつくるのはわかるんですけど、FRBだか何だかというのはまだ存在しているので、そのあたりが動くイメージが湧かない。

リーシャ　今重要なのは、ＮｏＬをどんどん送ることです。インパワーのＮｏＬはBills or Exchange、つまりおカネだからです（その後、カナダに戻り、私自身がＮｏＬを送っています）。

ヒトのもつ解毒プロセスと回復力

それでは、健康面についてお話しします。

（スライド156）

私は今月、トム・カウワンのNew Biology Curriculumを修了したんですが、コース内容はこんな感じです。

1．健康と病氣の理論／ウイルス学

これは、「ウイルスが存在しない」ということの話です。

2．心臓

ニューバイオロジー

1. 健康と病氣の理論/ウイルス学
2. 心臓
3. 自己免疫と神経学
4. 癌、細胞生物学、遺伝学
5. 治療と栄養

スライド156

スライド157

「感染症」は都合の良いネーミング
細菌からは感染しない

スライド158

3．自己免疫と神経学
これも同じで、「自己免疫」は私たちが教えられてきたものとは違うというお話です。
4．癌、細胞生物学、遺伝学
5．治療と栄養
これをどう考えていったらいいのか。

（スライド157）

トム・カウワンの著書です。左から、『BREAKING THE SPELL』（翻訳本はヒカルランドより出版予定）、中央は私が翻訳した『ヒューマンハート・コズミックハート』、右は『CANCER and the New Biology of WATER』で、全部興味深い内容です。

（スライド158）

「感染症」というのは、都合のいい、ただのネーミングで、細菌からは感染しません。

（スライド159）

先ほどもお話ししたように、細菌は、実は死んだ組織、あるいは死にかけている組織のお掃除係だったんですね。

（スライド160）

「風邪とかインフルエンザは人からうつらない」と言ったら、「じゃ、症状はどういうこ

細菌＝死んだ組織の掃除係

スライド159

風邪・インフルエンザは人からうつらない
ウイルスの存在証明はない

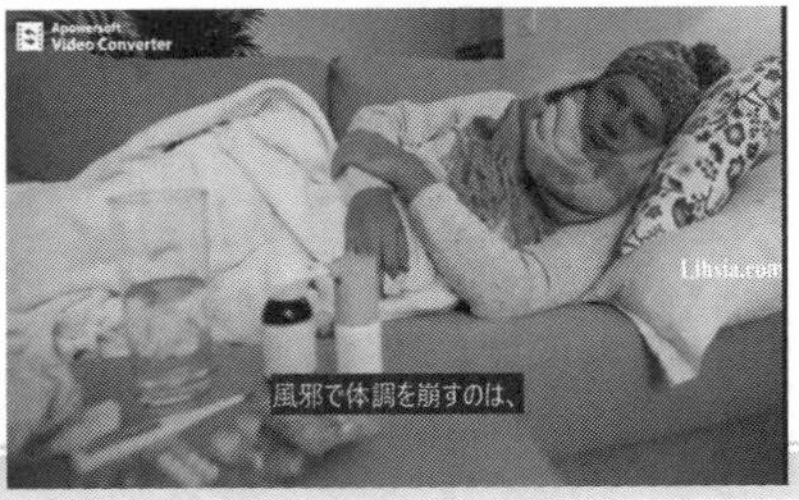

スライド160

COVID-19も
風邪やインフルエンザの症状の
ラベルの貼り換え

スライド161

と？」とよく聞かれます。

（スライド161）

例えば、ＣＯＶＩＤ－19も、いわゆる風邪やインフルエンザの症状のラベルの貼り換えです。

（スライド162）

トム・カウワンは、いわゆる風邪やインフルエンザなどの症状は「病氣」ではなく、解毒のプロセスで、それは体の賢い「戦略」であると言っています。ここでは、英語のstrategyから訳して「戦略」と書いていますが、本当は戦いではなく、賢い機能が備わっているといった方がいいですね。

そんなことを「ニューバイオロジー・カリキュラム」で学びました。

（スライド163）

2の「心臓」。『ヒューマンハート・コズミックハート』は一見、心臓に関する内容だから難しいと思われるかもしれません。しかしトム・カウワンはこの本の中で、心臓は機械的なポンプという従来の考え方を見直す必要があること、そして、血液が心臓を動かすのであり、その逆ではないことを示しています。彼の生い立ちや、心臓に興味を持ったキッカケなどのエピソードから、金融システムの闇まで、幅広い情報が盛り込まれています。

風邪やインフルエンザなどの症状は
「病氣」ではなく、解毒のプロセス
それは、体の賢い「戦略」である

トム・カウワン医師

スライド162

スライド163

体に備わっているのは
「免疫系」ではなく
自浄と再生機能

スライド164

また、従来の手術、副作用のきつい薬や、魂のない低脂肪ダイエットなどとは違い、トム・カウワンが本の中で紹介する心臓の健康のためのプロトコールは、食事療法を始め、自然で、優しく、幸せに満ちたもので、お勧めの一冊です。

（スライド164）

3の「自己免疫と神経学」。トム・カウワンは、免疫は、ウイルスを信じ込ませるためのネーミングで、実際は存在しないと言っています。「免疫系」を自浄と再生機能という言葉に置き換えてみるとわかりやすいのではないでしょうか。

（スライド165・166）

学校で教えられる細胞の構造は、真ん丸で、こんな感じです。

はっきり言って、ただのイラストですね。研究に使っているのは死んだ組織で、細胞は、実際にはこんなにきれいに整列していない。

（スライド167）

学校で習うリボソームは完璧な球体です。その球体も、普通に考えるとあり得ないですよね。

（スライド168）

例えば、トム・カウワンがよくオレンジを使って説明します。オレンジは丸いけど、そ

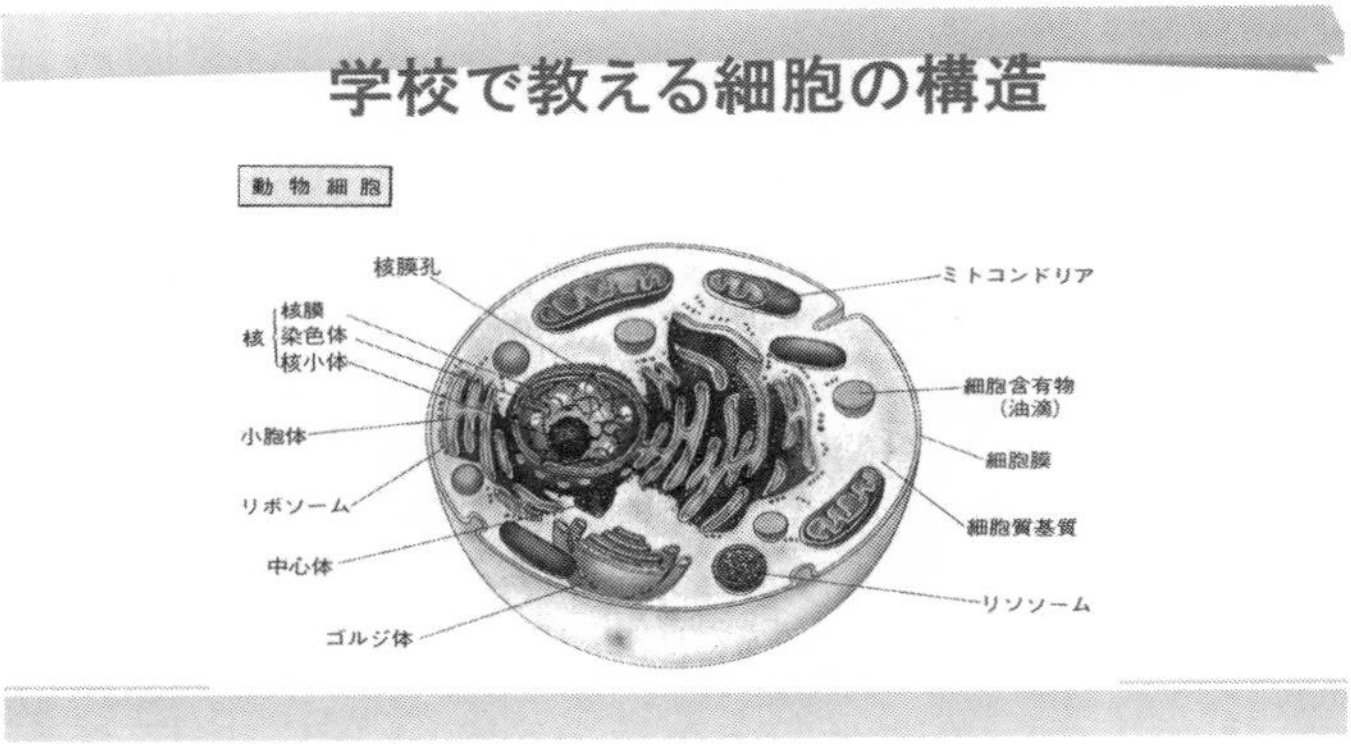

スライド165

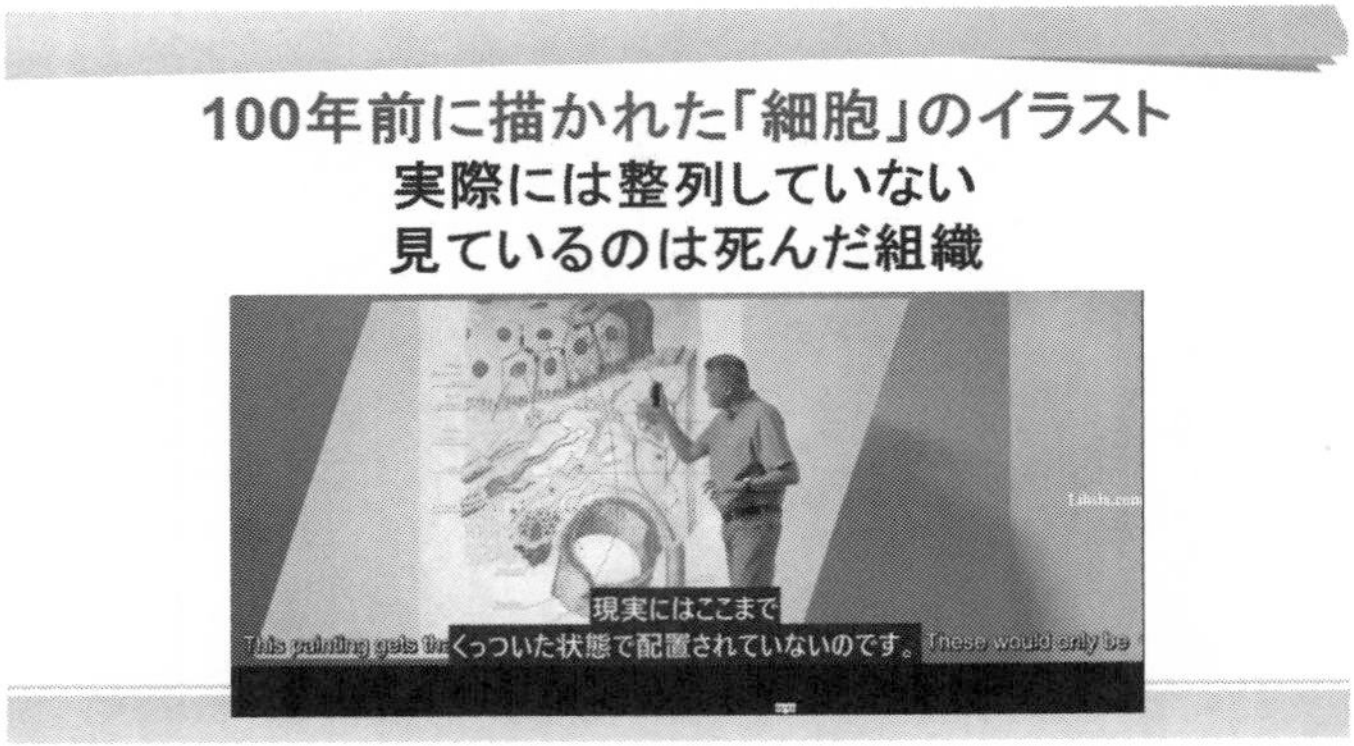

スライド166

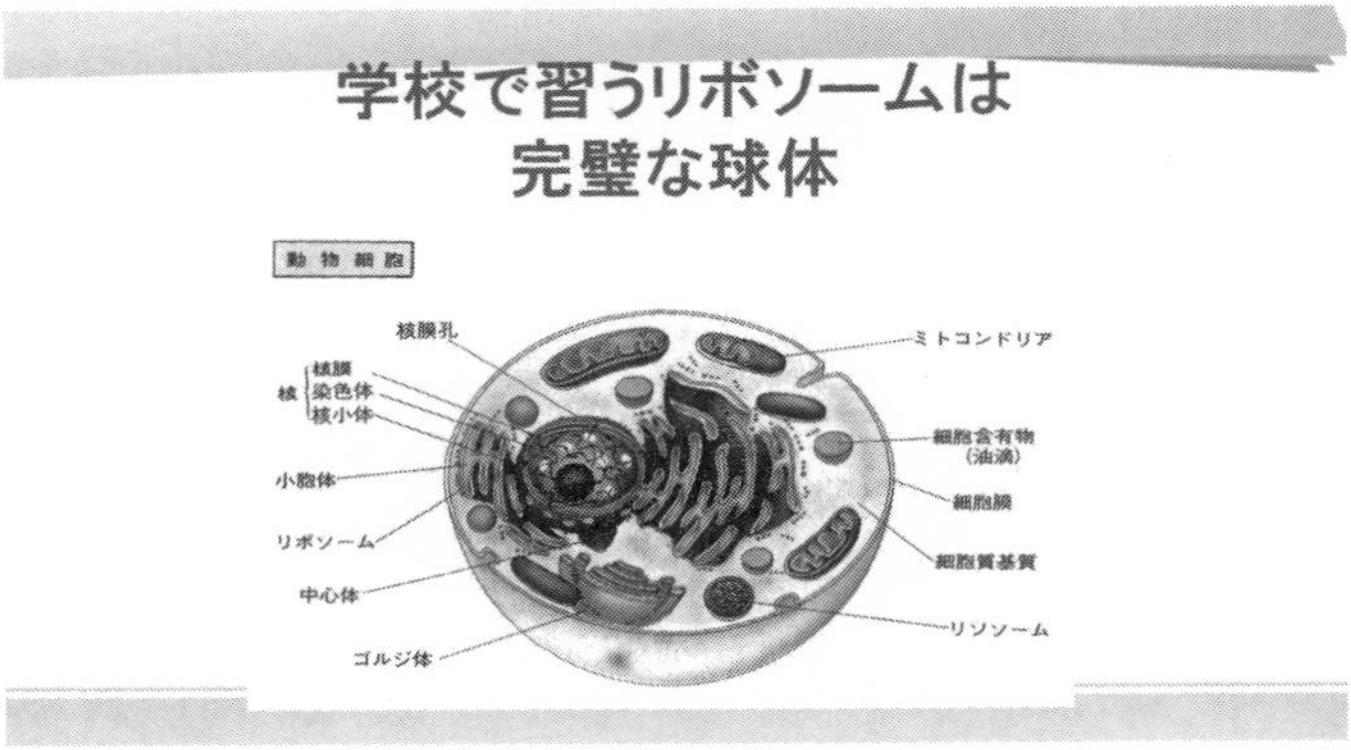

スライド167

れをミキサーにかけて、ドライにして、冷凍してと、工程はもっといっぱいあるんですが、試料にしてスライドガラスの上に載せて顕微鏡でのぞいたときに、完璧な真ん丸の球体が並んでいると思いますか？

（スライド169）

イギリス人のハロルド・ヒルマン博士は、リボソームと言われているものが、実はガス、氣泡であることを証明しました。

（スライド170）

もう亡くなりましたが、彼は死んだ組織ではなく、生きた組織を研究したホンモノの科学者です。

（スライド171）

彼の研究によると、生きたいわゆる「細胞」を光学顕微鏡で見ると、こんなにシンプルで、ふぞろいなんだそうです。健康な場合、構造水といって、ジェル状の水が透けて見える。そして、細胞膜と言われている膜は、実際にはとても薄く、その中は構造水で満たされ、ミトコンドリアがあり、真ん中に核がある。

（スライド172）

ハロルド・ヒルマンによると、いわゆる「細胞」と言われているものは188タイプあ

オレンジの組織を顕微鏡で観察

- オレンジをミキサーにかけ、乾燥させ、冷凍する
- 顕微鏡で観察すると完璧な球体が並んでいるか？

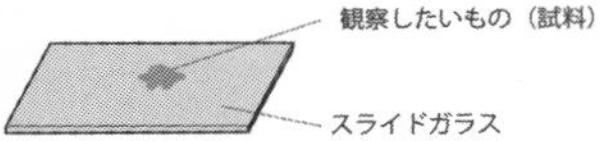

スライド168

ハロルド・ヒルマン博士は「リボソーム」はガスの泡であることを証明

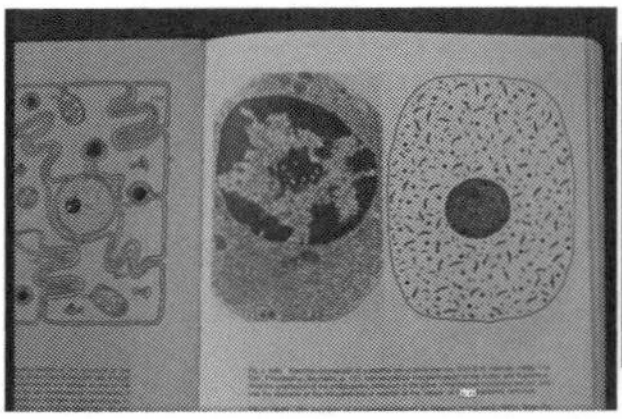

スライド169

ハロルド・ヒルマン博士
医学、生理学、生化学
（英国 1930 ～2016）

スライド170

って、そのうちの44タイプには仕切りがないので、「細胞」とは言えないそうです。実際はシンシチウムという、基本的にはジェル状の構造水で、それが薄い膜で包み込まれている。

（スライド173）

例えば肝臓は、実際には細胞ではなくて、健康であれば、ツルッとした仕切りがない組織です。実は、肝臓では周辺部（端っこ）にしかいわゆる「細胞」が見えないことがわかっているのです。

（スライド174）

私たちがいわゆる「細胞」と思っているのは、実際には生きたシステムではなくて、死にゆくプロセスだと考えるのが自然ではないでしょうか。死んだものは、新陳代謝によって外に追いやって入れかえる。肝臓の観点からすると、不要なものを袋に入れ、それを真ん中ではなく端っこに置いて捨てる方が効率的です。私たちが見ていた仕切りのある「細胞」とは、実は、その不要なものが入った袋だと言えるかもしれません。

（スライド175）

5の「治療と栄養」について、トム・カウワンは、水は非常に重要だと言います。体調不良のほとんどは水不足が原因といってもいい。

実際に見えるいわゆる「細胞」は とてもシンプル！

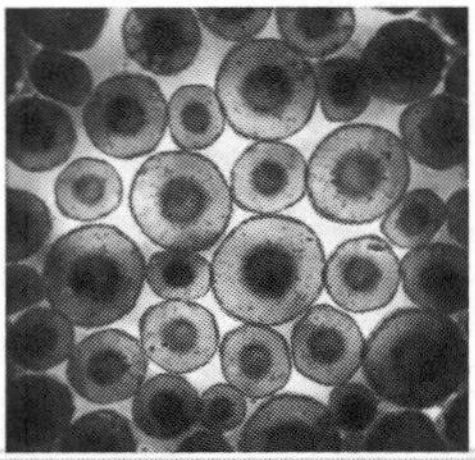

1. 薄い細胞膜
2. 構造水
3. ミトコンドリア
4. 核

スライド171

syncytium シンシチウム、合胞体

- ハロルド・ヒルマンにより証明
- いわゆる「細胞」と言われるものは188タイプ
- その内の44タイプには仕切りがない
  → syncytium（シンシチウム、合胞体）
  → 基本的にはジェル状の水（構造水）
- 残りの144タイプを「細胞」と呼ぶが証明はない
- 死んだ組織のみを使用、対照実験もなし

スライド172

例えば、肝臓では…

- 肝臓の組織を取り出しても染色体は見えない
- 肝臓の本体の構造は「細胞」とは呼べない
- 肝臓は周辺部（端っこ）にしか
  「細胞」が見えないことがわかっている

スライド173

（スライド176・177）

私が出会ったこの本（『Your Body's Many Cries For Water』）は、ドクターバットマンの愛称でも知られる、イラン出身の医師バトマンゲリッドジが出したとても有名な本です。彼はイラン革命で収監されたとき、獄中で受刑者の治療にあたりました。でも、薬がないから、水を飲ませるしかありませんでした。受刑者が回復していくのを見て、水の薬効を発見して、それを本にまとめたんです。

（スライド178）

ほとんどの人が脱水状態だということがわかった。それで病氣になる、あるいは体の具合いが悪いということです。

では、どんな水を飲めばいいのか。

（スライド179）

最も重要なのは水を浄化することです。水道水にはいろんなものが入っているし、神経毒の物質も含まれているので、浄化は必須です。

（スライド180）

私はスライドの左側の浄水器などを使っています。右側はシャワーですね。

（スライド181）

「細胞」は生きたシステムではなく死にゆくプロセス

- 私たちの医療システムや生物学はすべて細胞が生命の単位であることを前提にしてきた
- 現代医学は化学療法に70年も費やしてきたが効果はなかった

スライド174

体調不良のほとんどは水不足が原因

スライド175

あなたの体は水を求めて悲鳴を上げている:

あなたは病氣ではないただ喉が渇いているのだ:

喉の渇きを薬でごまかすのはやめよう！

スライド176

フェレイドーン・バトマンゲリッドジ

イランの医師、作家 (1930年または1931年 - 2004年11月15日)

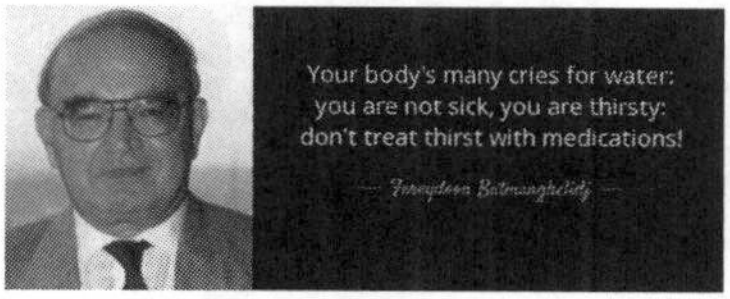

- スコットランドで中等教育
- ロンドン大学医学部卒業
- 英国で開業後イランに帰国
- 病院や医療センターの開発
  テヘランのアイススケートリンクなど、
  スポーツプロジェクトに携わり、
  裕福な企業家となる
- 1979年、イラン革命後、政治犯
  として2年7カ月間収監される

スライド177

ほとんどの人が脱水状態

拘留中に
薬が手に入らない受刑者を
水のみで治療する中
水の薬効を発見

スライド178

水の浄化は必要

水道水には塩素、フッ素、ヒ素、殺虫剤、鉛、医薬品など
非常に多くの神経毒物質が含まれている

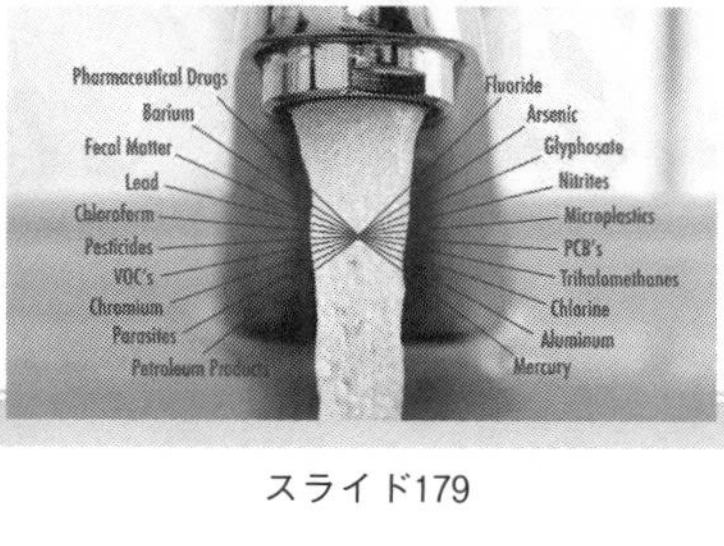

スライド179

水の浄化システム

スライド180

毒素の蓄積比率

経口 vs 経皮

1 ： 9

スライド181

「水はH_2O」は思い込み

スライド182

水のフェーズ（相）

（1） 固体
（2） 液体
（3） 氣体

スライド183

水 第4のフェーズ（相）

（1） 固体
← （4）
（2） 液体
（3） 氣体

※100年前に物理化学者
ウイリアム・ハーディーが発見

スライド184

水は情報をキャッチする

- H_2O分子は水の中でカオス的な動きをし常にぶつかり合っている
- 水の構造がしっかりしていれば、クリスタル（結晶）の状態を保ち、太陽などより多くの自然界からの情報が得られる
- その情報が豊富であればあるほど自分にとって健康な水となる

スライド185

経口対経皮の毒素の蓄積比率は、経口が1、経皮が9です。

（スライド182）

水はただのH_2Oだと思ってきましたが、実は水は奥深いものなのです。

（スライド183）

水には、固体、液体、氣体の3相がある、と教えられますが、実は、第4のフェーズ（相）が存在することがわかっています。

（スライド184）

それがジェル相です。キチキチッと並んでいない生きた細胞、健康な細胞は、ジェルみたいな感じになっています。

（スライド185）

水は情報をキャッチするんですね。ただ単に飲み物や料理、入浴や庭の水やり、歯磨きやお掃除、あるいは実験などに使うものではありません。水はH_2Oだけではなく、化学式で表すとH_3O_2の状態の水もあり、それが構造水です。

（スライド186）

水が情報を記憶するということについては、江本勝さんが出版した、この『水からのでんごん』という有名な本があります。

江本勝

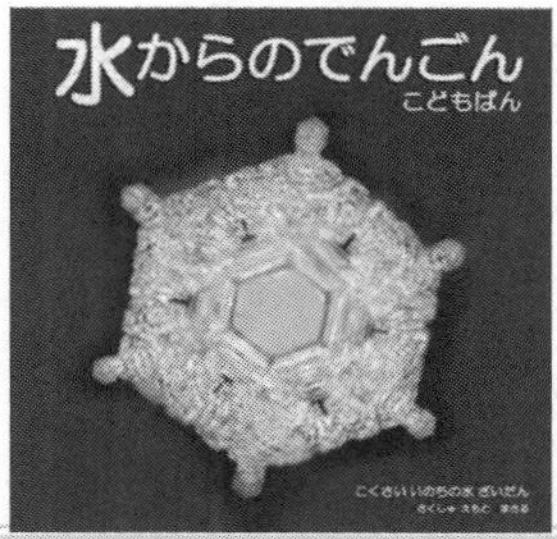

スライド186

水は情報を記憶する
結晶には水に含まれている情報が反映される

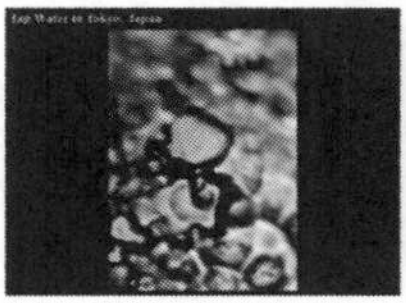

図4 日本・東京の水道水

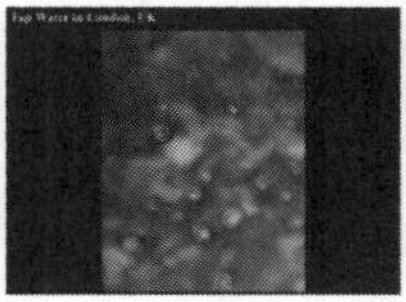

図5 イギリス・ロンドンの水道水

図6 カナダ・バンクーバーの水道水

スライド187

構造水とは？

ジェル状
生きた水・美味しい水

スライド188

（スライド187）

お水に「ありがとう」と言ったら美しい結晶をつくったり、「ばかやろう」と言ったら、見た目も氣持ち悪い結晶になったりするんです。

（スライド188）

浄化した後の水は構造水にすることが望ましい。

（スライド189）

構造水には、他にもさまざまな呼び方がありますが、構造水の研究で最も著名な科学者は、ジェラルド・ポラック博士でしょう。『第4の水の相』の著者でもあり、日本語にもなっているので、ご興味のある方には、お勧めします。

（スライド190）

第4の水の相に関しては、トム・カウワンも『ヒューマンハート・コズミックハート』の中で詳しく解説しているので、是非ご覧ください。

（スライド191）

健康な体は、体液が構造水の状態（ジェル状）を保っています。

（スライド192）

さて、次は体温、発熱についてですが、実は高熱では死なないのです。高熱で死ぬとい

ジェラルド・ポラック
ワシントン大学工学部教授 生物工学専門

- EZ Water＝イーズィーウォーター
- Exclusion-Zone＝排除層・排除帯
- 水には氣体、液体、固体の3つの相
- 界面で発生する意外な第4の相
- 化学、物理学、生物学に多大な影響
- 自然界や技術分野で多くの応用が可能
- 研究所では特に健康面に重点

Gerald H. Pollack

スライド189

第4の水の相について

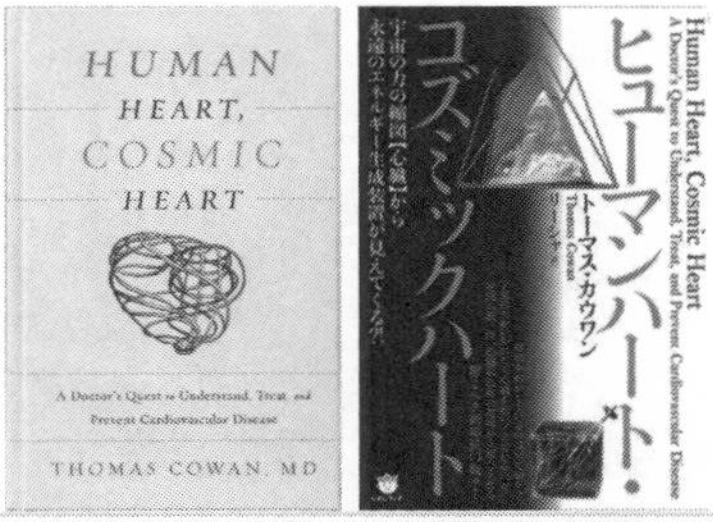

スライド190

いわゆる「細胞」はジェル状の水！

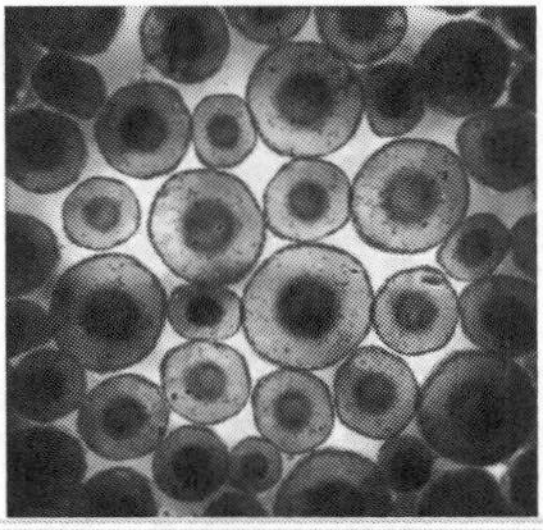

スライド191

うエビデンスはなくて、みんなただ怖がって、解熱剤を飲んで体温を下げようとします。しかし、体は賢いので、体温を上げて、自分の体液のジェル構造を一度壊してしまい外に出します。これは、ただ単に外に出すのではなくて、体内に入ってきた不要なものや有毒な物質を痰などのドロッとした体液で絡めて外に出すということをするんです。だから、私たちは咳をしたり、鼻水や痰を出したりするんです。体はちゃんとわかっている。だから、質の良い睡眠をとっていると自然に体がよくなる。体には体温を上げることでジェル状の体液をつくり直して、より元氣になるという仕組みが備わっているんです。

（スライド193）

簡単につくれる構造水をお見せすると、私が持っているアナレマが一番便利だと思います。これを水の中でかきまぜると、混沌としていたH_2O分子がこれにコンタクトすることで一氣に整い構造化された水になります。それは味見をするとわかりやすいと思います。アナレマでかきまぜた後の水は、角が取れるというか、まろやかになるのです。

（スライド194）

ツイッター（現・X）にも投稿しているので、ご興味のある方はご覧ください。

（スライド195）

こちらは、銅製（コッパー）の漏斗ですが、料理などで大量に構造水をつくりたい場合、

高熱では死なない

- 高熱や発熱が、体に障害を引き起こしたり、それにより死亡するというエビデンスはない
- ガンなどに温熱療法（摂氏41度でも問題ない）
- 体温を上げることで体液（構造水）のジェル構造を一旦壊し作り直す

スライド192

簡単につくれる構造水

- Aṅalemma アナレマ
- Alive Water アライブウォーター
- Aquadea アクアデア

スライド193

Aṅalemma アナレマの使い方

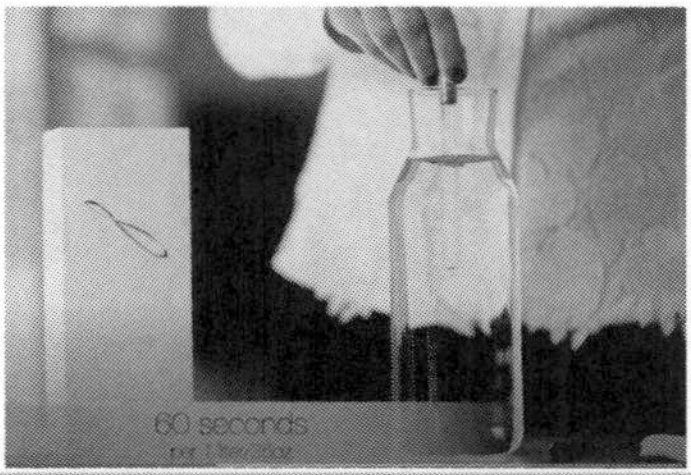

- 浄化した水の中にアナレマを入れてかき回す
- 目安は1ℓにつき1分
- 10%オフのコード：**crystal10**

スライド194

便利なのでこれを使っています。これで植物に水やりしていると、ミツバチが寄ってくる。波動的に伝わるのでしょうか、おもしろいですね。

（スライド196）

私はキッチンにも取り付けています。こちらはステンレスですが、内側は銅製のコッパーと同じ二重螺旋構造です。

（スライド197）

シャワーヘッドからも構造水が出て来ます。

デトックス機能を高める

（スライド198）

デトックスはいろいろ試してきましたが、氣軽にできることもあり、私は基本的に、朝はDMSO、夜は活性炭を使っています。食事や旅行による体調の変化に合わせて、これにプラスすることはあります。

（スライド199）

Turpentine（ターペンタイン）はDMSO同様、最強のヒーリング溶剤の1つですが、使用時には注意が必要で、まず絶対に純度100％のガム・スピリッツであることが重要です。しかしこれがなかなか手に入らない。入手できたとしても、使い方が少し複雑で、人によっては下痢したりすることから、自己流で試すことはしないでください。

（スライド200）

因みに、スライドにあるのは1899年版『メルクマニュアル』ですが、ここには、純度100％ターペンタインがあらゆる病氣の治療薬であることが掲載されています。また、ターペンタインについては、「病氣になった奴隷のオーナーやその家族は、医師に診てもらっても一向に良くならないことから、奴隷の間で使われていたターペンタインを試してみたら回復した」という興味深いエピソードがあるんです。

（スライド201）

DMSOとは何かというと、シンプルに樹木から抽出されたエキスです。DMSOは純度が99・9％以上のものでないとダメですから、日本では入手が難しいようです。私が使っているのはDOCTORS CHOICEのDMSOリキッドとジェルです。

（スライド202）

私がやっている健康法で、左側の黒字の方は、ちょっとおカネがかかるものです。右の青字の方はほとんどがタダでできるものです。

Copper Funnel
銅製漏斗

スライド195

Kitchen Vortex Water Revitalizer
キッチン用ボルテックス・ウォーター・リバイタライザー

- 内側は他の製品同様の二重螺旋構造
- メンテナンスは不要
- 食器がピカピカに
- 塩素の味と臭いが飛ぶ
- 野菜や果物を洗って冷蔵庫で保存すると長持ち
- 食べ物の味と香りがアップ

スライド196

Aquadea・アクアデア

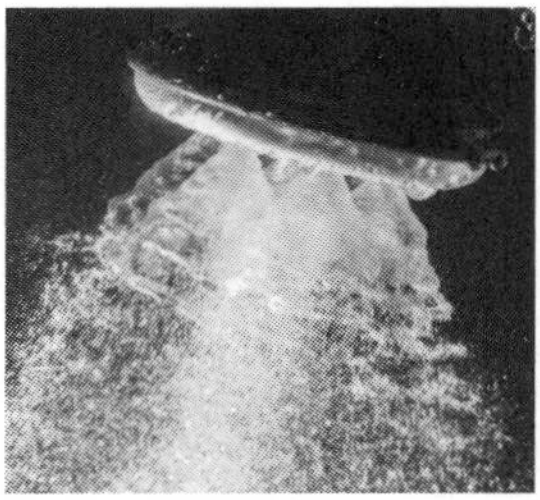

- シャウベルガーとフィボナッチの理論を駆使したシャワーヘッドの内部構造
- シャワーヘッド内部には金、銀、クリスタルなどが精緻なパターンで敷き詰められ、トーラスエネルギーフィールドを形成
- このエネルギッシュなフィールドは水に命を吹き込み、この水でシャワーを浴びると元気になる

スライド197

デトックス

- spagyric cilantro（コリアンダー・エキス）
  有害重金属（アルミニウム、鉛、水銀など）を除去
- turpentine（ターペンタイン）
- montmorillonite（モンモリロナイト）
- bentonite clay（ベントナイトクレイ）
- zeolite（ゼオライト）
- DMSO（ジメチルスルホキシド）
- activated charcoal (活性炭)

スライド198

Turpentine (ターペンタイン）

- ジョージア州南部が有名
  1960年代には、世界生産量の88%
  現在ガム市場は中国が支配
  → カウワン医師、ジョージア州ガム産業復活の取り組みに着手
- 主に松など生きた木から採取した樹脂を蒸留して得られる精油
- 「特殊な溶剤として使用」
- 「有機合成の原料」
- 純度100%のガム・スピリッツが重要
- 最強のヒーリング効果

スライド199

1899年版『メルクマニュアル』

- 純度100%ターペンタインがあらゆる病気の治療薬であることが掲載されている
- 南北戦争時代のエピソード:
  「病気になった奴隷のオーナーやその家族は、医師に診てもらっても一向に良くならないことから、奴隷の間で使われていたターペンタインを試してみると回復した」
- 効能は隠されている
  - カナダはTurpentine輸入禁止
  - 実はVicks VapoRubの有効成分

スライド200

こういうことをやっていると、自然に体のデトックス（解毒）機能が高まるんですね。特にグラウンディングと日光浴はものすごくいいので、お勧めします。

（スライド203）

私は毎日、この器械（AquaCure AC50）を使って酸水素（厳密に言うとブラウンズガス＝BG）を吸ったり、ゴーグルを着用して目にあてたりして、その間に注入したBG入りの水を飲んでいます。この器械を使い始めてすぐに氣づいたことは、ぼやけていた字がクッキリと見えるようになったことです。そして、皮膚がツルツルになっていったので驚きました。

この器械は非常に優れもので、BG入りの水を簡単に作れて、吸引ができるだけではなく、スポット治療もできる。また、長い管を引っ張ってきたら、BGバブル入りのお風呂になる。さらに、パーツを取り付けるとトーチとしても使用できます。この価格で、このように多機能な健康装置は世界中どこにもありません。

神　これは5000ドルぐらい？

リーシャ　私が買った時は2500ドル。しかもカナダドルです。今は高くなっています。

神　40万円以上でした。こちらで買えるのは90万円以上で、100万円近い。やっていることはブラウンズガスと同じ。

DMSO

Dimethyl sulfoxide ジメチルスルホキシド
樹木（リグニン）から抽出された最強ヒーリングエキス

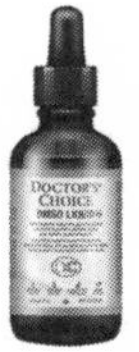

- 純度99.99％以上であることが重要
- 硫黄を含む有機化合物 $(CH_3)_2SO$ 紙パルプ産業の副産物で多くの用途
- 目薬、歯痛、怪我、頭痛、筋肉痛、関節痛、やけど、皮膚疾患、痔、抜け毛、など効果は広範囲
- カナダでは、Turpentineの輸入は禁止されているがDMSO純度99.99％は入手可能

スライド201

健康法

- 構造水
- ブラウンズガス
- ニンジンジュース（肝解毒）
- ボーンブロス
- ケルティックソルト＆ミネラル
- ケトジェニック・ダイエット
- ギー（Ghee）＆シードオイル
- ターメリック
- マグネシウム（経皮）
- EMF対策
- shivambu (尿療法)
- デトックス
- 運動（トランポリン）
- 眼保健操作（眼の健康）
- intermittent fasting（断続的断食）
- 快眠
- グラウンディング
- 日光浴

スライド202

AquaCure AC50

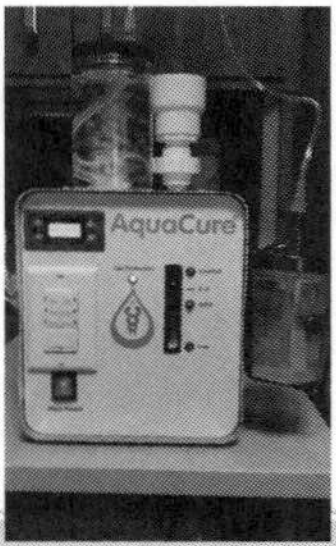

- ブラウンズガス（別名BG、HHO（酸水素）またはHydrOxy（ハイドロオキシ）
- 「水とガスを分離しないように設計された電解槽から発生する可燃性ガスの混合物」
- 「アクア・キュアAC50」はブラウンズガスを生成する世界唯一の多機能健康装置
①BG水 ②吸引 ③スポット治療 ④BG風呂
⑤トーチ

スライド203

リーシャ　AquaCure AC50の開発者、ジョージ・ワイズマンに直接聞いたんですが、彼は、みんなに使ってほしいから価格を抑えるため、見た目は優先しなかったとのことです。今日は時間がないので、ブラウンズガスについてはお話しすることができませんが。

（スライド204）

ジョージ・ワイズマンがいつも言うことは、水素は重要なマクロ栄養素だから、吸うといい、ということです。吸うと、お肌がツルツルになるし、元氣になって、変な食欲がなくなります。

どうして水素がいいのか？　ほとんどの食品は化学的に言うと炭化水素からなり、本来、私たちは食品から水素を取り込めるはずです。しかし、体が水素を得るには、ガッチリと結合している炭素と水素を切り離す必要があります。実はその役割を担っているのが腸内菌なのですが、抗生物質やいろいろな薬を使ってきた現代人は、この腸内菌のバランスが崩れてしまっているため、充分に水素を取り込めていない。それで水素を浴びると健康面でさまざまな効果が見られるのでしょうね。

（スライド205）

ＥＭＦ（有害電磁波）の対策は重要ですね。

これについても、いろいろ試してみました。

水素は重要なマクロ栄養素

- 平均的な体は、体積比で水素62%、酸素24%、炭素12%、その他2%
- 水素は、体内の全ての化学プロセスに直接的・間接的に関与
- ビタミンやミネラルは、水素と比較すると微量栄養素
- 水素は自然界に「タダ」で存在しないため、酸素のように吸い込めない
- ほとんどの食品は炭化水素
- 腸内菌により炭素と水素の結合が解かれ、腸壁から水素が入る
- 抗生物質の乱用などにより、現代人は水素を取り込めていない

スライド204

EMF（有害電磁波）対策

- Q-Link：バイオフィールドに共鳴する（音叉に類似）
- カーボン・バランサー：電子軌道を一瞬に整える
- LightTower：コヒーレント光がカオスな波動を調和
- LDTハーモナイザー：自然が混沌とした周波数を再編成
- ファラデー・バッグ
- EMF Rock
- 睡眠時のアーシング
- ブルーライト遮断サングラス
- サウナ中のアーシング
- チューニング・フォーク（クリスタルと同じ効果）
- ポジティブ思考・メディテーション・祈り

スライド205

極端なレベルの電磁波曝露は健康に深刻な影響を及ぼす可能性

- 家庭で日常的に遭遇するEMFははるかに低いレベルだが長期的な暴露や蓄積汚染による健康への悪影響の可能性
- 疲労、集中力低下、睡眠障害イライラ、脱毛、組織損傷など幅広い症状
→ 体内の構造水が壊れる

スライド206

（スライド２０６）

有害電磁波によって、こんなふうに体に悪影響を及ぼす可能性があるというのは、皆さんもお聞きになったことがあるでしょう。

（スライド２０７）

何かしらの対策は検討する必要がありそうですね。

（スライド２０８）

耳鳴りや目眩《めまい》というのは、現代医療もそうですが、中医学だけではなく、さまざまな自然療法でも治療するのが難しいんですよね。

トム・カウワンによると、耳鳴りは有害電磁波による害だと言っていました。この話にはとても驚かされましたが、なるほどな、と思いました。

（スライド２０９）

有害電磁波デトックスで手軽にできるのは、虎の尾（サンセベリア）を、コンピュータやＷｉ－Ｆｉの周りに置くことです。

携帯可能で手軽にできる方法としては、ペンダントにしたものや腰回りに身に着けるものがありますね。

（スライド２１０）

人工的に作られた
非電離性電磁波

歴史的に見ても一般的ではなく
今日私たちは100年前に比べて
10億倍（10^18）もの電磁波にさらされている
そのほとんどは
テレビ、携帯電話、Bluetooth、Wi-Fiなど
マイクロ波帯の狭い周波数帯（0.2GHz～5GHz）から発生
効果的なEMFブロッキング対策

スライド207

耳鳴り・目眩

スライド208

スライド209

快眠の秘訣

1. 朝日を浴びる → メラトニンの分泌を活性化
2. 日中は活動する → 屋外での運動がより効果的
3. 日没後はブルーライトを遮断する
   → 日没後のブルーライトにより脳は昼間だと勘違い！
4. 睡眠の質を高める環境を整える
   → 最適な室温と寝室での人工光の使用の制限
5. 目覚ましアラームではなく、自然に目が覚めるようにする

スライド210

日光浴＆グラウンディング

スライド211

Photon
フォートン

スライド212

快眠の秘訣は、日没後はブルーライトを浴びないようにするとか、何かの工夫は要るでしょうね。

（スライド２１１）

日光浴とグラウンディングが一番手っ取り早い。これはデトックスにもなるので、強くお勧めします。

（スライド２１２）

私は有害電磁波対策として、フォートンPhotonも使っています。網状のバスケットの中には、口吹きステンドグラスが入っています。この赤いランプが太陽光と非常に近いフルスペクトルの赤外線光を放ち、有害電磁波をキャンセルします。

（スライド２１３）

これはその赤いランプを使ったサウナで自分で組み立てるようになっています、アーシング、デトックス効果が絶大で、毎日朝晩これで汗をかきます。健康維持に先ほどのブラウンズガスの器械と共に大変氣に入っていますし、カナダでは日照量が限られているので、私にとってこのサウナは欠かせません。

実は、今回日本に来る直前に、運動している時に、多分捻挫したと思うんですが、左手首を傷めたんですね。それで、コンピュータで作業しながら、これ（フォートン）を左側に置いてずっと当ててたんです。始めはすごく痛かった手首も、2時間浴びたら完全に治りました。いかに太陽、日光が重要かと感じました。

もちろん本当の日光のほうがいいんだけど、これ（近赤外線サウナ）は日焼けしない。でも、実際に日光浴して日焼けしても全然オッケーなんですよ。実は太陽の光を浴びてもシミになることはないんです。

（スライド214）

お勧めは、朝日と夕日を浴びながら散歩することです。ここには15分と書いていますけど、30分ぐらいが目安です。無理だったら5分でもいいので、日光を浴びてください。お化粧せずに、サングラスもかけずに、スマホは持ってもいいけど電源は切る。札幌で、「コンタクトレンズはどうなんですか」と聞かれたんですけど、できたらコンタクトレンズも外していただきたいけど、ちょっと問題があるようならしてもいいですね。でも、目から直接朝日と夕日を浴びるというのが重要なんですよね。

（スライド215）

「毒を入れない浴びない」

一番重要なのは、これから毒を入れないように心がける、浴びない生活をすることです。いろんなところからです。例えば、私は洗髪にはシャンプー剤ではなく、重曹とリンゴ酢

近赤外線サウナ

近赤外線 NIR（遠赤外線 FIR）

- 波長が短い（長い）
- エネルギーが強い（弱い）
- 太陽光の43～50%（2～3%）
- 自然界に必要な光で生体内に深く浸透し、
  体温は素早く上昇
- アンチエージイング、デトックス効果
- **遠赤外線(FIR)は水に吸収されるため、皮膚表層の**
  水分を通り抜けることができず、体温上昇に時間がかかる
- 赤ステンドグラスにより、他のサウナより速く、
  効率的に、低温で発汗

スライド213

Sunlight Diet

- 朝日と夕日を浴びながら散歩する
  （各15分～30分）
- できるだけ肌を露出する
- サングラスはかけない
- スマホは持たない（電源を切る）

スライド214

毒を入れない浴びない

スライド215

を使い始めました。重曹で髪を洗った後、リンゴ酢で髪をもみ込むと艶々になるんですよ。究極はお湯だけでもいいと思いますが、フィルターされていない塩素たっぷりの水だったら、パサつきますね。

癒しは自分自身の中にある

（スライド216）

最後になりましたが、ここにバベルの塔がありますね。私たちは何らかの形で支配者のプランに乗ってどんどん上に登っていきました。多分、今日ここにいらっしゃる方は、企てに氣づいてズンズン降りてきたと思うんですね。上に行っても、支配者のスキームに乗ってしまうだけだとわかったんです。

（スライド217）

この壮大な計画を成し遂げたい勢力があり、私たちインパワーは今、正にそれをひっくり返そうとしているのです。

（スライド218）

私たちがこれまでサイエンスだと信じ込まされてきたことが、実際は疑似科学だった。

スライド216

スライド217

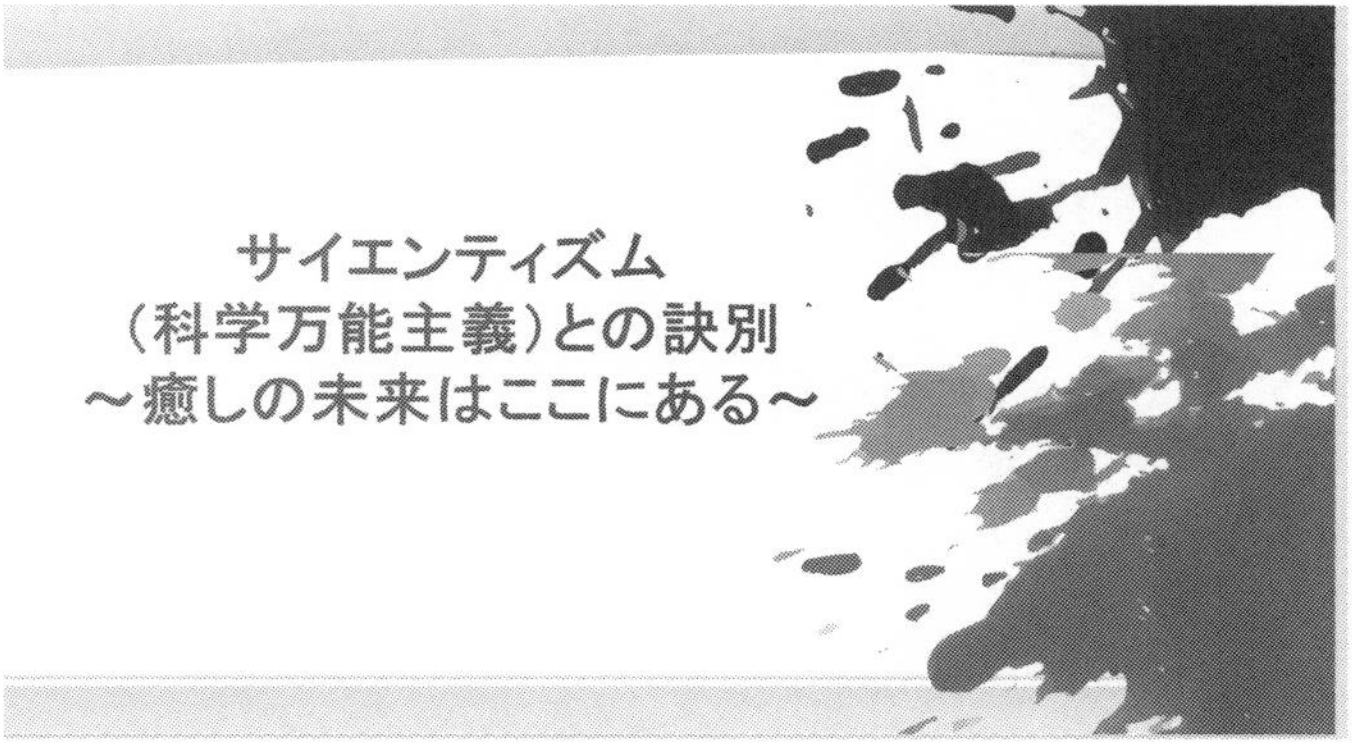
サイエンティズム
（科学万能主義）との訣別
～癒しの未来はここにある～

スライド218

癒しというのは、本来私たちが既に持っているもので、何もしなくても体は治る。放っておいたほうが逆にいい場合がたくさんあるのだということに氣づいてほしい、それが私から皆様への願いです。

今日はどうもありがとうございました。

質疑応答③

――金融・法律のところで法律の階層の絵がありましたけれども、一番外側にスピリチュアルロー（自然法）があって、その内側にレックス・メルカトリアがある。話としては、「彼ら」がレックス・メルカトリアに乗っかって操っているので、その土俵を逆手にとってという話だったと思うんですけれども、その外側にあるということは、レックス・メルカトリアよりも自然法のほうが上にあるということかなと思ったんです。彼らは嫌うという話ですけれども、自然法と彼らとの関係をどういうふうに考えたらいいのでしょうか。

リーシャ　勝ち負けで言うと、私たちはいつもJurisdiction（管轄権）の内側で（裁判などで）戦おうとしているから負けてしまいます。勝つためには、外側のルールを使わないといけません。

インパワーのＮｏＬによる活動は、外から2つ目のJurisdiction（領域）、つまり、レックス・メルカトリアという土俵で商人の立場として行うものです。ＮｏＬは、相手（支配者）からのビジネスオファー（スマートメーター、全ワクチン、５G、ジオエンジニアリング）に対して、条件付き承諾によりカウンターオファーをするものです。そして、商人の間では、オファーをした側は、カウンターオファーに対して答えなければならないというルールがあり、私たちには隠されていますが、それを支配者側は熟知しています。

実はＮｏＬの文書は、レックス・メルカトリアだけでなく、バイブルにも基づいているため、実際には一番外側のスピリチュアルロー（ナチュラルロー）のJurisdiction（領域）から働きかけているとも言えるので、それを受け取ると、支配者側にとっては逃げ出したくなる状況だと思います。

神　ナチュラルローというのは、もともとは人間が自然に与えられている権利ということなんですよね。

リーシャ　私たちは自由である権利などとよく言いますが、実際は権利ではなくて、当然私たちに与えられているもの。例えばバイブルの「創世記」でも、神あるいは創造主がアダムとイブに与えたものは、空と陸と海という宝物（ドミニオン）です。簡単に言うと、彼らはその宝物を私たちから奪いたいのです。

人口削減もしたいのでしょう。人口が少ないほうがコントロールしやすい。しかし究極には彼らは神を超えたい（あるいは神になりたい）のだと思います。殺したければ、手の込んだことをしなくても、もっと簡単な方法がありますよね。でも、そんなことしてないでしょう。彼らは神と契約を結んでいるので、やたらめったらウソばかりも出せない。それで、ちょっと正規な、本当の情報も出してくるんだと思います。

ドミニオンという宝物が本当は私たちに託されているのに、私たちは、「お願い！」と、政府やお上に権利を主張するでしょう。でもそうではない。全てコンセプトでつくられたものです。

カナダでもそうですけど、ひと昔前に、私たち人間をあらわすときに「メン・アンド・ウィメン」と言っていたんです。それがいつしか「ヒューマン」という言葉が出てきた。「ヒューマニティー」とか「ヒューマンライツ」もそうです。でも、権利でも何でもないんです。私たちはもともと自由なんです。

――どちらかというと、ナチュラルローとかスピリチュアルローというのは背景的なもので、実際の攻防や、ネゴシエートはその内側にある。こちら側も支配者側もそれぞれにそういうものを背景に持ちながらということですか。

神　ナチュラルローを何でスピリチュアルローと言っているかというと、英語ではゴッド・ギヴン・ライツと言うんです。神から与えられた権利。権利というのは吸い取られた言い方なんだけれども、ゴッド・ギヴン・ライツだと思っている人たちがいるわけです。だから、それはスピリチュアルなものなんですね。

それで私が、日本人とか東洋人に対してどうなのかなと思うのは、別に神から何かをもらったとか、権利を認めてもらったとか、神から与えられた権利とか、それらについて何も考えずに普通に生きているので、そこのところがちょっと理解しにくいだろうと思います。

ただ、西洋人に、聖書が関係するというのはそういうことで、ゴッド・ギヴン・ライツという形のナチュラルローがある。それはスピリチュアルであるということなんです。

――インパワーのほうで、結構大きな金額が蓄積されてきているという話がありました。あれは、ＮｏＬを送って、それが機能し始めていることでトータルの金額がそこまで蓄積してきているという意味合いですか。

リーシャ　インパワーのＮｏＬは実はBills of Exchange、つまりその文書自体がおカネなんです。つまり、メンバーがＮｏＬを送ることにより、おカネを生み出していることになるのです。この点は理解するのはなかなか難しいと思います。

インパワーでは、NoL関連データは記録していますが、実際の文書（すなわち作り出されたカネ）は送り主であるメンバーそれぞれが保管します。

カル・ワシントンは常々おカネは概念であり、本当は私たちには必要ないものだと言っています。しかし、これだけおカネと密着した私たちがいきなりおカネのない世界に飛び込むのは難しい。ですから、その移行期間として、どのようなシステムを作っていくか、インパワーでは現在検討中なんです。

海外では、今はどんどん無くそうとしていますが、銀行でチェッキングアカウントを開設したら、チェックブックをもらうんです（今は有料ですが）。使い方は、チェックに金額、日付を書き込んで、サインしたら、ブックからその1枚を切り離して支払い時に渡す。これがBills of Exchangeと同じだと思う人がいるかもしれませんが、根本的な違いがあります。自分の口座からチェックに書き込まれた金額分が引き落とされるのに対し、Bills of Exchangeはただの紙切れだったものがおカネになってしまうところがミソなんです。

神　今も借りてるからね。そこでおカネのやりとりがあるんだけど、それがなくてもおカネになる。

リーシャ　Bills of Exchangeの存在を私たちに隠し、その仕組みを巧みに利用して王室や銀行家らがおカネを生み出したんです。信じられないカラクリですよ。

負のシステムだから、一見わかりにくいんですよね。私がそれを理解するのに最初はすごく難しかった。でも、だんだんわかってきて、あ、なるほどなと。

――今日もありがとうございました。今、おカネという話もありました。そこでパッと浮かんだのが、江戸時代が本当にあったのかどうかわからないですけど、架空の話、ねずみ小僧かなと思って。あれは実際に現物の小判があって、困っている人に渡すというイメージですが、今回は、負のところから取り返すというイメージがあるんです。

リーシャ　そうですね、ある意味で、取り返すと言えると思います。おカネは、支配者が私たちをコントロールするために編み出したツールであり、本当は必要のないものです。しかし今はおカネがないと成り立たない世の中ですし、全ての悪事はおカネによって行われています。インパワーではＮｏＬによって支配者が創り上げた金融システムから脱却しようとしているんです。そして、おカネの必要としない世の中に移行するまで、それをメンバーに、ひいては人々に還元するシステムを構築しようとしています。それは、ＮｏＬそのものがBills of Exchangeであるから可能なんです。これはとても難しい部分なので、今後機会があれば、それに特化したお話をしたいと思います。

――マネーゲームの崩壊ということなんですか。

リーシャ　そういう感じですかね。これはマネーゲームですよね。

――海外ではテレビ局とかにも行っているんですか。

リーシャ　行ってますね。

――NHKにやってほしい。

リーシャ　メディアと言えば、タッカー・カールソンはあちら側ですね。

――結局メディア自体が洗脳されているわけじゃないですか。メディアもどんどん潰すというか、ターゲットにしていかないとダメだなと思います。

リーシャ　インパワーでは、メディアに対してNoLは送りません。言論の自由があるからですが、そこに送らなくても他に送る相手がたくさんいるからです。

――つながっているわけですよね。

リーシャ　はい。

――日本版ができているので、これから送るんだと思うんですけど。

リーシャ　文書はほぼ完成しているのですが、実際に送れるようになるには、もう少し時間がかかりそうです。日本在住メンバーがもう少し増えるとありがたいですが、人数よりも、インパワーの考え方をちゃんと理解した上でNoLを送ることが大事だからです。インパワーのメンバーサイトは有益な情報の宝庫です。ただ、全部英語ですし、ＮｏＬの文書も英語なので、英語力は必要になります（特にリスニング）。
（※２０２４年4月時点で日本語版ＮｏＬ（スマートメーター）が完成）

――日本語版はまだない。もし日本人のトップの人に送ったとして、その人たちに英語での読解力がない可能性は十分にありますよ。

リーシャ　私もそれは考えました。

――それを通訳する側近がいないとダメなんじゃないですか。

神　わかる人はいます。

――その内容を、そのトップの人たちは、その地位につくにあたり、彼らから吹き込まれてというか、教育されて、「これが来たら、君、辞めるときだよ」ということは知らされているんですかね。

リーシャ　知らされていません。というのはインパワーのＮｏＬというものは、カル・ワシントンの壮絶な経験から生み出されたものだからです。支配者はまさか自分たちが創り上げた金融システムを、逆手に取られてカウンターオファーされるなどとは夢にも思わなかったでしょう。しかし、少しずつ状況は変わってきています。例えば、政府トップが辞任していることもそうですが、NoLが送られている数、つまり（Bills of Exchange により生み出された）カネの額もうなぎ上りです。その一方で、メンバーが送ったNoLの封書を「受け取っていない」ことにする、または、「紛失した」ことにするようなサボタージュが次々と起きているんです。

神　郵便物がなくなったりしているので。

リーシャ　世界的なんですよ。NoLの効力を熟知しているからです。

――今日は、科学とか医学が疑似科学であったというお話ですけれども、1850年から1920年ごろにかけてグローバル・リセットがあって、「彼ら」がそういう疑似的なものをつくって一般の人に提供する一方で、彼らなりの神聖な別のバージョンの科学とか医学というのを、彼らの中ではわかってやっているのでしょうか。

リーシャ　多分知ってますよ。自分らは自然医療でやってるんじゃないですか。だから太陽を――でも、光を浴びて元氣になる人種じゃないかもしれないですね。ちょっと暗闇のほうがいい（笑）。それはわからないけど、ロイヤルファミリーはホメオパシーとか自然医療をわかってやってるんじゃないですか。私たちにケムトレイルで太陽をさえぎるのは、私たちに太陽が必要だというのを知ってるんじゃないですか。

神　疑似科学というのはウソなので、理論もすごく面倒くさくて、すごく精緻にしているように見えて、つじつまが合わなかったり、いろいろ大変なんですよ。つじつまが合わないから、また別の理論をつくったり。だけれども、真実はシンプルだから、さっきリーシャさんが話されたように、別にそんなのはキープするというか、普通にわかることだと思います。

リーシャ　ウソの上にウソを塗っていくうちに、つじつまが合わなくなってくる。今それが出てきているんでしょうね。

――インサイダーでは本当のことがわかった上で、ウソの構築物をどんどんつくり続けているという感じなんですね。

リーシャ　そう思います。見ていると、それが１８５０年からさまざまな分野で顕著ですよね。

神　歴史学もそうです。

リーシャ　歴史学も本当にひどい。ここまでウソかとは思いませんもんね。どれだけ体が強いかというのを、私たちはみんな知らないじゃないですか。アンディ・カウフマンなどは、私たちは本当は１２０歳まで軽く生きられると言っていますね。毒を盛られているから、みんな70、80ぐらいが寿命だと思い込んでいる。１００歳まで生きたら大往生どころか、毒を盛られてなかったら、１５０まで生きるんじゃないかと言ってます。

神　私がいつも不思議なのは、毒を盛られていない、自然のもの、日光を浴びてアーシングをやっていた江戸時代の人の寿命は50歳ぐらいですよね。だから何故寿命が延びているのかよくわからない。この辺は、これから謎を解かないといけないなと思っています。

今日はこれで終わります。ありがとうございました。

リーシャ
ナチュラルヘルス・コンサルタント＆翻訳家。

カナダ・ブリティッシュコロンビア州在住。

外資系航空会社機内通訳を経て国際線客室乗務員。

中医学を勉強し、鍼灸師の資格を取得後、操体法、波動療法、漢方、食事療法にも携わる。

カル・ワシントン氏代表 InPower Movement サポートチームメンバー。

アンドリュー・カウフマン医師 True Living Fellowship 創設メンバー。

トーマス・カウワン医師 New Biology Curriculum 修了。

同医師のベストセラー『ヒューマンハート・コズミックハート』（ヒカルランド）の翻訳者。

神　瞳　じん　ひとみ
上智大学外国語学部英語学科卒業。翻訳家。
翻訳書に『ワクチン神話　捏造の歴史』（ヒカルランド）がある。

世界の闇と真実を知る！

支配者の意図を暴き、救いある未来を手に入れろ！

第一刷　2024年7月31日

著者　リーシャ
　　　神　瞳

発行人　石井健資

発行所　株式会社ヒカルランド
〒162-0821　東京都新宿区津久戸町3-11　TH1ビル6F
電話　03-6265-0852　ファックス　03-6265-0853
http://www.hikaruland.co.jp　info@hikaruland.co.jp

振替　00180-8-496587

本文・カバー・製本　中央精版印刷株式会社

DTP　株式会社キャップス

編集担当　川窪彩乃

ISBN978-4-86742-396-7

ヒカルランド　好評既刊！

地上の星☆ヒカルランド　銀河より届く愛と叡智の宅配便

コロナと世界侵略
著者：内海 聡／ダニエル社長
四六ソフト　本体1,700円+税

コロナと金
著者：ダニエル社長
四六ソフト　本体1,700円+税

コロナパンデミックの奥底
著者：内海 聡／玉蔵
四六ソフト　本体1,500円+税

コロナは概念☆プランデミック
著者：片岡ジョージ
A5ソフト　本体1,600円+税

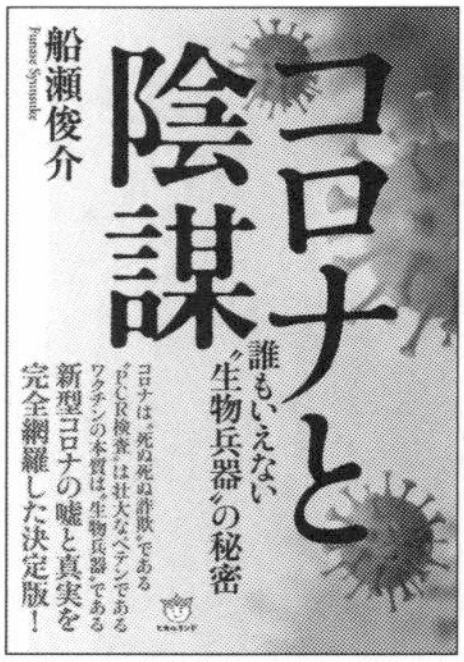

コロナと陰謀
著者：船瀬俊介
四六ソフト　本体2,500円+税

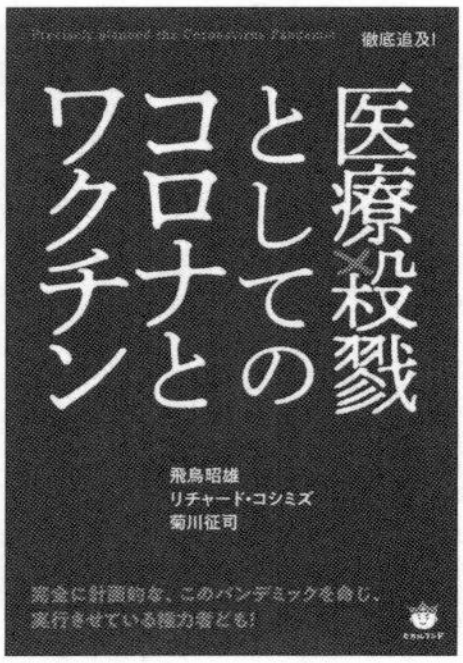

医療殺戮としての
コロナとワクチン
著者：飛鳥昭雄／リチャード・コシミズ／菊川征司
四六ソフト　本体1,800円+税

ヒカルランド　好評既刊!

地上の星☆ヒカルランド　銀河より届く愛と叡智の宅配便

コロナワクチン幻想を切る
著者：井上正康／坂の上零
四六ソフト　本体1,600円+税

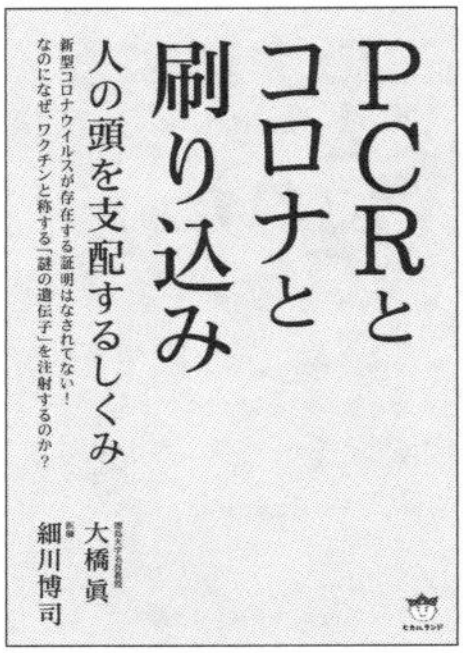

PCRとコロナと刷り込み
著者：大橋眞／細川博司
四六ソフト　本体1,600円+税

PCRは、RNAウイルスの検査に
使ってはならない
著者：大橋 眞
四六ソフト　本体1,300円+税

コロナワクチン、被害症例集
著者：中村篤史
四六ソフト　本体1,500円+税

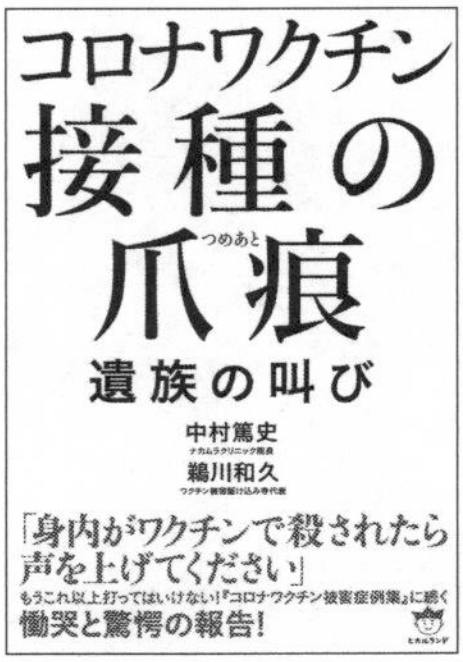

コロナワクチン
接種の爪痕（つめあと）
～遺族の叫び
著者：中村篤史／鵜川和久
四六ソフト　本体1,200円+税

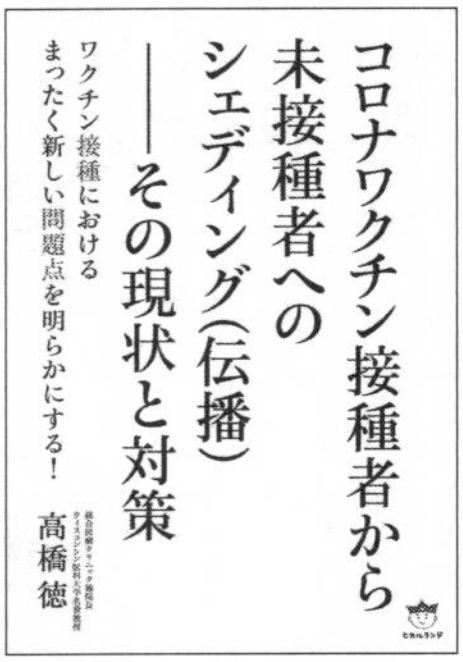

コロナワクチン接種者から
未接種者へのシェディング（伝播）
――その現状と対策
著者：高橋 徳
四六ソフト　本体1,100円+税